Franciszek Schubert odchodzi

Jacek Pankiewicz

Franciszek Schubert odchodzi

Zbiór opowiadań

Projekt okładki: Bimali Horska, Jacek Pankiewicz

Redakcja i korekta: Jacek Pankiewicz

Skład: Wojciech Ławski

Książka wydana
w Systemie Wydawniczym Fortunet™
www.fortunet.eu

ISBN. 978-83-7856-152-1

Wydawnictwo Poligraf
ul. Młyńska 38
55-093 Brzezia Łąka
tel./fax (71) 344-56-35
www.WydawnictwoPoligraf.pl

IŚCIE!

Szło by się. Ale nie idzie się. Byle łażenie, wałęsanie się iścia nie czyni. A tu nogi jak z waty. Nic z iścia dzisiaj...

Iście! Żeby iść, trzeba wpierw miejsce swoje mieć, więc miejsce wynaleźć, stamtąd ruszyć. Lecz tu nogi...

Jak nie ma skąd iść, niech sobie kto Kamień znajdzie odpowiedni; na nim ot, stłukłeś sobie paluszek, to i przysiąść się możesz, chusteczką paluch owinąć albo czym; bo w drodze się zakurzy; a Kamień już twój! wyruszyć skąd masz, a dokąd jeszcze nie wiesz.

I droga się kurzy, palec nabolewa, ale ty, stoik, już jesteś idący! masz własny Kamień Założycielski Iścia! cała historia odtąd może być twoja.

A potem potem, jak ci się nieźle już szło; gdy jeśli będziesz miał to szczęście, na drzewa się pogapiłeś, one też zauważą ciebie – obejrzysz się, i patrzysz, a tu Drzewo w równym tempie posuwa za tobą! dla niepoznaki zerkniesz w bok – znów patrzysz, a ono nie gubi się!

Bo poniektórzy mają takie życie przede wszystkim, że oni niczemu nie przepuszczą – dla nich cały świat! Ale nie każdy potrafi być taki uważny.

Są tacy, że i z siebie muszą wyjść najpierw, by potem żyć!

Wstałem dziś rano, poszedłem do bramki, wziąłem bilet, przepuścili – i tak na szczęście zaczyna się moje Iście! Bo dookoła jakiż bałagan!

Żeby z sensem iść, trzeba wpierw Porządek Iścia stworzyć. A to nie byle rzecz! tylko nielicznych stać na to, by iść z sensem, a choćby nawet i bez porządku. Improwizacja tworzy nieraz porządek, i byłoby nieźle tak umieć, żeby tylko dla takich był świat.

A tutaj jest tłum i przede wszystkim kurzy się!

Ty sobie idziesz. Znasz pewną tajemnicę. Bo jak nie można w tłumie – idzie się poza!

Ale i tak nie zmieniło się nic po drodze – ty idziesz, idziesz, a Droga coraz dłuższa! ale i dalej idzie się! Po co tam tyle bałaganu? martwisz się.

I deszcz już pada, ale idzie się! nie zdążyłem nawet podejrzeć, skąd pada? długo tak będzie?

wyszedłem na Wzgórze – widok na całą prowincję mam! ale tu istne Tusculanum! dolina smutna jak dziewczyna, co w ruchu zatrzymana, stoi, marnieje, donikąd iść jej nie idzie.

A i człowiek ustał, jakby już nie miał gdzie iść.

To i Deszcz już ustał;

więc wracać pora; ale z czym?

bo jak kto nie ma co z życiem zrobić – wstaje rano, dochodzi do bramki, płaci za bilet, a stamtąd byle odejść jak najprędzej! Ale czasem od iścia i Góry kruszeją! wielkie Pomysły tam powstały!

choć i Góry te dziś martwe!

To lepiej niech już Deszcz zapada.

A była Jedna co szła, to szła i niedoszła! szparki po oczach zarośnięte ma, szuwaksem w dodatku pozasklepiane, lekko się poślizgnęła, w kałużę wpadła, ot, niedoiściątko jakie! poleży teraz, aż jej odmięknie.

Bo trzeba iść! a jak kto nie ma co z życiem zrobić – może się okazać, że całe to życie jakieś nienormalne –

coś trzeba zacząć! przekonać się, jak to tam potem będzie dalej. Przynajmniej trzeba by –

i znów zaczynasz tak jakoś – i już niezatrzymanie twoje, gdzieś dojdziesz!

co czasem okaże się złudzeniem optycznym, cały ten tam Horyzont, co widzisz tylko, ale i gdy stoisz!

trzeba iść?

Jak sobie kiedyś obliczyłem, w życiu przeszedłem równik ze dwa i pół raza; codziennie do szkoły, a potem głównie dookoła niej – zajęło mi to też z półtora równika. I dziś nie tracę czasu na złudne nadzieje – ot, sprawdzam sobie i idę! nowy Horyzont niech ukaże się – bez Tuskulanum!

‚Ach, jaka tu piękna pogoda dzisiaj!' kiedyś powiem sobie.

Paluch już mam cały, kolejny Kamień wyminęło się sprytnie; nawet teraz i Strumyk, co w poprzek drogi mi się rusza, szemrze i mknie, zatrzymać mnie nie potrafi,

,wpaść by do wody dla ochłody!'

myśli się; już i higienista kiedyś tak mówiła; a nie chciałbyś?

Zza Górki hen coś, aż światło w oczy kole!

i nie da się iść!

nad szczytem tam złośliwy świetlik siedzi; i prześwituje; a to wschodzi Słońce! ono widać też nie chce cię zostawić!

więc idę w pół zgięty; do ważniejszych rzeczy stworzonym się jest – niż byle uleganie!

,...bo trzeba mieć twardość w sobie, z okolicznościami równo grać!'

Aż opadnięty z sił, wieczorem, gdy rąk ni nóg nie czujesz, potrzeba kogoś, oparcia się... o coś... potrzeba ci sił!

...bo czyż i o tej maleńkiej Górce zapomnisz? to do niej startowałeś dziś rano!

morze gór ominąłeś, po falistej tafli grani ślizgnąć się umiesz jak koza!

ba, teraz może i pofrunąłbyś sobie –

albo popłynął gdyby...

stąd Dolin już nie widać wcale, zostały! były wczoraj!

,a bo ja umiem przekraczać stany bierne!'...

,...i wdzierać się coraz wyżej!'

jakby do czegoś kiedyś miał daleko...!

,ba, do Nieznanego ja, do Nierozpoznanego dążę!'

kto już takiego celu spragniony, Bezdroży się nie zlęknie!

– przede mną Góra! taka co do nikogo nie schodzi!

co do niej człowiek może przyjść – ale odejść nie zechce!

,jak raz się poddałeś próbie! – ,

oj, nie radziłbym ja wyprawiać się w drogę komuś,

kto tam Na Dole wybrać sobie mógł świadka; nie wytworzy sił!

tutaj sam musi być w roli Aktora!

,to ja tam dojdę i nie poddam się Górze!'

za tobą zaś natrętni, śmieszni, po piętach drepczą; tacy co zdepczą i cały świat!

niech nikt nie dowie się, czego dokonałeś! bo tylko ci, którzy tu byli, wiedzieli!

...wrócić do tamtych?

co zechcą ci podyktować ton, swój, żebyś go uznał za własny; żebyś zatańczył, jak zagrają!

„bo z nami żyje się krótko, ale pewnie!"

mijanych spojrzeń nie pojmiesz nawet.

A Potok, który cię brodem teraz okrążył, jak wstęga wolności snuje się, pyta,

‚czy ty aby mnie kiedy przekroczysz?'

bo zostawiłeś ślad, a woda go zmiata,

to jakbyś po linie wędrował przez świat

zamarzeń, półmyśli, planów do rychłego pozbycia cię;

tak chwile trwają, w pamięci nawet i wyobrażonej liny nie staje, choć nią szedłeś!

– to i się przypatrz, Spoglądaczu z Drogi, jak tu przemiennie wciąż jedno się w drugie przekłada, jak cudza nieuwaga na twoim czole wygniata przypadkowy ślad

niedowidzeń, kłopotliwego bezczucia,

i wahasz się, czy stwierdzić, że coś naprawdę niby się wydarzyło?

tu samoistna cisza.

A zasię ktoś jak tak już wyrzucony z siebie, że i jednej chwili nie może tam wytrwać

niech jako Ryba, na brzeg wieczornym pacnięta przypływem, ot, pomyleniec Rodzaju –

niech metamorfozę swą od tego zacznie; by cyklem podskoków, najpierw żądny, by horyzont zobaczyć! a to i dobry znak! choć nie jak szlachetny Żółw, mistrz celu! lecz on, z nieobsadzonego powołaniem nadania, nieodkryty płaz, runął w stronę nieznaną –

i będzie ćwiczył, aż mu się skrzela w płuca przemienią! i choć świat obok brnie jak popadnie,

on po swojemu wreszcie Pełzacz.

1994/1996, 2013

Jakbym już wiedział

Pamięci Ślepego, z którym
w dzieciństwie nieźle popracowaliśmy

Szedłem drogą nieuczęszczaną, wystarczy spojrzeć, by wiedzieć: musiałem tamtędy iść na wprost, gdyż obok miałem tylko strome stoki. A stawało się szaro, jakby od każdej chwili na nowo, tak tam na taką drogę, i pogodę. Do wyjątków należały rozbłyski, a pogody właściwie nie było wcale.

I teraz akurat stało się ciemno, a nawet czarno, nie wiadomo, czy to pogłębił się wieczór, czy była noc przed rankiem? Grzmiało, błyskało się i zawiewało, jakimś zimnym marcowym śniegiem, a potem jakby ocieplało się na deszcz, i schło się w podmuchach – może już do bliskiego ranka? Wszystko, co z tego parcia żywiołów i próby przetrzymania z ludzkiej strony się ostało – niebawem zaczynało się dziać od nowa.

Nie miałem zegarka, zresztą i po co tam śmieszny zegarek wobec nie uznającego żadnych miar zmieszania wszechzjawisk! Zapomniałem zatem co poczucie czasu, i co o innych rzeczach wiedziałem. Bo i jakże śmiałbym nosić w sobie coś tam całkiem nieużytecznego! W takich sytuacjach człowiek nie chce wiedzieć nawet, kim jest teraz, jaki ma wygląd, dlaczego tam się znalazł? A jak długo trwać to będzie? wie może jedynie tyle, co w następnej, nagle trafionej chwili będzie musiał uczynić?

I czy przyjdzie na coś choć krótki moment, czy to będzie trwać dłużej, bardzo długo! Tego nie przewidzi nikt. I pamięć przy tak nagłym, nieokreślonym obowiązku staje się niczym.

Zza chmur, o ledwo rysujących się kształtach, przebiła się wreszcie wiązka światła, jednak tak zewsząd schlustana czernią, że mi nie zdążyła pokazać drogi; górą jakby puściła smugę w dół, na ziemię i na drogę, ale za krótko, więc tym bardziej oślepia. Nie dochodziła tu do nas nawet żadna łuna; mówię *do nas*, bo z żywych na tej scenie cholernie rozległej scenie, jak się wnet okazało, byłem nie tylko ja.

Obok mnie, a właściwie za mną, też po omacku, szła Dziewczyna, o której wiedziałem tyle, że od jakiegoś czasu idzie tamtędy, nie wiadomo skąd i dokąd, lecz i do pewnego stopnia razem ze mną. Tak nam się zeszło, lecz z braku wolnej chwili, względnej ciszy nawet, nie zagadaliśmy do siebie. Tak że całość czynności, możliwych przypuszczeń o sobie, zdarzeń odkładaliśmy na potem. Aż nam znów się objawi tamten zapaplany świat.

Gdy choć na moment ścichnął i zgasł cały ten zwidok groźnych zdarzeń, od których zależało nasze utrzymanie się przy życiu, na tej ścieżynie przypuszczalnej, której nie można było zgubić, okazywało się choćby światło łowione z kałuż, cenne bo ostrzegało przed głębszymi wybojami; jego lustro przy silniejszym błysku pokazywało i niebo, w tych swoich drgawkach, jakby poirytowane. Dziewczynę od pewnej chwili zacząłem holować za sobą, kiedy w zapadłej znów ciemni krzyczała nie mając sposobności postawienia następnego kroku; wtedy i należało trwać w miejscu, a ruszyć dopiero czy skoczyć, kiedy coś błyśnie! możliwy okaże się kierunek dla nas dalej.

A gdyśmy już wdrapywali się, każde czworonóż – może i na szczyt albo odnogę czegoś – nagle, w błysku przeciwległym mignęła nam w zwidzie, jakby na wyżej położonym ukraju drogi, jednak mknąca w poprzek niej, furmanka z koniem! Wyglądało to niby, że w zawiewach wiatru rzucała się tam po bezdrożu, przy niesamowicie wygiętej w bok rozworze, tak iż ledwo pół wozu oraz troniło i koń mogli się choć na moment uratować.

W drugim zaś błysku zobaczyłem, że koniem już rzuca jakby ogonem od tego roztrzęsionego pojazdu; ale utrzymywali się jakoś, koń to utrzymał, niby jego wola uczepiła się jakiejś teoretycznej krawędzi ocalenia!

Była to krawędź góry z pewnością; furmanką pomiatało w te i wewte, ale nadal jeszcze była. Pęd jednak coraz wyraźniej ciągnącego konia, nabrany wreszcie rozmach jego rozbiegu – utrzymały równowagę na przekór działającym siłom, no i logice! To koń narzucił swój porządek w całej tej gmatwaninie!

Aż znów ściemniło się, zniknęli nam z oczu, przez wiejący wiatr nie można było słyszeć turkotu wozu – może i obsunęli się gdzieś w dół, nim usłyszelibyśmy –

– Ani chybi spadną! krzyknąłem.

Ale było to pewnie tak cicho, że Dziewczyna nie posłyszała. I nie powinna zresztą. Bo mogli się byli zsunąć gdzieś po błocie. Ku mnie zawiało końskim potem, to świadectwo wątłe, nie wiadomo skąd wiało.

I przypomniałem sobie, że już widziałem, jak koń ma poobcieraną skórę, to pewnie i rany. Ale w tym jednym błysku?! Więc walczyć musiał ostro i przedtem! Nawet dobry woźnica w tych warunkach dawno straciłby głowę.

Kiedy w czerni znów pod stopami wymacaliśmy ścieżkę, satysfakcję poczułem, że oto może już zaraz, wyrwiemy się stąd gdziekolwiek! i niekoniecznie zaraz na szczyt ale! przecież jeszcze nie zginęliśmy!

Wyjdziemy tam, gdzie wiatry będą nie tak nachalne, a może i pokaże się trochę słońca?!

wyjrzy do nas w większym, niż dotąd bywało, ułamku! Tak bezczelnie i tyle chcieliśmy!! –

A kiedy już rzeczywiście stało się trochę jaśniej,

nagle znów pokazało się to widmo na niebie – a w nim z zaprzęgiem, pełnym wozem jednak, pędzący koń!

nasz Koń! poradził sobie!

pędził tu aż do tej chwili!

uratował siebie i zaprzęg.

Może dołączy do nas teraz, tak że będę go mógł za szyję objąć! zostać jego jeźdźcem lub woźnicą! tylko dotrwaj tam z tym zaprzęgiem!

pokaż, choć ty nie masz pewnie jednego oka!

ty biegłeś do nas, lekceważąc wszystko! bo nie mieściłeś się na ciasnej ciemnej drodze!

A teraz sam się zatrzymał, stoi, i tylko drżą mu nogi.

Ale to zwycięstwo! prawie tak lekkie że!

I stoję ja, dochodzi do mnie Dziewczyna.

– Patrz, przyszedł do nas! powiada.

Jest to jej pierwsze odezwanie się, które słyszę. A słyszę jak własne myśli, tak dobrze.

I Koń zdarzenia połączył!

Reszta, choćby świat był tak wielki, większy jeszcze niż tu, i choćby gdzieś się schował – On tam trwał i hałasował po swojemu, i cieszył się – reszta nie musi być ważna.

I między myślą a słowem jest Koń! On, Motorniczy zjawisk dzisiejszego dnia\nocy! wyzbyty słabości!

I taką wdzięczność mamy dla Niego, taką wdzięczność!

A wspiera nas jego wysokość Zgnębiona Chudoba! Wcielona wierność! dobrze użyta siła! –

Zaś tam przed nami, jeszcze w ciemnej smudze stoi – szczyt!

I jakbym już wiedział – co to jest życie!

październik '89, czerwiec '94

Wyborny lipiec

1

To był naprawdę wyjątkowy, cudowny lipiec wtedy. Bo jeden przeszedł, drugiemu oddał, a kilka dni temu i ten drugiego pogonił. Front był już na jakieś trzysta kilometrów od nas. W lesie pełno zbroi zostało, bawić się jest czym! I las zdążył się nieco zabliźnić zielenią. Ten las był na skraju wielkiej puszczy; w nim polana, piękne wzgórze, i tylko ja, chłopiec paroletni, samotny, bezpieczny.

I był ten Serwitut, jak go nazywano, dziedzictwem z puszczy, po którymś z ostatnich nadleśniczych, zwany Olchowika Ogrodem. Jak powiedziałem, oprócz mnie nikt tam się nie zjawiał. Daleko odeszły fronty, ziemię opanowała zieleń; wzgórze wianuszkiem otoczyły czeremchy, chłodziły mnie mdlącym aromatem; tylko z podeschniętych łozin dziwna dawność szła, od tej błotnej wierzby także; dawność tajemnicza, wieczna. I odbywałem wypady w gęstwę leśną, błądząc w niej, czasem i nie znajdując powrotu; ale rozdzierałem prze sobą palcami gałęzie, w końcu wychodziło się na Wzgórze!

Każdy zakątek gęstwy stawał mi się coraz bardziej domem, ja, spokojny, cichy gość, opiekowałem się tam wszystkim, byle czym. I nie bolała mnie głowa. Każdego ranka zachodziłem coraz to gdzie indziej, żeby pozwiedzać, sprawdzić, na ile co się zmieniło od wczoraj, od tego, co być może już i nie było; tak stało się ważne nie tylko Wzgórze, lecz moje zagubione polany w gąszczu;

,oj urosłyście mi tu od wczoraj! i wy trawki, co się chcecie ukryć z wyglądem nowym!' całe życie potem, gdzie się tylko znalazłem, szukałem takich miejsc właśnie,

by mi się dały sprawdzić co do podobieństw, różnic,

a już szczególnie na tym punkcie – czy chętnie mnie witają.

I się zaczęło to moje wejście w żywioł, to nieodwracalne ach, iście ku przyszłości.

Kto wie, czy życie i nie powinno kończyć się tak, jak zaczyna? by miejsca nas odpoznawały? nad tym się zastanowić!

i nikt po tobie nie pójdzie tą samą drogą; a ty sobie czasem – zdarza się!

2

Odtąd wspominać lipiec – i o Olchowika Ogrodzie nie pomyśleć? zgroza! to stamtąd szło się w świat!

dziecko wyrusza w świat głównie po to – by gdzieś tam jak najszybciej stać się dorosłym!

a już szczególnie ja – do dzieciństwa nie przyznaję się nigdy.

Na Olchowika Ogrodzie – nic złego nigdy mi się nie stało; jak tam nie wrócić?!

zawieruchy wojenne, fronty, wrogi świat przedtem i potem, nawet egzekucje tysięcy więźniów nie na moich oczach odbywały się, lecz o kilometr dalej – ich transporty widziałem na szosie, domyślałem, co nastąpi za chwilę; i że nic się nie odstanie; ale liczyłem, że choć któregoś z nich uda mi się uratować, jeśli z egzekucji umknie, prześlizgując się przez stosy trupów ku górze –

Jak każdej wiosny tamten porządek świata ustępował – przed porządkiem nowym, nie moim, lecz tam ospałe, ciepłe powietrze, płuca o tym wiedzą, tamci ludzie, których nie było –

kiedy przysnąłeś pod drzewem, powietrze sprawiało, że po obudzeniu i nastrój inny stawał się, stary dawał się przezwyciężyć –

na Olchowika Ogrodzie nie stanął potem żaden budynek, a dla mnie to Miejsce było już domem, od zawsze!

Głupi ludzie uważali, że tam było pastwisko.

Ale i za mojej dorosłości zjeżdżało się tam z górki na pazurki, a ja przychodziłem, żeby się Miejsca poradzić w każdej ważnej sprawie!

stamtąd niby to kompasem ustawiałem sobie strony świata, przyszłego dla mnie! tam przyszedł mi do głowy tytuł pierwszej powieści. Ogród potwierdzał mi choćby najbardziej nikłe trwanie i przydawał ważności, troszczył się, gdy ktoś inny troski mi nie odmawiał.

3

Aż zdarzyła się przerwa, wyzbyto się mnie z tamtych stron, przestałem się zjawiać;

‚jeszcze tylko Ogród mnie nie zapomni!' łudziłem się.

Aż za którymś niepobytem –

‚przecież ta Ziemia jest jedna! tyle podobnych miejsc na świecie! znajdę, jak każdy, i ja jakiś kawałek dla siebie!...'

a Ziemia, jeśli dobrze się przysłuchujesz – odpowie ci; ‚nie, innego nie znam!'

4

Z odległych stron coraz mniej jakbym słyszał głos Tamtej; gdzie zawsze czułem się pewniej, byłem u siebie!

Dziś Ziemia staje się jak przecięta na pół, przepołowiona; jedną połówkę widzisz z pamięci, a druga się wymyka, byś jej przypadkiem nie mógł rozpoznać.

A z Dodatkiem co się stało?

pod wieczór, o szarej porze, stamtąd zaczynałem wyobrażać sobie życie w innym miejscu, jak to w nieodległym, widocznym stamtąd, Mieście, niewidoczni ludzie przed zapaleniem świateł, stawali w oknach, wlepiali wzrok we mnie, jak to ja tam na Dodatku orzę pole.

A z Zabłociem co? niemałą część wojny tam spędziłem, gdy przechodził kolejny front, zdobycznego Konia tam ukryłem, wykurowałem, sam nie przeżyłby nawet doby! i podzdrowiałego już Sowieci mi go znów odkradli; w zamian zostawili katiuszę, zepsutą jak to zwykle u nich.

A z Kolonią co? na niej nikt nie nauprawiał się ziemi tyle co ja, przez kilkanaście lat. Oranie, bronowanie, a po żniwach podrzucanie na furę i zwożenie osuszonych snopów było moją specjalnością. I wyorywanie kartofli dla kopalników jesienią, o świcie, żeby tylko jeszcze zdążyć na lekcje! po lekcjach, już po ciemku, zwożenie worków pełnych, ciężkich jak nabrzmiałe dynie, odbywało się to i przy świetle Księżyca, bo ten mi sprzyjał! przyświecał drogę, choć sam musiał się najpierw wymknąć drzewom z Serwitutu, leniwie z gałęzi zwlec swoją miedzianą tarczę, zawisnąć na naszych Klonach, tych już z Siedliska; drogi do piwnic mi nie przyświecił, bo ja, choć człowiek młody, tam bym się nie pogubił.

I jak nie spojrzeć Stronom w oczy? Tamtemu? jak nie oddać coś z siebie, kiedy już dać mogłem?!

choć przecież i Góra Lipowa w noc dywanowych nalotów nas ocaliła, gdy z Ojcem przylegaliśmy plackiem do Ziemi, jak najściślej! bo ona taka wielka, niech nas ochroni! prożektory aż paliły w plecy! a Góra chroniła przed atakiem;

jak nie jechać tam, nie patrzeć, nie zwidzieć wszystkiego!!

Może tylko Czajkowski, człowiek wszak z tamtych stron, co pokazywał się od strony Serwitutu, ten od *Serenady melancholijnej*, może on wytłumaczy wszystko swoją melancholią? wiedziałem, że przecież znów tam przyjdzie, zza horyzontu – i wyrozumie!

I koniec wypominania.

Bo tylko dziecko ciągle się spodziewa – że obiecanki są najważniejsze! na ich spełnienie czeka z naddatkiem woli, ufnie!

Tam wydawało się czasem, że istnieję – i z wzajemnością! byłem jeszcze wszak naiwny, dziki, a wciąż za mało zuchwały, by wyjść z lasu.

Jak stamtąd odejść – nic nie zostawiając w zamian?

1997, 2013

Kamienie i kałuże

Pamięci Pani Wandy Chmielewskiej

1

Z okien mego mieszkaniowca widzę pyły nad miastem, kurz, przez drzwi wciska się odór narkotyków, pichconych w sąsiedztwie; a tu u kolegi w Mniejszym mieście wystarczyło dziś, bym wyjrzał przez okno, i uświadomiłem sobie, co jest do podjęcia od zaraz!

Kolega jest uznanym pisarzem, niczego w oknie nie widzi rzecz jasna, interesuje go pielęgnowanie uznania; więc już się zastanawiam, jak usprawiedliwić swoją obecność tutaj, mój pobyt z rolą gościa;

bo choć nie mówię tego głośno, wiem już po pierwsze, drugie i trzecie, że przeszłość i przyszłość tego miejsca nie do niego należą;

właśnie stąd biegną może i najważniejsze koleje pewnego życia, to po tych torach kolejowych za oknem wyjeżdżałem myślą w świat, jak teraz wracam w dzieciństwo i młodość, sześćdziesiąt lat temu, zaraz po wojnie –

obok torów kolejowych jest droga, za nią las, dziś niby mniejszy niż przed laty, jakby do ziemi wrósł przez tak długi czas, a jego otoczenie pęczniało na wszelkie sposoby; to co dawniej było mniejsze, było wszędzie; a ludzie?

ci, uczestniczący w wojnie – pozostali mi w pamięci jako znajomi, nie urośli, lecz i nie zmaleli, utrzymali swą wielkość; a ile tam się działo! byłem ze wszystkich i wszystkiego najmniejszy, choć przetrwałem do dziś, niebawem zniknę też jak bańka mydlana;

na Wzgórzu z lewej cicho zalegała wieś, dzisiaj to część miasta; choć ja w tę miastowość nie wierzę, nie odwiedzę jej; a za następnym Wzgórzem i Kotlinką odczytać by się dało, po wgłębieniach śniegu, ścieżkę, którą chodziłem; idę bywało o mroźnym, bardzo mroźnym świcie, minus dwadzieścia parę stopni, jeszcze ciemno, powietrze ścinające oddech, pcham się sam, po raz pierwszy wędruję po wojnie do szkoły; ale i tych pierwszych razy było wiele, szedłem bywało po raz drugi, trzeci, dziesiąty, mierzyłem się z zamiarem, i nie dochodziłem do tej szkoły; więc jakby idę i nie dochodzę; czas się uparł, żeby tak było, nie chciałem tego uznać ja;

już gdy zacząłem tam dochodzić – to co najwyżej na koniec lekcji albo po,

a w każdej marszrucie towarzyszył mi wilk, czy tam lis, zawsze go widziałem z tyłu czy z boku, lepiej było się nie oglądać, on czaił się ze dwadzieścia kroków za mną, ale żeby DOBIEC, napaść, to nie! na chyba zbyt nieśmiały był, szedł, pilnie uważając, czy aby ja nie padłem, bo dopiero wtedy – ale chyba i zbyt chytry nie był, żeby mi złego psikusa zrobić wcześniej;

‚jak ty się tam obsuniesz, chłopaczku, głębiej w śnieg, to ja do ciebie zajrzę!' wtedy to on już nie zostawi mnie w spokoju;

i szło się jeszcze w ciemną noc, od szóstej rano! po bieli, jak ruchomy cel;

ale bo do Miasta muszę się dostać, którego nie widać, a jak się pokaże, to już bezpieczniejszy będę! narazie tylko szybciej trzeba iść, byle nie zapaść się!

i przez cały czas udawałem, że się go nie boję, że się go nie boję, nic a nic!... tak przyśpieszałem aż do Przejazdu, tam Dróżnik z budki wyjdzie, huczący pociąg będzie witać, czerwoną chorągiewką zamacha, a pociąg z dalekiego świata co mknie, odstraszy zbójcę, jak i ten Dróżnik; wtedy ów nieudacznik, ślamazara zniknie, następnego ranka dopiero się pojawi, a mnie tu może już nie będzie, choć będę, dając niby to poznać, że on za mną tam chodzi nadaremnie, więc muszę przynajmniej udawać, że jestem dość straszny, w stosownej chwili groźne chętki odezwą się... kiedyś o wiele bogatszy był świat – gdy stawiał cię wobec groźnej próby; i się wiedziało, że

– dopiero szkoła nauczy cię wszystkiego, chłopcze!

A szkoła, cóż mam powiedzieć?

wyćwiczony w rzemiośle niedocierania do niej po pierwszym, drugim i kolejnym razie! kiedy spóźniony wdarłem się do jej pustego wnętrza – cóż, nie spodobała mi się!

2

Zbyt długą i ciekawą drogą się szło, zbyt głęboko nogi w śniegu zapadały się, że i akcenty we mnie poprzestawiały się; prawdziwe życie zmarzniętej ziemi poznałem już przez dotyk;

gdy z wysokiego okna, cudzego, oglądam ją dziś w szeroko rozpostartej połaci – tamten świat wciąż widzę: jasny, przystępny jak na dłoni... a szkoły swojej nie widzę! wejścia do niej nie pamiętam! tamto swobodne iście i dziś bym wolał, w głowie je mam, a z witaniem ot, różne kłopoty bywają;

świat, który mi się przybliżał i sam zwijał pod stopami, w swej jeszcze większej rozciągłości wciąż trwa! a ja ufny czytam, że to jego gotowość do wszystkiego taka była i jest do spotkania ze mną –

‚jeśli się tylko za bardzo nie potkniesz, chłopcze! jeśli zbyt głęboko się nie zapadniesz – ,

na czarną, ruchomą plamkę na śniegu wciąż ktoś czeka.

Więc jak najszybciej chciałem się zorientować, kto w tym bałaganie powojennym, poza wilkiem albo lisem, liczyć się będzie teraz? ważne spodziewanie miałem, że będę to wiedział!

poza Dróżnikiem na Przejeździe, poza łoskotem Pociągu, że i sam znajdę trochę sposobów na osłonę mej bezbronności.

Choć po przejściu frontu broni w lasach było sporo; sam miałem na własność katiuszę, niemieckie empi; ale wszystko to za ciężkie było, żeby nosić do szkoły; a po drodze wilk czy nawet lis mógłby nie uwierzyć, że to wystrzeli!

to ja pomyślałem potem, że przynajmniej kogoś z klasy zaproszę do mojego Lasu, niech pozna, jakie to może być chodzenie!

i długo pytałem, aż znalazł się jeden, mieszkał przy ulicy Piasta, tuż za Przejazdem, a za okupacji to ona nazywała się Gorkogo, kolega więc nadawał się do powrotów ze szkoły i raz mi mówi

– ty masz katiuszę, a ja brachu inaczej! ja coś lepszego sobie wymyśliłem! jak tylko dorosnę brachu, to wstąpię do NKWD, i tam dopiero jest siła!

myślałem, że tylko tak mówi; ale po latach okazało się, że wyjechał i wstąpił; później usłyszałem, że nie żyje, a w tym czasie wszyscy walczyliśmy o pokój.

Pomyślałem więc, że i ja już nie będę się buntować, bo jestem sam.

3

Ale jak i połapałem w tym uczniowaniu, to mi się odechciało, żebym był sam. Na przykład dostałem raz cztery mniej, a nikt przede mną na taką aż wysokość nie wskoczył, jakby takiej noty nie było jeszcze, więc patrzę, a mi się niebo otwiera, wszyscy się uśmiechają! i pomyślałem, że od życia też dostaje się coś, jakby za darmo!

‚bierz chłopcze, co zechcesz, a najważniejsze już się stało, jesteś zauważony!'

W ogrzanej klasie można było i zdrzemnąć się, odetchnąć po ciężkim chodzeniu, i uszu nie zatykając, uczyć się i uczyć dzięki kolegom, którzy obok wkuwali głośno... a tobie samo wchodzi do głowy jak trzeba!

Więc niech się zaczyna ta opowieść odtąd właśnie, jak było, kiedy coś miało być! i że nie byłoby nigdy, gdyby tego zauważenia nie było wtedy –

‚w przyszłości to ja będę zauważać innych!' kiedyś pomyślałem.

Z wysokości tych pięter Mniejszego miasta, na te Tory kolejowe i na Przejazd patrzy się jak na największe Góry jakieś!

– u ciebie widać całe moje dzieciństwo i młodość! mówię do stojącego w oknie Gospodarza – cały świat i to wędrowanie! w gęstwinie leśnej tam czai się może jeszcze i pan Wilk, bardzo stary dziś zapewne!

– ty się tym podniecasz?! tam jest droga i krzaki, ordynarna budka na przejeździe, nie wiadomo i po co!

i tyleśmy się nie dogadali z Z., niekoniecznie bliskim kolegą moim; on w przeszłość ani przyszłość ludzkości nie zagląda, widoki w jego oknie marnieją.

4

Lecz i był też owszem, świat, który nas chronił. A co powiecie, jeśli tym światem – jedna osoba była tylko?

Chodzę, szperam, adresu pani W. szukam, której odnosiłem zeszyty z klasówkami; dla mnie to jakby ot, świat od nowa.

A czas był marny, a ja żyłem sobie nieźle. Znaczyłem już coś w klasie, pomagało się leniom, prawie każdemu co nie odrobił zadań – na pięć minut przed lekcją musiałem dyktować wypracowania, choć sam w zeszycie miałem pusto, nie było czasu dla siebie.

Lecz masz staranie o innych, per saldo wyjdzie ci to na zdrowie! ktoś z tych niewdzięczników kiedyś zechce – może i wdzięcznym być?

Nie robi się długu wdzięczności na zapas! żyłem ja na własne życzenie, w domu i poza pracowało mi się, więcej niż by kto zgadnął – a potem i tak nagle okazało się, że nie wiem nic o demonach, one jak żywioł są, niszczą każdego, kto się nawinie. Demony dorastały, w sąsiednich ławkach, a moje zmory jeszcze dziś przychodzą nocą. „W niesprzyjającym czasie żyłeś, powiadają dziś, gdy skutków nie można było odróżnić od przyczyny!"

Ależ i jak jeszcze można było; prawie wszystkim wiadomo było! nie mówiło się o tym, lecz rola przyczyn dla każdego prawie była przejrzysta i oczywista!

tylko adresu szukam pani W., odnosiłem jej zeszyty z klasówkami, i to niekoniecznie dlatego, że było po drodze; przy niej interesował mnie świat trudno dający się poznać, ale i – w pamięci mam jej potrząsanie głową, gdy mówiła, akceptujący tik, choć mówiła mało; a tik mało kiedy potwierdzał to co ty mówisz, często nie dowierzał lub przeczył! nie wierzcie, mówił tej czczej gadaninie, którą on plecie tak gładko!

on był... jak z kura na podwórku, co grzebie i grzebie w piasku, a gdy wygrzebie, to też jeszcze nie wiadomo co, czy będzie z tego pożywienie! – przy niej rodziło się natychmiast wątpienie oraz nowa przestrzeń... już wiedziałeś, że może interesować cię świat, lecz nie jako świat tylko!

nawet i blade spodziewanie w jej oczach zauważając, spodziewaliśmy się, że to może być pewność, lecz czego?

szukam adresu, by może i dziś jakieś spodziewanie tam wypatrzyć! coś przypomnieć?!

może chcę poznać przestrzeń, którą dawniej nie do końca rozpoznałem? czy miała jakieś oblicze?

a czy dziś nikt już nie znajdzie sposobu na przywołanie jej?

wtedy nie wiedzieliśmy nawet, na czyj wzór powziąć wyobrażenie ważności czegoś – więc by uchwycić cień, zarys, co ledwo co mignął –

wtedy na swój prostacki sposób wierzyłem, że swą spodziewankę wobec kogoś takiego jak Ona odmieniając, uda mi się włączyć w bieg zdarzeń, bym nie zatrzymał się sam –

5

Wreszcie stoję w miejscu, z którego wszyscy śpiesznie niegdyś umykaliśmy; naszego świata tu nie ma, w niewidzialność się rozsypał, jakby przed zaistnieniem, a jedne jego skrzydło w sobie mam, w wyobraźni,

a drugiego, poczucia braku właśnie, dopomina się już tylko logika; by tę pustkę, może i z poczuciem winy, z bezpamięci przywołać i wypełnić.

Nie zrobić tego byłoby zaprzaństwem wobec świata dawnego i wobec siebie.

Więc po podwórku chodzę, świadków szukam, gdzie był skwer, teraz ławeczki stoją dwie? boisko zrobiono na podwórzu? to bardzo zdeptany teren i bardzo ważna cząstka Ziemi dla mnie!

Spodziewałem się, że kamienie zechcą mówić.

Niech no tylko odnajdę dom, w którym mieszkała pani W., niech zastanę choćby starą plamę na suficie! cień na ścianie! i biorę obszar pamięci na świadka,

jej uważne wejrzenie w twarz, przestroga lub upomnienie; Jej starannie, cicho wyrecytowane słowo!

Ona tu częściej ze sobą prowadziła dialog, ty mogłeś odebrać jedynie szczątki, odpryski; Ona potrafiła sprzeczkę zacząć, skarcić przypadkowe myśli! i wtedy ciebie potraktować równorzędnie, swym rozproszonym od drgania spojrzeniem –

wymówki raczej adresowała do siebie,

‚niech on tam sam rozpatrzy się w tym, gdyby to niego dotarło!'

Raz idąc obok, niosąc zeszyty, myślałem, że to okazja, że mi coś powie na nieznany temat, przecież wie dużo, na coś wskaże, i w którą stronę mam się kierować w życiu?

nie powiedziała nic z tego;

nie wiedziałem, w jakiej znajdowała się wtedy sytuacji! napomykania przemilczała, parę uwag mogłem sam wygłosić w rodzaju, co się myśli, gdy się idzie samemu...

nagle czubkiem buta zaczepisz o kamień, wykrzykniesz, zaklniesz! i Ona się śmieje;

to do ptaka na gałęzi samym spojrzeniem odezwiesz się, ‚uważaj, kogo ja tu prowadzę! zaciśnij-no dysze wylotowe, nie widzisz?!'i spojrzałem na panią W., a ptak mi, też niby-spojrzeniem, ‚gdzie się tak śpieszysz, ssaku? jak się zaraz potkniesz, nosem zaryjesz!'

co Ona myśli o mnie, o moich zmaganiach? umiała zbyć jak ten ptak, spojrzeniem niemo;

więc ja niby do ptaka, ‚przecież jesteś moim sąsiadem, dogadajmy się!'

‚ach, nie licz na mnie!', zmilczał ptak.

z Nią jednak może być prawdziwe sąsiedztwo, nieuniknione, choć dziwne, ale wydarzone!

spróbowałem kiedyś wypowiedzieć myśl szczególnie poplątaną, z którą poradzić sobie nie mogłem; pomyślałem, że Jej się z tym wygadam, to mi rozplącze!

Wysłuchała, opatrzyła mnie tym swoim chłodnym zdziwieniozaprzeczeniem, odczułem wyrzut, że z czymś tak głupim się wypowiadam, próbując Ją naciągnąć na rozsupłanie zagadki własnej.

‚Z nikim już więcej, brachu, tak nie próbuj!' przykazałem sobie.

W czasie tych spotkań nie padało ani słowo o moich kolegach, ani o nauczycielach; kiedy coś napomknąłem... przyjęła z ulgą, że już podchodziliśmy pod jej dom, że silny mokry wiatr był akurat wtedy, o mało głów nam nie pozrywał!

nie tamte drzewa już, nie tamte bezwonne powietrze zostało, jedynie ten sam pod stopami śliski bruk –

czasem podejmowała jakiś temat, z przymusu niejako, by z największego mętliku wysnuć myśl wyrazistą, nieprzewidziany sens, zbyt odległy dla mnie przedtem; nie byłem pewien, czy Ona całkiem nie zmieniła tematu –

‚jak to możliwe, coś tak rozszerzyć albo tak zawęzić, że w końcu co innego znaczy?!'

Już jestem tu, Warszawska róg Kościelnej, brak napisów na budynku, w nim było liceum nasze, „Pod Dziewczynami", jak nazywaliśmy, bo wyżej, na piętrze kształciły swe główki i charakter licealistki zdolne.

6

A w klasie ja, najmniejszy, na czas przepytywanki zasadzam się na trójnogu za tablicą, bo wyrocznią wiedzy byłem dla każdego, kto chce zaliczyć rok, nawet dojść do matury; bo nie uważałem, że nauka jest aż tak ważna, by przed nią chronić i łepetynki tych niedouczonych członków władz, szkolnego komendanta Służby Polsce, Przysposobienia Wojskowego, przewodniczącego ZMP, szefów od ideolo.

W taki dzień już od rana nikt nawet w cymbergaja nie zagra, a mnie nie jest nudno, bo rozumiem, że ci tam, na których los palcem wskaże, muszą dziś dostać co najmniej „dostatecznie", by później w życie się udać; nawet z tytułem „Przodownik nauki i pracy społecznej", co kwalifikowało na studia bez egzaminu, a tacy szeregowi jak ja mogli się zwyczajnie posunąć krok po kroku dalej.

Co z tego miałem?

Ano, że przetrwać mogę!

i liczyć, że utrzymam tajemnicę o pochodzeniu, że dochodzę aż z Grki, choć przecież coś tam wiedzieli;

„a kto dochodzi?", był wywiad o tym, „a ten, kto ma tam coś do roboty, co najmniej gospodarstwo, więc kułak!"

to podejrzenie wisiało nade mną wciąż, bo pochodzenie klasowe miałem obce haniebnie, a tu, jedyny w szkole w dodatku, dostawałem i stypendium!

W taki dzień, możecie w to wierzyć lub nie, władza w klasie należała do mnie jednak, na mojej cnocie czy tam przywarze miłosierdzia zawisła, a by się samemu sobie przypochlebić, nazwijmy ją koleżeńskością. Więc Brysio Elszczak, ten od PW, władza armijna, wezwany został na pierwszy ogień; po nim mógłby pójść choćby Należny Anatol, szef ZMP, obaj najważniejsi w szkole;

dla niepoznaki, na przeplatankę, zaczepiony mógł być i Adamczyk albo Bartnik, są z początku listy, a jak z końca to Szydłowski lub Zubowicz, porządne chłopaki dwa, jeden bo dojeżdża, obaj koledzy moi do czasu, aż sobie wybrałem wyjazd z Mniejszego miasta;

ze środka listy to i na Koźlika trafić mogło, co to świętoszka udaje i aż się prosi, by go sprawdzić w tym i owym; Ona każdego dzisiaj ruszyć może, od a do zet!

– ...to powiedz mi, Rysiu, proszę – zaczęło się! – tylko podejdź tu bliżej, o tak, dalej od tablicy – czy ty aby czytałeś co ostatnio?

– ależ i tak, pani profesor, oczywiście, że literaturę piękną ja czytałem!

pokiwała głową nie patrząc mu w oczy, a to zły znak:

– taak? a kogo na przykład?

– noo teego tam, „Przy budowie" się nazywa, i jeszcze „Węgiel", „Lewa..., „Lewa...

– „Lewą marsz" chciałeś powiedzieć?

– nie, to znaczy też, ale mnie chodziło o „Lewat...

– ach, o „Lewanty" nieprawdaż?

– oo, t-to tak!! O to!

– no i powiedz, a co to takiego znaczy? i kto napisał? pamiętasz jak wyglądała okładka?

– no tego, jak się to nazywa on – Końwicki zdaje się. I jeszcze też „Traktory pojadą na wiosnę" napisał, jakoś tak! ja czytałem!!

– to wszystko tego Konwickiego powiadasz?

– nno nie, ale – „Na przykład Plewak" to jego! Albo tego no... „Budowlaniec"!

– n-no dobrze Rysiu, jeśli tak mówisz. I ty jego wszystko sam przeczytałeś?

– i ależ taak, pani psorko!

– a jakie tam występują postaci, pamiętasz może? jak są zarysowane, czy dość ostro? No, podejdź tu bliżej i scharakteryzuj mi jedną z nich, jeśli pamiętasz.

Nie moją winą było, że Brysio tak głupio od początku się ustawił, jakby się boczył na mnie i na Nią naraz, ode mnie dalej nawet stanął niż od niej! no i wykazał za wiele osobistego podejścia! jak ja to naprawić miałem?!

U niego już spalony, choć to pretensje o nic, ale brak zaliczenia z wojaka mam pewny! a Brysio to komendant pamiętliwy! przy okazji i o „wrogą działalność" oskarżyć może! a to byłaby moja klapa! bo łatwo wtedy wykazać, że jestem nawet przeciw ustrojowi państwa! i się kwalifikuje do odsiadki!

Ale i zdarzyło się dość szczęśliwie, że reszta odpowiadających tego dnia zdała, wśród nich i Nalek Anatol, rywal Brysia o władzę w szkole, z moją i boską pomocą przytrafiło mu się odpowiedzieć na wszystkie pytania;

a jako konkurenci do władzy w szkole, Nalek i Brysio ścierali się ze sobą ostro, spór wiodąc o równowagę w sojuszu robotniczochłopskim, czyli o to, który z jego członów ważniejszy, chłopski czy jednak robotniczy? co naiwne było dla Brysia, bo to syn robotniczy! ale tym razem górę wziął Nalek, syn chłopski, bo zaliczył;

w sporze o metodę, czyli o to, „jak najszybciej osiągnąć świetlany cel", każdy z nich był zwolennikiem poglądu, że najpierw trzeba zniszczyć wroga ideologicznie, a reszty już dokonają ci, co od tego są;

Brysio jednak uważał, że odrazu trzeba użyć siły i wyciąć do nogi choćby i drugie pół sojuszu.

Na zebraniach Naleś zwykle egzaminował mnie z życiorysu, bo miałem niejasny i co by nie powiedzieć, nie do naprawienia; ale teraz to pewnie z życiorysem da mi spokój na parę tygodni – ‚więc niech mnie on wesprze po tragicznej wpadce Brysia i weźmie w obronę!'

mógłbym przetrwać czas jakiś, a podczas wspinania się na ścianę lub czołgania pod drutami kolczastymi nie wystawiać Brysiowi buźki swej na widok! bo kto wie, może on i sam ochłonie kiedy z wrodzonej nienawiści i – ??

‚Rysiu, powiem mu następnym razem, tylko poskrom swoją wymowę i stań bliżej mnie, wtedy ja biorę na siebie całą odpowiedzialność! a co się stanie, to się uda!...'

kiedy tak o przyszłości, świetlanej, śniłem, jeszcze tej godziny, na koniec przepytywanki, zostałem sam wywołany przez panią W. przed tablicę, czyli do odpowiedzi!!

– ...no, skoro wszystkim idzie tak dobrze, mruknęła Wysłowna, to zapytajmy kogoś z tych, którym idzie lepiej! Józiu, pozwól teraz, proszę!

zrobiła się cisza, klasa zamarła; cisza była może i większa niż dla Mickiewicza kiedyś tam na Judahu skale, gdy morze pomylił z kurhanem, wśród stepowych burzanów!

i zaraz zerwał się prawdziwy rejwach w klasie, erupcja coraz głośniej rzucanych pomysłów!

– już dzwonek powinien być, tuż-tuż!

– a dzisiaj to i tak za wielu już było!

różne głosy leciały w stronę pani W. i moją, ja stoję na zdrętwiałej nodze, bezsilny! ‚ale zobaczymy, czy się znajdzie jaki mądrala i sensownego coś z łebka wydusi!', myślę, i szykuję się na sankcje z przegranej;

a dzwonek nie dzwoni, klasa rozumem rusza, ławki aż trzeszczą od myślenia, jedna zgodna klasa i jedno trzeszczenie zgodne!

–...a pani psorka posłała go... do teatru zdaje się?! wyrwał się Kozłowski Bodzio, nieskłonny zazwyczaj do wprowadzania ciała pedagogicznego w błąd;

wypadło to jego wystąpienie w moich uszach, no-no, nie powiem, na poziomie! żeby taki Bodzio!

– nie posyłałam go do teatru ani gdzie indziej! powiedziała pani W. i sięga po dziennik.

– Wpisuję nieobecność.

Po dzwonku, który cholerka, dopiero teraz nastąpił, o jeden wpis do dziennika za późno, zrobił się w klasie zwykły hałas, szum, ja się zsunąłem na drętwe nogi.

Za drzwiami dopiero dogoniłem wolno idącą panią W.

– pani mi skreśli to w dzienniku! poprosiłem;

– aaa, jesteś jednak! o co chodzi?

– no, o tę krechę w dzienniku; pani widzi – jestem!

– taak? ale w czasie lekcji to się zapodziałeś, a gdzie?

– noo – tego pani akurat nie powiem!

– a czemu niby?

– a bo tak!

– rozumna odpowiedź!

zatrzymała się i skreśliła.

– ..ii-i, chciałem jeszcze spytać – głupio ględzę w nadmiarze – a o czym to tam jest, w tej na przykład „Przy budowie" Konwickiego?

– a czemu się pytasz, i to ty?

– no bo – nie wiem!!

Pokiwała głową, z tym jakby bezwładnym, wahadłowym rozhuśtaniem, spojrzała mi w twarz i wali prosto w oczy:

– a co ty sobie myślisz, że ja co? miałabym sobie oczy psuć, a co ważniejsze i gust, czymś takim?!

W hałasie na korytarzu to mówiła, podsłuchać mógł każdy.

Parę lat później nie żyła już.

Za przyczyną, jak powiadano, władz szkolnych.

Byłem daleko wtedy; nie dowiedziałem się na czas nawet o jej śmierci. O czymś tak ważnym.

I wyrzuty sobie robię, robiłem; że wyjechałem za wcześnie!

Ale i co ja mógłbym, głupi smarkacz! choć przecież powinienem był stanąć naprzeciw – demonom władzy, szakalom!

Brysio też, okazuje się, nie skorzystał z dyplomu „przodownika", na studia nie poszedł; po maturze zaraz się ujawnił, założył mundur, obywatel kapitan.

Nalek skorzystał z dyplomu, uczelnię skończył na trójkach, słuch po nim zaginął na długo. Podobno jakby zmądrzał.

Później, opowiadano o tym po cichu, w knajpie pt. Lux Brysio przeżywa dramat. Rzuciła go dziewczyna, a on ją kochał. Bez powodu rzuciła. I siedzi Br. przy stoliku, poniekąd służbowo, i przerwę ma w upajaniu się władzą, alkoholem. Dotąd mógł mieć wszystko na zawołanie, i brał.

A teraz siedzi i zrozumieć nie może, jak to może być? najtwardszy w województwie facet – a tak zlekceważony został, pominięty! trafiło się podobnie komuś? coś zrobił nie tak?!

i mruczy pod nosem przepytywankę; w końcu wpadł na pomysł, już nie na wzór rosyjskiej ruletki, ale tu bliżej, po radziecku, tetetkę w ręce trzymając, i po polsku, jak w starej dziewczyńskiej wróżbie, zrywa i płatki róży liczy, którą mu babcia klozetowa podłożyła służbowo:

– kocha? lubi? szanuje?...

są, którzy twierdzą, że przez pomieszanie gry, już przy słowie „ko-cha?" nastąpił wybuch – a inni, że dopiero przy „sza-nu-je?"

pocisk przebił skroń, twarz zarumienił; ot, pomieszana z polskim obyczajem ruletka. A twardy jak kamień Brysio rozsypał się –

– i ciebie na świadka biorę, Powietrze,

i ciebie, Światło jak pchła płochliwe, co mi z bezpamięci tamten Domek wykonujesz – aż stanął na widoku!

z nim kawał framugi okiennej się wynurzył...

tę bezwładną pustkę biorę,

i ciszę, z ktorej cień domysłu mam,

jednak byłaś tu, pani Wando! najpewniejsza z niezawodnych, niezachwianych Wand,

co o Żywych, i o Tamtych świadczysz!

jak i ta Kałuża co przede mną: co i wtedy były!

w jej odbiciu, za sobą, Słonimską ulicę poznaję dawną
tę prastarą Przerwę w bruku,
która mi w głowie się jak z mar wykluwa, groźbą utraty straszy – właśnie z Roweru tu kiedyś poleciałem na łeb na szyję, koło w dziurę tu wpadło! –
o, niedobruki, o martwe świadectwa moje!
w was moja młodość się chowa, już trwa jak i w głowie! od was na bezdroża wypychał mnie los, bym swą energię zbywał niepotrzebnie
na nic!
tu dawna zima z pamięci mi odmarza!
a zaraz i moment, gdy od podpuchy zwykłej, zjawia się Dom, te Ściany, póki w pamięci, nie rozsypują się!
nawet jak i pod ziemię co się zapadło,
to i nie zapodzieje!
co wspólne nie zapodziewa się!
tedy i Kamienie w bruku żywe są
i kałuże tak na zawsze nie rozstąpią się nigdy
jedna chwila marginesem innej staje się, ledwo zjawionej! tak trwać i będzie –
dziś, jutro wybierać będę mógł,
rozumem, który ukształtowałaś,
na wieczny moment ta kałuża się nie rozpryska i kamień rozgnieść nie da! rodzi się w mojej głowie już niedzisiejsza Cisza. To przez dziesiątki lat wyrywałem się stąd. Błądziłem. Świadomość braku miejscem jest, a to miejsce jest do wypełnienia: bo Ty nadal tutaj jesteś, Wando co stwarzałaś przestrzeń! nie chciałaś Niemca, Sowieta! a my chłopaki jesteśmy od Ciebie.

2004

Cyklop

Wierzba się uspokoiła, a wcześniej olszyny.
I woda ustoi się zaraz, nie pójdzie stąd żadne poruszenie do świata.
Jedynie liść-wędrownik może obok sucho plaśnie?
tak cicho, że trzeba go widzieć wpierw, by usłyszeć;
a kolor łodyg nad wodą czyż nie oznacza wczorajszego już dnia? a liście nie spuściły z tonu? przez wierność sąsiedztwu udają, że śpią, wokrąg nic nie płynie już,
powierzchnia wód, niby główka kapusty młodej, seledynowieje pod niebem popołudnia.
Rysunek mostku ruszył się na boki, zawachlował, w wodzie utonął!
to niezdara, jedna z kaczek, prosto ze snu, wywaliła się w toń z bluzgiem; teraz mknie w kierunku mocno zabłąkanej podziemnej Chmury,
owa rozpęka się na dwie, w jakimż kierunku rozespana teraz ma mknąć?
od byle zefirka zależeć będzie wyrok.
Tak się z palety ścierają resztki dnia, odpryski lotne, kawałek po kawałku,
niektóre z oburzenia pękają, przecież były najważniejsze!
a ja, Cyklop, który nie takie rzeczy widział, jeszcze nie jednym okiem – teraz jakbym już miał ich tysiąc – zauważam sobie;
we wnętrze cielska swego wpatrzony,
wstromiłem się sam do się, ja szpikulec,
a wnętrze tam raczej martwe! i gdzie by tu podążyć jeszcze? w pierwszej, drugiej albo i piątej niedookreśloności śnień, tej naszej wspólnej pory,
w przebłysko-zjawach chwili krótkiej
trwam, może i na okazję czekam!

licząc się, ale i nie za bardzo z faktem na oko oczywistym,

że jak świat światem, każdy lubi tak jawnie posterczeć sobie na widzialności.

Jakbym w podróży był, to i dokąd? po co?

chcę, by mi towarzyszył ktoś wybrany,

bym się też mógł pojawić za pomocą wynalazków różnych, takich tam płetw, skrzydeł, innych latadeł!

bo jeśli nie – tu zostając, stanę się raczej Agresorem lokalnym, pośród wszelakiego rodzaju zastoju!

A kiedy się dodatkowo rozejrzę, i z wewnętrznego ukrycia Drugie oko wychylę sobie (z uwagi na gapiów chowam je, zanim coś przycapię), być może w którymś tam pojawialności zakątku zechce mi się pobyć dłużej!

wpierw tylko ustalę, wespół z czym zaistnieć mi się godzi?

ponaprzyglądam się okolicy, możliwość symetrii dopuszczę między różnogatunkowymi podmianami sfer a ich zdolnością do ułożenia się w pozycji równowagi z czymkolwiek –

a gdyby tam inna jakaś, choćby i przeciwstawna, konieczność się zjawiła – zostanę przy niej, ja rozsądca!

Leniwy podmuch usłużnie mi tymczasem plecki chłodzi – nie bym ugłaskać się dał, bo i ruszać czas!

ale zaś dokąd?

przyjdzie odpowiedź po drodze.

Tu zaś wróbelskie plemię, niby to dla zwrócenia uwagi, desantuje mi się przed nosem, na ziemi siada, udeptuje ją, czegoś żąda, to pewne!

przekręcają dziobkiem w lewo, wielu popatrzy na mnie, potem w prawo, na więcej nie zamierzają się narażać – i frr-ru!!

w tym czasie kaczki-chytruski cztery, na jedno oko drzemiące – bez komendy niby to na odchodnem przenoszą głowy pod lewe, później prawe skrzydło równocześnie, w serii przypływów rytmicznych uwagi i zagapień;

one już wiedzą, jak coś czymś zacząć, a razem bezpiecznie skończyć! indywidualność wykazać swą także popisami bezuwagi.

Na tym stanęło, wszystkie przeniosły łby na zawietrzną, a kątem oka, bielmiastego od snu, jeszcze sprawdzają, czy przypadkiem wróbel aby czego tam nie dostał ode mnie? bo należałoby się wpierw im, potem jemu!

lecz niech i drugie oczko przyśnie; ja dziś sknera jestem, nic nie mam i nie dam!

– a jednak pst! jest gorzej!

spomiędzy zarośli w stronę brzegu zakrada się Kot! dla wszystkich na lądzie i wodzie, dopóki jeszcze życie trwa – alarm i start!!

– fru-aaa-szast! mówi powietrze!

ale i woda, choć poorana, skrzy się, nikły ślad desantu.

I ja, Agresor, skompromitowany jako mniej groźny! wymyślam, co przyszłość pokaże.

One zas większą szansę dają sobie, by się przypodobać, że ważne!
tak zaciekawia się albo i wzrusza kogoś, kiedy samemu głodno –
albo i wprost napada!

Łaz., sierpień 1990

Gdy budzi się człowiek

Były lata pięćdziesiąte; to żyło się kiedyś!

Jednak wyobraźnia nie pozwalała mi się rozwijać.

Nieraz cały dzień leżąc na najwyższej pryczy w pokoju, dojrzewałem w milczeniu, nie zważając na tych co z dołu! Przez szczelinę w oknie obserwowałem skrawek nieba; na nim Chmura płynęła sobie wolna, swobodna! ach, gdybym miał te chmury! to byłoby królestwo dopiero! zbudowałbym świat podług właściwego porządku... jeszcze nie wiedziałem tylko, co z nimi zrobię.

Cóż, Wyobraźnia! była moją główną przeszkodą teraz; lecz ona mi pozwalała, bym o innych zapomniał;

a chmury przesuwały się wciąż, niemo! a ja tam byłem najwyżej w pokoju, a one we framudze okna przesuwały się, i tak było, jakbyśmy się zanurzali w sobie! dla tych na dole jedynie byłem bezużyteczny, martwy, nie zmieniałem nic na nic!

co prawda dym gryzł mi w oczy, ale co zrobić z taką grupą narwańców, każdy z nich w napięciu trwał, byle nie wybuchnąć; to byli pokerzyści! zaś ja, otwarty na wpływy Wszechświata, mogłem ich i nie zauważać.

W zamian dawali mi stałość sąsiedztwa, no i używali słowa Sprawdzam! ono wisiało nad każdym w każdą chwilę, by zawezwane ciąć jak szpada!

i dawali przykład uporu, z jakim przy grze się trwa! więc ten wspomagał i mnie w zamiarze zbudowania świata! który niby i „istniał tam obiektywnie", ale nie najbliżej: ten tu był pusty całkiem, należało go ignorować, poniekąd wspólnie, i siebie nawzajem;

przez złe powietrze, które wdychaliśmy, przez wspólny opór wobec wszystkiego, co się gdzieś działo lecz pozornie, mogliśmy wspierać swój zapał zaczynania, dla nich wciąż trwającej rozgrywki –

ktoś przegrywał, ktoś brał stawkę, nic nikomu nie zostawało na koniec.

Z czasem zacząłem się rozglądać i za innym zajęciem, praktyczniejszym; przecież nie będę tu wiecznie trwać, może i zlezę stąd kiedyś, wyjdę na zawsze, nie wrócę! czymś zrozumiałym dla świata można by się zająć!

a im się wciąż wydaje, że żyją w pełni!

zachowują się, jakby nie czekali na nic; a ja cóż, ja się przynajmniej rozwijam!

zszedłszy na dół, musiałbym stać się ich kibicem, a cóż to za kibic ze mnie – kiedy niepodejrzany o stronniczość!

jednak gdy na miasto wyjdę któregoś ranka, zaliczę filmy, dwa albo trzy naraz, poznam kogoś, a może i wyjadę! świat zewnętrzny, im bardziej odległy od nas, tym ciekawszy! Do niego tęsknię, tu i namiastki żadnej stworzyć się nie da. A gdzieś jest prawdziwy świat, mnie on, ale i jemu ode mnie coś się należy!

lecz nieraz okazywało się, że zmiany i same umieją przyjść do nas, dotykają one wszak nie tylko mnie, także świat, który wydawał się nienaruszalny już, a był martwy.

Te zmiany po naszej myśli nie były. Jakimś facetom zza biurka, facetkom! wciąż tam gdzieś awansującym, przypomniało się, że jest taki pokój – w spisie go wypatrzyli – i jest pusty! postanowili go kujonami zacieśnić natychmiast, a nas może i skasować.

Zgrabnie było pomyślane. Z wielkim hałasem wprowadzono nowych do pokoju – odtąd i z różnicy poziomów nici, z obserwowania spraw wielkich; a także tych z sąsiedztwa, bo wyszło na to, że nas nie ma.

Ja zgodnie z wciąż modną zasadą niesprzeciwiania się złu, wyniosłem się pierwszy, gracze zostali, ale i powędrowali chyba gdzieś, w nieznane.

Odwiedziłem dziekanat, tam z radością dowiedziałem się, że oto wreszcie jestem na urlopie, to formalny status, by nie robić nic, papier na to miałem w kieszeni; pierwszy raz w życiu poczułem, że dostaję zgodę na to, co mi się należy. Nie będę wysiadywać po żadnych tam salkach seminaryjnych, ani intensywnie drzemać podczas roztrząsania kwestii z diamatu czy starocerkiewszczyzny, w niej zresztą już i nie było kwestii; akademik ani stypendium mi nie przysługują, lecz i nie będę musiał stykać się z aktywistami wszelkiej maści, aktywiskami! przewodniczącymi ZMP, sekretarzami partii, nie wyjeżdżać nocą „na akcje wspomagająco-uświadamiające", rozlepiać po świetlicach fabrycznych gazetek ściennych, zresztą zredagowanych już przez debili, półanalfabetów!

...ani w ogóle wypowiadać się na tematy ideologiczne! mówić do facetów, których tolerancja dla cudzych poglądów ... Himalajami lotności umysłowej naprzeciw nich – i mowności! – mogliby się okazać moi sąsiedzi od pokera, ci z kamienną twarzą, tak sobą zajęci, że aż przez grzeczność nieobecni! jednak zapatrywania mieli własne w każdej sprawie; a co do zasad, przestrzegali dwóch co najmniej: nie wścibiaj nosa w to, co drugi ma na ręku, jeśli tylko na ciebie patrzy, i wtedy nie kabluj!

dla nich to ja żyłem życiem poza wszelkim podejrzeniem, i mogłem bezpiecznie czuć się obok, zaś drobne różnice zdań czyniły nas ciekawszymi dla siebie, milczkami.

W życiu niewiele się zmienia; mogę coś tam zarobić w Punkcie Usługowym, brać zlecenia na przeprowadzki i tak dalej; a waletować to już w innych pokojach – coraz to nowych;

przez Portiernię przechodzić podług sposobu, jaki się na dany dzień/wieczór wymyśli;

no i był rozwój! korzyści z sytuacji były w tym, że poznawało się wciąż nowych ludzi, niektórzy z nich startowali jako przyjaciele, na jedną noc, inni na wieczór, rankiem i tak wychodzisz w wielki, nieznany już świat.

Od konfliktów na roku uwolniony, nie musiałem się stykać z Adju, profesorem-nieukiem, bez tytułu, który wiedział tak niewiele, że aż raz musiałem mu publicznie wypomnieć, że nie przygotowuje się do zajęć, a wiedziałem to akurat na mur, bo sam referat przygotowałem, no i nikt mnie nie zrozumiał; a najmniej on!... no i teraz jestem na urlopie.

Ostatnio bywam w pokoju, gdzie znów wszyscy są wolnymi strzelcami; formalnie niczego nie studiują, poza życiem rzecz jasna; władze uczelni zaliczają nas do nieobecnych. I powstał spór godny epoki, do końca nierozstrzygnięty, kto z nas ma rację? kto mówi prawdę o rzeczywistości obiektywnie, obrażona uczelnia czy my?!

naszym niezaprzeczalnym dowodem w sprawie było, że dekownictwo to ta najbardziej kształcąca część prawdy – a stosowane jako remedium na poglądy tamtych jest okazjonalnym paradoksem rozwoju!

Tym bieglej ćwiczy się w trudnej sztuce przetrwania ten, kto nie ma gdzie spać, i to bez domieszki ideologicznej! jest jedyne słuszne hasło, które z praktyki wynika, „W drzwiach portierni niewidzialnym się stań i koniec!" to pierwsze przykazanie, sprawdzian wszystkich twoich zdolności! A wewnątrz budynku wystrzegaj się kontaktów z byle kim, i nie daj się wypchnąć z obranego miejsca w pokoju!

Wyćwiczeni w tym zestawie cech, mogliśmy w nagrodę przyjąć uznanie całej zgromadzonej tam załogi – bo za wynalazczość młodzi młodych cenią przede wszystkim!

Waletowanie to zbożny wkład i do rozwoju więzi międzyludzkich, zwłaszcza pośród tych, którym wypadło spać na jednej pryczy! Zaś nad naukowym sformowaniem Teorii Trwania z Dnia na Dzień pracują już przyszłe pokolenia, i byle mniej systematycznie.

Przemyśliwałem ja też i o pracy; zaniosłem raz do redakcji *Świata*, cenionego wówczas tygodnika, kawałek referatu z pamiętnego seminarium, na którym się popisałem inteligencją, a prowadzący nie; właściwie to zaszedłem tam ot, żeby popatrzeć, jak to umysłowo dojrzali inteligenci robią coś za pieniądze; zostawiłem im swoją próbkę.

Po tygodniu zerkam do *Świata* – i co widzę? próbka wydrukowana! nie zmienili ani przecinka! och, gdyby to zobaczył mój Adju, ten niby-prof, z zazdrości pękłby! on i do końca życia nie miałby co tam nosić, żeby uznali!

no, a dla mnie nie było już co zbierać tam we Wszechświecie, czy za oknem życiodajnego pokoju! bliższy świat puka do mnie! bo ja tu i za zdolniachę sobie robię, nie w byle uniwersyteckiej szkółce, zredukowanej poniżej poziomu mojego gimnazjum!

Też i okazało się, że co ci się uda za pierwszym razem, nie musi być regułą; z mojej winy zresztą; bo do *Świata* drugi raz już nie zaszedłem, nie miałem czego proponować; aby coś napisać – nie miałem warunków teraz.

Już i nie trzy, ale cztery seanse dziennie zaliczałem w kinie, na Zgniły Zachód by tam popatrzeć, męski charakter ćwiczyć na westernach, wynieść coś użytecznego dla życia.

Dotąd tylko *Zakalajsja kak stal!* wpajano nam; i nic z innej, mniej stalowej beczki;

a też i w zakresie dziewczynologii duże ciągle miało się braki, choć to dziedzina interesująca, bardzo!!

„nasza epoka nie dojrzała do tego, byśmy się słabościami własnymi mieli zajmować!”, wpajano nam;

i znów główny wróg – Wyobraźnia – zaczęła mi doskwierać najbardziej; bo nie nęciły mnie zetempówki, sztywne, z wyglądu wyliniałe jakieś! a jedynie one dostawały się na studia, przy pierwszym kontakcie obrażały się o wszystko! zresztą wobec mnie jakoś szczególnie nieużyteczne były! i za co?!!

– ty jesteś jakiś ... za mało typowy! zarzucała mi niejedna; a inne ochoczo to potwierdzały.

Kiedyś tam, gdy mieszkałem w Mniejszym Mieście, w użyciu porzekadło było, „a my Polanie, my lubim Polanki”, niby że pasujemy sobie tacy właśnie, typowi do typowych; i one tu też lubią typowych!

tam też dowiedziałem się, że i literatura dziś powinna chwalić tylko takich!

ja im więcej tych zetempówek poznałem, tym pewniejszy stawałem się, że – mimo fizycznych różnic – nie przypasujemy się do siebie nigdy! a że celowałem na kontakt z łagodnymi, ufnymi; o – takimi jak Lucia Bose w filmach jest! po obejrzeniu jej człowiek żadną miarą już nie zechce się pospolitować z byle inną, i z tych naszych!

i nie tylko ja, moi znajomi, młodzi, starsi, każdy mężczyzna na świecie chciałby, by tylko Ona w filmach grała, bo nasze już nie były takie same! no, i brońboże żeby nie-aktywistki!

Te zaś, w odwecie teraz, zaczęły mnie oskarżać o ciągoty obcoklasowe, skłonności do zgniłozachodniej kultury – ja, wyrozumiałością przejęty, chciałem je nawet oswoić, dopuścić do wiedzy tajemnej, stworzyć szanse – – bo taka w końcu mogłaby i zająć miejsce... choćby i przed najbardziej oświeconą komsomołką, a niechby i była pochodzenia chińskiego! które też, mimo że chodzą w mundurze, nie muszą się uznawać za mniej lotne!

nasze, by równać się z tamtymi mogły nawet im dorównać, a choćby i przewyższać!

Dwie rzeczy u kobiet uważałem za nie dające się pogodzić, to jest mundur i komsomolizm; mundur bo już było po wojnie, niemodne! a komsomolizm?... kto dziś pamięta o nim, jaki był!

one i nie rozumiały, że człowiek jak ja chce po swojemu świat odmieniać, a nawet i sam odmienionym być! lecz żeby przed taką stanąć... a one nas wszystkich najbardziej obwiniały o to, że im się w życiu coś nie udaje!

Wiedziałem już, jak taką ciekawość zaspokoić, i wiedzę zdobyć tak, żeby naszą wspólną się stała!

...a one po staremu obwiniały każdego, że nie jest jak Pawka Korczagin! i akcentowały to swoje *a mnie się wydaje!* by nie komplikować nic! doświadczenie dla nich było bez znaczenia; nowość wydawała się groźna!

A kiedy jednej się coś udało, zaraz druga wołała,

– a czemu nie mnie! przecież ja stałam tam obok!!

Ach, gdyby tak wyemigrować stąd! myślało się nieraz; ale to marzenie ściętej głowy;

‚a przecież na świecie są gdzieś inne! są wyjątki!'

Zobaczyłem raz Jedną Taką, szła ulicą jak królowa z centralnego Przedmieścia, i nawet zdaje się, że mnie zauważyła; lecz żeby porozmawiać, poznać się bliżej, zacząć od „podobasz mi się, kocurze, ty!!" dać do zrozumienia... przenigdy! i złym spojrzeniem mnie obcięła!

a gdyby mi pozwoliła choć na słówko – nawet o tym i nie chciała słyszeć – to ja byłem gotów dla niej wymyślić coś na nowo, choćby świat!

odeszła z poniesioną brwią, jak dumna! a pewnie i obrażona! za następnym razem to i podejścia się bała –

ale ja miałbym wszystko obmyślić inaczej!

Jednak zobaczyłem kiedyś ją w czerwonym krawacie, jak szła z inną, z tych co to w niedzielę od rana idą zabawić się na festynie, byle nie pójść do kościoła – i z nią przez Koleżankę z mojego dawnego roku, jednak coś zaczęło się!

do Koleżanki mogłem mówić i się uśmiechać, prawie jak do Niej!

i kosztowało mnie to parę tang z tą Koleżanką, walczyków w popołudniowym skwarze w akademiku; a że b. moja koleżanka z mężem przyszła, to musiałem i dowcipy poodmieniać tak, żeby ani mąż, ani żadna jedna nie czuła się źle, dla męża przez grzeczność to i musiałem jakąś partnerkę wymyślić, podstawić, niech sobie zatańczy choć raz bez wyrzutów sumienia, bo się na coś zdecydował, ale to tylko na taką, co tu obok stała... łatwo było!

i zwolnił tym siebie i żonę z obowiązku wierności;

więc kiedy i tamta za bardzo leniwą być nie chciała – i my z sobą też – to kupę rzeczy do omówienia mieliśmy razem!

no i – ze mną tańczy teraz! a że mieszka niedaleko, w bloku za akademikiem, jej męża długo znów nie będzie w domu, bo to prywaciarz, musi pilnować spraw za miastem!

– ja jestem Wisia, a ty? ona sama mi się tak;

– to może i za którymś razem, przypadkowo rzecz jasna, wpadniemy tu na wieczorek wspólnie! rzuciłem gładko, a jak to przyjęła...

– zdaje się, że i mieszkasz tu niedaleko!

– ależ tak! ... i ja pasjami lubię tańczyć ach! taniec wystarczy mi za wszystko!

tak i nie skasowała mi lotu górnych myśli moich, a ja – przed sobą i przed nią – zdobyłem się na coś, zdeklarowałem – a jednak!!

a walczyka to umiała tańczyć w prawo; a ja tylko w lewo, moja strata, ale niech tak i będzie! niezbyt gładko to przeszło, ale nikomu nie może zaszkodzić!

korzystny układ, myślę sobie, szykuje się dla mnie!

Nawet i sumienie mi mówiło, że na właściwej drodze jesteś, Chłopcze! że wdarłeś się już na pół szczytu, brawo! tylko doucz aj się życia dalej, a poznasz więcej! i zachowuj się jakbyś był – nie na początku drogi! zachowuj się jak ten, co do ciebie przychodzi, jak cały nowy świat!

Nie miałem ja zegarka, a pospać lubiłem bardzo! więc umawialiśmy się pod moim oknem; Wisia, już teraz moja miss Grochowa, jest miła, zegarek ma! a jako żonka Prywaciarza normalnie wcześniej wstawać musi, żeby mu przygotować śniadanko, to i sama umyć się, być gotową, na dziesiątą powinna być pod oknem, a jak ja wyjrzę, to zobaczę ją natychmiast i wtedy szybko pędzimy wraz, tam za kwadrans zaczynają pierwsze seanse z Lucią Bose!

‚Ach, świat tyle dobrego ma do zaoferowania dla mnie!'

śniadanie jadłem lub nie, w pośpiechu do Niej, goniliśmy z rączką w ręce-grabuli, najpierw tu potem tam, dopasować godziny zaczęcia!

i to były nasze, na najwyższym już poziomie uniwersyteckim seminaria, dwa, trzy, a może i więcej dziennie, bo kino uczy, kino spowiada, kino spoufala, jak powiadał Lenin, kino i w miłości przydatne do Lucii Bose jest!

a najbardziej to kształci! bo tak chciał Lenin!

W zabłoconych buciorach wieczorem, po bagnistych jesiennych parkach, które od strony gruntu poznawaliśmy, wracaliśmy na ogrzane klatki bloków sąsiednich, bo do dzielnicy naszej, bożebroń! i byle wygasić światła, bo oszczędność! a od kaloryferów wieje żar, i życie płonie! a człowiek już i do końca swoich dni mógłby się tak rozwijać!

Kiedy zaś piękne życie znudzi się – bo czystą fikcją okazać się może –

dla nas już wtedy, nie wiadomo skąd napatoczyła się Nowość!

i to była okazja do próby!

jaki naprawdę ze mnie może być chwat!

trochę przez głupotę, dla przechwałki – by pokazać jej że naprawdę może się poczuć królową –

a by i na kolegach zrobić wrażenie; umocnić ich wiarę w niewyczerpane możliwości moje – pomyślałem sobie, że

– a może pójdziemy na *Cenę strachu*?

niby od niechcenia tak się odezwałem, wpierw do sąsiadów z pokoju, którzy w razie potrzeby rozniosą to innym – no bo i musiałem utwierdzić siebie w tej pewności, że potrafię nie tylko podbić Wisię, ale i spełnić byle wariacki pomysł!

bo na *Cenę strachu* Clouzota, z Ives Montandem i Charles'em Vanelem, bardzo sławnymi wtedy na Zgniłym Zachodzie, a więc trochę i u nas, ustawiały się kolejki kilometrowe: u nas to szło w Palladium, w jedynym kinie!

w głupiej chwili słówko się rzekło, i w mój pomysł wszyscy uwierzyli – chłopaki z sąsiedztwa zbyć się byle czym już nie dadzą.

Tedy przyszedł czas, by popisać się zdolnościami, jak to się później będzie mówić, *logistycznymi!* bilety zaczynało się sprzedawać chyba przed świtem, a ja, wolny student przecież, wziąłem dwóch do pomocy i pojechaliśmy tam około jedenastej;

kolejka była podwójna, parę razy zawinięta, aż pod dom Pod Orłami, słynny potem z napadu stulecia, kiedy to i mnie, słyszeliście może, milicja długo podejrzewała, że maczałem w tym palce, bo zwróciłem ich uwagę słusznym wzrostem! a podobno nawet i takim samym kolorem włosów, jak Ten Większy, z plakatu;

– no to chodźcie! powiadam, i trzej, w białych studenckich czapkach, ja dodatkowo w ciemnych okularach (niebawem takie nosić zaczął i niejaki Cybulski, aktor);

i zdecydowałem, że będziemy się przedzierać na zakrętach tej kolejki podwójnej – to przecież proste, a tak genialne!

i gdy zobaczyłem zmęczony od niewyspania tłum – podeszliśmy, jakieś tępe uderzenie w tyle głowy poczułem, ale to tylko był mój ból z wrażenia; jednak udało nam się przykleić do kolejki, wpierw tylko zewnętrznej; a dzięki bólowi – i przy następnych półkroczkach potknąłem się, dość naturalnie, co wyszło pokazowo, bom przecież w ciemnych okularach, ja ślepy!

‚i dobra nasza! pomysł mam!' pomyślałem,

a gdy tak potykałem się następnymi razy, kolegom na wszelki wypadek kazałem się wziąć pod ramię, co robiło pewne wrażenie;

‚mamy już zainteresowanie!'

a na jakieś piętnaście metrów przed kasą chodnik choć już tak równy był, że potknąłem się nieuzasadnienie i nieprzekonująco, ale improwizacja mi nie przeszła, z daleka tylko dojrzałem, że kasjerka na surową twarz! jej spojrzenie wydało mi się jak oko od śledzia, martwe, może i śledzia przesolonego!

ale zbliżamy się; jeszcze tylko odstać swoje, niech ona załatwi tych z lewej, z jakiegoś ministerstwa pewnie albo z Komitetu Centralnego, a czas wydaje mi się tak marudny, nudny!... i zbladłem, zechciało mi się zemdleć naturalnie – koledzy już nie wierzyli, nie podtrzymwali i upadłem!

ale i nic się nie stało, otarłem skórę w paru miejscach, przytomny, nie śmiałem już i spojrzeć w oczy komu, bo kto w to uwierzy, ani na tę kasjerkę – a w swoje możliwości już całkiem nie wierzyłem! chwilowy błąd!!

lecz przez to rozgoryczenie sobą – uwziąłem się i nie mdlałem dalej!

no, bo jakże mógłbym zlekceważyć wysiłek tak wspólny! a tam wielki tłum! tłum współczujący mi, już od daleka nas tak przepuszczał! choć i dogadywał ale przepuszczał! bez zbędnego szemrania! doszliśmy aż tutaj! czyż to nie dowód uznania dla nauki i nas tu, białoczapkowców, co się znaleźli w nieszczęściu, dwaj prowadzą jednego, najbardziej przez los doświadczonego, ślepca! CI LUDZIE WSPÓŁCZULI NAM RZECZYWIśCIE!

więc ja miałbym teraz przyznać się do szwindla! być może obrazić ich! przez łeb zdzielą, kułakami zatłuką! drwić, szydzić z nas będą – aż do końca powrotnej kolejki!!

,... tylko że ja tu – co powiem kasjerce na ewentualne słówko, pytanko prościutkie, którego sobie nawet w duchu nie zadałem... żeby się nie osłabić!

,jakżeś taki przemądry – to i nie bądź głupi! choćby teraz, raz w życiu!'

,... no i co mam jej odpowiedzieć, prosto i naturalnie, kiedy zapyta – a już podejrzenie lawinowo się wzbudza! jak rozproszyć je, to niemożliwe tutaj –'

tak się nad tym głowię, martwię, pocę,

a z zewnątrz wygląda na to, że mi słabo –

jedna z kasjerek, dopiero zobaczyłem to teraz, że są dwie, Jedna spojrzała na mnie, i z miejsca chyba się przeraziła; ale jej natychmiast to niby przeszło, uśmiechnęła się do Drugiej, i by tamto wrażenie zatamować, omal nie parsknęła śmiechem, głupia!!

teraz obie jakby przyhamowały się w tej czynności wydawania, cisza nastała groźna, a kolejka za nami długa!

to ona, ta Pierwsza, także się ściszyła –

,przez co? bo biletów już nie ma?!!'

a Pierwsza tak jakoś lekko spytała się

– a panowie to ile potrzebują?

,i najgorsze z pytań nie padło?!!'

– a tylko trzy, odrzekłem skromnie, wcale skromności nie udając – nie, cztery, poprawiłem się, usłyszawszy swój, dość naturalny ton – to jest dla nas i dla mojej Dziewczyny!

z uporem to mówiłem, jakby taki był stały mój sposób się wypowiadania;

– to daj panom – powiedziała do Drugiej i sama odeszła za kotarę, wyśmiać się, bo i po co ślepemu do kina?! lecz moja siła spokoju musiała być wielka!

– dla trzech, jak nas jest tutaj, i dla jednej Dziewczyny! powtórzył kolega z lewej, któremu zdrętwiała już ręka od podtrzymywania mnie.

Odchodziliśmy, nie za szybko, lecz i dwa razy potknąłem się naturalnie, już bez planowania.

Kolejka ze względnej ciszy, w której się na moment pogrążyła, znowu wpadła w szczęśliwy gwar, dla siebie i dla nas, bo odchodzący zawsze są uradowani, ale jeszcze nie tak jawnie, lecz powstrzymać nie mogą, ani na sekundę, radości swojej!

Och, jakże ja szczęśliwy byłem wtedy, dzięki nim Wszystkim, najszczęśliwszy! i krzyczałem w duchu, wydostając się z długiego końca dochodzących; bo gdybym to wykrzyczał głośno, też by nikt nie słuchał, bo nie zwraca się uwagi na odchodzących, jeno na tych, co się chytrze wepchnąć chcą do kolejki, ale w drugą stronę.

‚Ach, jakże wielkich rzeczy dokonać możemy razem!' wyłem sobie w duchu; i czułem wsparcie Tłumu, sam z nim rosłem w potęgę;

i stało się, ta ich wielka i niepospolita siła, ta Typowość! to ona wsparła mnie i wyraziła się we mnie!!

‚więc mogę ja od ludzi aż tyle dostać?!'

...chciałem uwierzytelnić Typowość i inne takie tam bzdurałki, które obowiązywały wtedy jako reguły literackie; gdy za oknami na nowo wciąż płynęły sobie Chmury, a teraz i niezauważany przeze mnie Kosmos gdzieś trwał, już budził się –

‚i gdzie ja w tym wszystkim jestem?! gdzie moje myślenie o nowości?!'

nie zadawałem sobie tego pytania; i na darmo czekały moje Chmury, niemo i bez świadków budził się mój Kosmos!

Kickiego 1954
Ścinek z powieści *Maestro i wrony, kruki*

Telefon przyjaciela

Powoli już zaczynałem się czuć. Otworzyłem oczy. Zegar wskazywał bliskie południe; nie mogłem wstać z łóżka, nie wspomagały mnie żadne siły.

Coś będę musiał przecież zrobić!

Drzemanie już mnie nie bawi, a tylko zamknąwszy oczy można wrócić tu czy tam, pomyśleć spokojnie.

Dzwonek przerwał mi ten wyjątkowy stan uwagi bez uwagi; wpadłem w popłoch, długi atak kaszlu wyzwolił się z tego.

Ach, telefon. Ustawiłem głos,

– halo? wyszło dość skrzekliwie.

– mówi Fr, co z tobą?

To mój przyjaciel, bardzo lubimy się. Coś tam mówił, oburzony, jako że jesteśmy w pełni sierpnia, upał, a ja wyleguję się leniwie, jednym słowem zawiodłem go!

I nawet wzbudził we mnie wyrzut sumienia za to.

– ...nie, nie, nie jestem chory! wyszeptałem, głosem słabiutkim jak cholera!

– ale głos masz szkaradny, trzeba powiedzieć, i to bardzo!

Przyganiał mi, już i żałowałem tego.

A gdzieś na innym torze już kumulowało mi się zauważenie, że tak głośno by nie żałował bez powodu, coś tam musiał znaleźć i dla siebie niewygodnego! a może nie wiedział jak się wycofać.

I zebrało mi się na bunt; tym dotkliwiej odczułem swoje to dziurawe jestestwo. A że bałem się, iż następny atak kaszlu może mnie zatkać, nie będzie to pasować nawet i do mego oburzenia. Ani do jego.

Nie wspomniałem więcej nic o chorobie. Odczułem to jako rzadki moment, moje pierwsze zwycięstwo nad nim.

– Porozmawiamy innym razem – wyskrzeczałem szeptem.

A wypadło znów strasznie. Z tej niby obojętności, twardości, obciążyłem znów zbytnio drogi oddechowe.

1997

Pogrzeb

Poszedłem na pogrzeb kolegi z Wydawnictwa, który sam skończył ze sobą. Nie znałem go, miły podobno był, z pewnością mógłby być moim kolegą. Nie zdążyliśmy się poznać.

I tak już bywa, przedtem nie znał go nikt, a teraz wszyscy żałują,

– już i po chłopaku! szkoda!

Z możliwością przyjęcia winy na siebie nawet przed sobą, po cichu, nikt się nie liczy. A przeciw firmie, za Markiem, dziś stanęlibyśmy chętnie – choć czy ja wiem?

dwie koleżanki, co go znały, stanęły; kupiły wieniec. A przecież wcześniej może jednej rozmowy starczyłoby do zawieszenia sporu, w jaki wszedł ze światem;

czy dla obniżenia poprzeczki ryzyka.

– Człowiek z błędem?

– A ilu nas takich?

– Może i wszyscy!

Przemówienia oficjeli z dyrekcji dopełniły czary goryczy, wierutnych świństw. Tylko darli sobie głos na wietrze. Bo to z pewnością Marek im najbardziej się naraził. A chwalą, odpuszczają mu teraz wszystko, i że dobrym redaktorem był, plotą.

Potem Pod Retmanem zasiedliśmy; w trójkę, „najbliżsi", co go znali i nie znali. I upiliśmy się za to wszystko, pośpiewali. Bo życie trwa, Marek sam by to pochwalił! powiedziała Hanka. W pewnym momencie,

– a wiecie, jakie to jest świństwo! zawołała – do końca życia im tego nie zapomnę!

Byliśmy jeszcze młodzi wszyscy, sporo zostało tego „do końca życia". A późną nocą z jednym już tylko zamiarem rozeszliśmy się. Jakby wspólnym.

Żeby się upewnić, ile tak naprawdę są warci – właśnie tamci!

Już jutro się z nimi spotkam.
I pierwszy wszystkim dzieńdobry powiem im. Przecież to muszę.
Bóg jeden wie, kogo to ja właściwie gram.
Że niby anioł ze mnie. A Jeśli – to na dnie upadku! Czysty na chwilę, bo żałuję kolegi. A brak mi sił na tyle, brak mi mocy, tego właśnie rozpędu w sobie, by we wszystkim im się przeciwstawić.
Ten anioł wprost zdycha we mnie!
I pozwolić, by życie Marka pozostało błędem?!
Na moich oczach dzieje się wciąż świństwo!
„Ulrich czuje to dobrze". Tak, wiem! Musilu, Robercie.
W końcu on jeden potrafi przeprowadzić siebie, nawet z najwątlejszą osnową wątku, który sam podjął.
A to go trzyma w pozycji pionowej.
Zaś my, niemi kibice zdarzeń, nie oglądamy się za siebie – choć wciąż lekki niepokój czujemy, co go wiatr przynosi; z założoną z góry zgodą przyjmiemy, co się musi. Co świat na chłodno z nami wszystkimi wyczynia.
I to już ma być równowaga?!
gdy ktoś zostaje sam – taki jak on –
człowiek z błędem? mówimy!
a człowieka z błędem już wszyscy kamienują chętnie, bo i czemu to takie do nich tu akurat przyszło?
– jeśli świat, ten tu z nami, nie istnieje naprawdę – to czy istnieje poza nami?! wychylając się poza linię brzegu, nic już nie znajdujemy do przebycia.

Miodo. 1970

Franciszek Schubert odchodzi

1

Z Nieba tu do nas szedł, z przedziału dla Nieczynnych; aby stało się to możliwe, musiał najprzód spośród Zbaśnionych awansować, wszyscy tam papiery mieli świetne, jednak do potwierdzenia ich świadków nie było żadnych; długo w bezruchu, jak mucha w pajęczynie trwali, aż prędzej na wiór wyschną, niż –

wyrwać się – po co i gdzie?!

zbuntowani byli jednak wszyscy.

On, eFeS, dostał swoją szansę. Jemu, bo był grzeczny, zdjęli wywieszkę mile uzupełnioną samogłoskami!

Z wielką nadzieją tu do nas szedł, za życia tyle razy poniechaną, teraz się zdecydował!

i się spodziewa, że kogoś znajdzie, może nie bliskiego, takich i za życia nie miał, może na okoliczność jaką trafi, która by i dla innego przydatną była, a wtedy, jeśli się spełni –

do kogo szedł, nie próbujemy tu się nawet domyślać – okoliczności sprzyjających dopatrzeć się trudno, bo żadna osoba, młodsza, starsza, która by odmienić coś chciała, a w dodatku dać się użyć w roli świadka, przychylnego tak obcemu – dawno już nie istnieje!

Ale trzask prask, Sąd Bramy orzekł wypuścić, u Nieczynnych wcześniej go zwolnili –

od ciebie teraz, Szarzasta Ziemio, nie najdrobniejsza ze skał, które po niebie się włóczą, ale Kolorynko ty w kosmicznym tłoku jedyna Niebieska – od ciebie on zależeć będzie!

Więc już nie jak aniołek tu zleciał, był nim za pierwszym razem, teraz nudziły by go te powtórki oczywiście, żaden artysta tego nie zniesie, nawet i po śmierci, tfu! jemu więc i nudzić się nie chce!

jako aniołkowi zdarzało mu się coś niecoś; mając sześć lat wykazał uzdolnienia takie, za jakie i nie wszyscy rodzice pokochać gotowi! więc dodatkowy kłopot!

lecz nie zamierza teraz pysznić się przewagą jakąkolwiek, talentem, pochodzeniem, a choćby i Niebieskim pochodzeniem; przychodzi sobie ot, zwyczajny nieśmiałek! ten sam co mu zapewnić istnienie może czasem wzbudzenie uczuć –

a ludzie, któż ich nie pamięta? kiedyś słuchali go, pozwalali się czarować, i on był za to wdzięczny! lecz nie ograniczy się do takich wpływów teraz, muszą go sami zechcieć wybrać, takim jakim go widzą, i to potwierdzić;

a wdzięczności im nie będzie okazywać na zapas; jednak jeśli oni sami mu w nadmiarze ją okażą... przyznać trzeba, że i w tym spodziewaniu podobny był do anioła!

Ale nie jako anioł jednak tu schodzi, lecz osobnik, który nie spełnił tam czegoś, więc nosicielem jest grzechu niespełnienia;

lecz czy jako nieśmialec, który rozumie bliźnich i zechce sam ich ośmielić?

nieśmialca i za próg nikt nie wpuści!

do wszystkiego dziś dostęp trudny; a już najtrudniej to mają ludzie, którym uznanie się należy! po to wciąż nowe występki są popełniane! bo jak kto zbliży się do kamer pierwszy, już rację ma, każdemu sąsiadowi smutek sprawi; a już bez tego wszyscy byli jak święci!

2

Zdecydował, że przybierze swą dawną postać, i przyoblekł się w stare stroje. Może uwierzą mu, mądrzejsi o wiek doświadczeń, że kto z daleka przybywa, potrafi odkryć ich ukryte zdolności, może pojmą, że łączy ich z nim więcej niż phi! zbieg okoliczności.

W życiu bo coraz trudniej jest, długo i pracowicie człowiek wymyśla coś, a wysiłek okazuje się daremny, tu zaś przychodzi ktoś, kto to i tamto, a jakby jeszcze więcej już kiedyś wymyślił!

– to niech i współautorem będzie! nieuznawany tam gdzieś, zostanie kimś tu, na dowód, że świat o nim nie zapomniał!

– ...i wiedzą z nami się podzieli, jako swój, już prawie! dziś każdy piosenkę bez słów, i bez melodii ułożyć próbuje – a ile przy tym napracować się musi!

– ... „i z Schuberta to my już umiemy zrobić... coś!”

– niech tylko popracuje nad tym kolektyw!

– bo i skąd mamy te nowości brać ciągle, jak nie ze starzyzny, u licha!

– będzie jak jego, ale już nasze!

i niech tylko zjawa z Ciał Niebieskich da upust ze swego poziomu, bo w życiu już zwyczajnie tak nie jest! a skorzystają wszyscy inni!

Ale on do Związku i nie zapisał się; tantiem brać nie chce?

– za brak wykonań to i Salamon nie naleji! a on mi się widzi jako najbardziej obcy!

– przecie tu są ludzie zdolni!

– i pieniądze brać chcą!

– za nic!

EFes myślał, że artyści to są ludzie solidarni, ale już kiedyś okropnie się na tym przejechał! choćby z L. Vanem! a teraz poświadczenia mu zechcą udzielić, i to z poprzedniego życia, ci którzy go nie znają? Fakt, że jakichś tam błędów popełnił niby trochę, ale żeby znowu... on teraz, już pośmiertny, miałby stać się gwoździem do trumny dla kogoś?!

‚Nie mam zamiaru zajmować tu niczyjego miejsca! ani się przeciwstawiać panującym trendom!' –

lecz szkopuł w tym, że po świadectwa tu przyszedł, i to do tych żywych!

już ze zjawami byłoby ot, łatwiej się dogadać.

Kiedy za dnia, w zwykłym miejscu, na ulicy, z kimkolwiek zaczynał rozmowę – tak trudna okazywała się, że i w jego mniemaniu... już okazywała się niepotrzebna! na tych ludzi rzeczywiście, nie mógł liczyć.

Po nieudanych próbach domyślił się, że ci tam zza muru, choć wątli, niemi, i z ciałem marnym, w resztkach – powiedzieliby mu znacznie więcej. W swym półistnieniu słabi jak pajęczyna, pętlą znieruchomienia omotani, ci wiedzieli, że już więcej nic gorszego zdarzyć się nie może!

...więc może by i spróbowali!

więc tam mu spodziewańców szukać, jakoś i podobnych sobie, nie zaś wśród błąkających się po ulicach za dnia, którzy i na wieczór nie mają gdzie iśc, znikają –

ale on wiedział, gdzie iść!

tam gdzie zawsze inni przychodzą... jego prześladowcy!
„a więc do sali koncertowej!'

3

By się usytuować korzystnie, postanowił zaistnieć już niezauważenie! i jako Niewidzialny tam wszedł; w bramce go nie spostrzegł nikt – sam się przekonał, że okresowy emigrant z Ciał Niebieskich pomocy nie potrzebuje wcale; wysilać się nie musi na żaden na skomplikowany pomysł – wszedł i już!

,i nie stałem się podmiotem żadnych publicznych przydarzeń!' ucieszył się, ale i westchnął niespodzianie;

,jak się już o coś starasz – udawaj, że ci to całkowicie obojętne! odtrącający znajdą wtedy powód, by innym swą ważność pokazać; tak możesz i zbliżyć się do kogo chcesz!'

,a kiedy sam chcesz dochodzić prawdy – udaj, że ją posiadłeś, a nawet ją lekceważysz!'

gdyby znał te wiekopomne mądrości wcześniej, może by już wiedział, że na świecie też może być inaczej, niż jest!

,...i moje usiłowania nie okazywałyby się daremne! bo łatwiej jest upodobnić się do innych – niż wytrwać będąc innym!'

,ale tu i tak niczego nie zechcą mi poświadczyć!'

Jednak fakt, że eFeS, który spadł z Nieba, chwilami zaczynał nabierać nadziei, że wspominanie zaczynało być nawet przyjemne i dla niego... ,a jeśli o mnie płochliwym zapomniano całkiem – tym lepiej!'

Lecz jeśli ktoś wraca, nasuwać się musi pytanie i o przyczynę tego, że zniknął. W ewidencji Urzędu P. sprawdzą szybko, czy prawidłowe zeznania składał, a jeśli tak – to po kiego licha w tak wczesnym wieku 31 lat miał zejście? czyż nie lepiej byłoby mu zachłystywać się wolą życia?

na tym wszak cudownym, choć i niekoniecznie, świecie?

bo jeśliby dobrze mu było, to dlaczego zniknął?

...jeśliby zaś go z ziemi wykopał ktoś teraz, jako zabytek powiedzmy, to inna sprawa!

z zabytków rodzą się przybytki sztuki, z nich jest przychód jakiś i ogólniejszy sens życia można wysnuć dla ogółu!

ale może miejsce miał źle dobrane, lub niedopłacone?

czy w ogóle niezapłacone!

jeśli procent odzysku z pochówkowego przez tak długi czas by rósł, to musiałby dziś zostać odprowadzony do Urz P! a jeśli dokumentacja nie zachowała się, to można by odnaleźć listę grzebiących, po niej się zorientować...

a gdyby nawet i listy ani miejsca pochówku nie znaleziono?

to potomni z sąsiedztwa mogliby się upomnieć o uregulowanie odsetek za nienależne wykorzystanie części ich miejsca!

Jeśliby zaś prochy z ziemi, kości, resztki stroju itepe, przypadkowo na wierzch wyrzucone zostały, przy okazji trzęsienia ziemi na przykład, innego kataklizmu –

to zapoznać się z nimi należałoby – wtedy się nasuwa mnóstwo możliwości reinterpretacyjnych!

i zawsze prawda wyjdzie na wierzch!

ale grabarz jeśli zwyczajnie, przy okazji następnej, prawidłowo dokonywanej operacji, wyłupie z ziemi coś, i stwierdzi, że miejsce było zajęte, choć opłat nie wniesiono – to niech zostanie tam jak było, bo opłat nie wniesiono z przeoczenia urzędnika, sprawa z natury się przedawnia...

Jeśli zaś stało się coś za sprawą sił obcych, przez ingerencję znaczy się, albo z powodu ot, nieznanej nam wciąż sprawiedliwości dziejowej, pozaziemskiej nawet –

to wtedy już nic zdziałać nie da się, wcale! bo tu na Ziemi przekracza to skalę ludzkiego rozumienia;

item jak kto zapobiegliwy, niech się za życia postara zabezpieczyć miejsce sobie i honory, bo zmarły tak wielu rzeczy już uregulować nie potrafi!

‚ach, gdzie ja, nie wzmiankowany nigdzie eFeS, z którym za życia kłopotów było sporo, mogę rozpocząć odnośne dochodzenie?!'

...wszakże i liczyć się trzeba z faktem, że za niebezpiecznego uznany może być każdy, też po śmierci!

a on nie po to był tak sympatyczny gość!...

– ale podobno i za kołnierz nie wylewał!

Co do osoby, bez względu na wzgląd, ponad wątpliwość wszelką wypada stwierdzić, choć i za późno wnioskować już teraz, (a wnioskować niegdyś było za wcześnie!) – że żadnych uwag co do odniesionych krzywd, braku talentu, czy braku uznania za życia, czy po życiu – wnosić nie ma podstaw,

bo kto źle lub niesłusznie za życia osądzony został, osądem wtórnym rewidowan nie będzie, to obraza byłaby majestatu praw Ziemi – a my tu kłopotów i tak mamy dość!

Lecz czego nie zapisano w aktach – mogło być wydrukowane w gazetach! choć gazety wtedy były podobno jeszcze gorsze niż dzisiaj! powołane do życia jako służki społeczne, w nadzwyczajnym wypadku nawet jako westalki sprawiedliwości... a w tym przypadku wydrukowane nic być nie mogło, bo gazety muszą drukować tylko to, co powinny! gazety muszą się opłacać właścicielowi, to po pierwsze! a i nekrologi też; zaś już starożytni Rzymianie wiedzieli, że *pecunia non olet* i *nec Hercules contra plures*;

a ty *nie ruszaj pierwszy tego, czego i przed tobą nikomu ruszyć nie udało się!*

to już mądrość jest nasza, współczesna.

A zatem biedny eFeSie, chłopcze postury raczej dość wątłej, nie Herkulesie bynajmniej,

tyle ci mamy tu do powiedzenia, żeś moment powrotu nienajlepszy wybrał!

a w dodatku – i cel!

siła złego na jednego!

twoje zstąpnięcie po raz wtóry na Ziemię jest wciąż zbyt anielskie!

A jeśli tam nawet pismak jakiś, przez muzykologów nieuznawany, do czubków cię przytulić chciał – to musiał coś wiedzieć; ale on ci tam najlepsze warunki do przetrwania wypatrzył, bezpieczne alibi od świata;

a teraz już i po nie sięgnąć nie możesz,

gdy za ciało masz truchło, choćby i poniebieskie!

A świadectwa zasług czy tam nawet obecności twojej ongiś nikt nie wyda;

i nie zmartwi się twoją krzywdą żaden sędzia;

bo jeśli i powracający z Nieba, to jednak znaczy, że nikt tam go nie chciał zatrudnić!

a dla wierzących twój przypadek też grzesznym wydać się musi, bo –

„jeśli Tam był, a nie umiał zostać, to znaczy, że i tu nie będzie siedział cicho, kłopotów nam w każdej parafii namnoży!”

a że do nas, o własnych nogach, aż się z przestrzeni międzygwiezdnych pchał?

to już nie taki wyczyn!

choć może dowód przywiązania!

A ilu tam uczonych naszych chciałoby w przeciwną stronę się udać?

oni już wiedzą, czego chcą, tyle że nie umieją.

„My tu za opłatą już wysyłamy ludzi w Kosmos!”

... też i niekoniecznie się troszcząc, by powracali!

– Ale on się i wrócił!!

– to i niech się cieszy.

– Niech nikt w zdolnościach z nami równać się nie śmie, bo nie może! więc i tu go witać nie będziemy!

– To prawda! dziś samo zejście ze świata to jakie trudności!

Delikatnością nad miarę obciążony, i przez nieśmiałość bezbronny, jak dziecko wrażliwy wciąż –

– ... a on za życia wierzył wszystkim, nawet i wyrodnemu ojcu!

– za to też i jest obwiniony!

– bo idyllę mu z kochanką zakłócał!

Choć świetnie wiedział, że i fletem prostym, sam potrafi świat obudzić, tak aż zachwieje runią traw, że może zerwać się wichura –

i poruszyć Niebo, przecie się tam dostał!

to teraz powraca.

4

Na dworze mgliście, jak chyba tak i w całym Kosmosie; siąpić zaczyna deszcz. Bez parasola, bez ciepłej odzieży. O takie tam rzeczy Na Górze nikt nie dba; tam sama osłona termalna chroni; ale nie spadających na dół;

bo i skąd miał wiedzieć, że u nas taka pogoda?!

bez parasola i bez skrzydeł, które na Ziemi tak każdemu się marzą; szansę wyniesienia się dają nad innych!

w przypadku zaś niespodziewanego powrotu mogłyby się i pobrudzić; byłby kłopot, grzech ciężki anielską biel skalać! nie przepuściliby tego i w Bramie;

zaś wcześniej i tu go ukamienowaliby.

Ale zdecydował się wejść do budynku starego, znał go dobrze; z zapoconymi okularami na nosie, jak za życia!

I miał już tę jedną rzecz, która wejście daje, więc niech sobie tam na dworze siąpi deszcz, on w znajome kąty wkracza jak w rodzinne progi.

Nieludzkie oj, szczęście musiał mieć EfS, za życia pechowiec, że trafił akurat w dzień, kiedy dawano koncert. Już w filharmonii! dopiero gdy miejsce przychodziło zająć, był kłopot, lecz już pokazał się w stroju, persona ubrana po staroświecku;

– niby tużurek ma, ale z dziurami na łokciach!

zarechotali sąsiedzi;

– aj-jaj! jaki zakatarzony!

więc i zauważyli go – wreszcie.

W sąsiedztwie rozparli się jacyś, co przerastali przez poręcze, rozpychali się, klęli, byli z lewicy; a on musiał się skurczyć;

– może i wreszcie coś zagrają?! jakiś dowcipniś pisnął.

I rzeczywiście, zaczęto; orkiestra uciszyła się, zaszeleściły ośmielone papierki od cukierków melomanów;

„co to za muzyka?!" zaczęli po programach szukać.

‚Jakże! przecież to znam, na pewno!' omal nie wykrzyknął już po pierwszym takcie. ‚Lecz grają zbyt intensywnie, jakby w zapędzie nachalności! za szybko i za głośno!'

Oj, szalone szczęście musiał mieć Efs, bo nie tylko trafił na koncert, ale i że grano mu coś znajomego!

motywy poznał, ale też i przykrość odczuł, że nie kojarzy autora; coś mu bardzo podobne było do...

...to niemożliwe! przecież ją spalił!

i poznał fragment jednej ze swoich...

przecież ją wrzucił do kosza!

Rzeczywiście; „jakieś papiery znaleziono na śmietniku", zapisano w policyjnym raporcie. A grano właśnie jego symfonię, tę najważniejszą, Wielką!! odepchnięty przez Ziemię i Niebo, zapomniany bezczelnie EFs musiał tyle nieprzypadkowego szczęścia zaznać! poniekąd i zdrady, bo tak fałszywego odczytania nie mógł sobie nawet wyobrazić.

5

Po przerwie przeniósł się w zaciemniony kąt, zdjął okulary, ,tu mnie nie poznają!'

odpędzał kichanie, palcami pocierając grzbiet nosa, nawet i bezpiecznie poczuł się; cóż, przybył tu patrzeć i słuchać, jak to inni patrzą i słuchają! może i mniej uwagi zostawił przy wykonaniu!... ,to nie dialog, to zlepek niepasujących efektów, wyścigi, kto pierwszy skończy! a jakiś anonimowy liścik, a aluzje do publiki – czyje?!'

poszukał wzrokiem tego winowajcy; cóż, on bardzo intensywnie ramionami machał, naśladował nimi i lekko płynący wiatr, to znów twarde grzbiety gór, i wahliwy pław motyla pewnie mógłby... zdolny, tyle że nie umie czytać z nut, dlaczego!!

na nowym miejscu EFeS jednak poczuł się lepiej, nerwy odpuściły i usnął niebawem; wchodząc w sen znalazł się znów na terenie zastrzeżonym dla innych; ,może podobnie jak on będę też umiał pozbyć się niepożądanej skromności, zadane zlecenie może i wykonam?'

,przecież tę zdolność ja też mam, nie muszę się jej zapierać!... tylko przenigdy nie zgodzę się na sposób, w jaki on gra przeciw mojej muzyce! nigdy się nie zgodzę!'

i poczuł opór przeciw tamtemu tak gwałtowny, że się aż obudził; ,a tam Na Górze żądają dowodów... mojej stanowczości przede wszystkim! nie jakichś tam nut, załączników! relacji z tego, co dzieje się tutaj! a ta fizyka fałszywych wzruszeń też zostawia ślady... dla nich nuty znaczą niewiele... ale są głownym świadectwem mojej tu bytności! innych świadectw być nie może!'

poczuł na sobie uderzenie światła, tak oślepiające, że nie mógł otworzyć oczu; wydało mu się, że jest na estradzie, gwar ludzki przycichł...

„oni po mnie się czegoś spodziewają! publiczność zapłaciła i chce muzyki; chce czegoś więcej! bo że „dyrygent był świetny, a wykonanie wspaniałe!" jej nie wystarcza...'

nawet i pragnął widzieć, jak rozrywają się tam grzbiety Gór, jak zobrazował to dyrygent! kamienie niosą się ku dolinie i odbijają aż ku niebu, i tam znikają! może on tam został na jego miejsce, albo sam zawisł jak Chmura, tym na dole śląc jedynie deszcz z obietnicą, by uspokoić, gdy deszcz spadnie, Ziemię zmyć z wszelkich nieczystości!

,...lecz nie stanie się to teraz! niech Góry zadrżą, a dyrygent niech lepiej zniknie, tak jak chce muzyka!'

Teraz z ciszy na sali, która zapadła, Fs uświadomił sobie, że może sam i wykrzyknął już coś takiego; dyrygent niech zniknie, byle nie został jak jest, żądając odpowiedzi orkiestry na swą gestykulację –

,czyżby się oni spodziewali, że im rzeczywiście powiem, o tym wszystkim, czego nie wie ten dyrygent?...'

,kiedy autor zwraca się do swej widowni, wie, że mówi do ludzi na całym świecie! a kiedy ten niemo, w ciszy, z pytaniem czeka na niewyrażoną odpowiedź...'

Efesowi przypomniała się przygoda z L. Vanem, właściwie nie przygoda, brak zdarzeń, gdy przez bite dwie godziny czekał, w bibliotece z nutami pod pachą, bo chciał mu je pokazać, a tamten wyszedł drugimi drzwiami...

właściwie chciał mu zadać to jedno ważne pytanie, które i tu wisi w powietrzu, a dyrygent nie wie, jak się do tego zabrać –

L. Van, nawet nie wyszedł, a może wrócił się, i przeszedł obok obojętnie, jakby nie zauważając go! tak chytrze go uniknął!!...

,podobnie dyrygent kontaktuje się dziś z moją muzyką! a jednak to nie on, to ja tu coś znaczę! i duch tej muzyki, który jego pomylona ambicja skutecznie uśmierca!'

pomimo światła, które paliło powieki, już wiedział, że nie zapomni nigdy tego pytania, ono już pobiegło w świat, nawet jeśli źle wypowiedziane, ono i dziś tu nad wszystkimi zawisło! ono krąży po sali, aż dudni!

kiedy ktoś na widowni nie wytrzymuje tego napięcia, zębami aż dzwoni

za moment autor zauważa – że to on sam tak dzwoni zębami, do niego wróciło teraz Pytanie!

,och, wynieść się stąd jak najszybciej! gdyby tak jeszcze można gdzieś było! wyjść, pójść gdzieś!'

Pytanie, na które dyrygent sposobu nie znalazł, ani odpowiedzi na nie nikt na sali, obiegło już parokrotnie kulę i ziemską! wraca, a wracało najwyraźniej do eFeSa, bo on, z powodu silnego napięcia, uwagi, tak nie mógł nie dzwonić zębami!

,och, czemuż ono tak dotyka mnie tylko!'

,...a więc z tysiąca obecnych na sali – do nikogo więcej przemówić nie potrafi?!'

Publiczność jednak wracała już do stanu swej idealnej próżności; tylko młodzi, ci w ostatnich rzędach, którzy w cymbergaja zagrywali albo w bingo, gry nie przerywali! na sali zaś chyba już nikt nie czuł się wywołany do odpowiedzi;

,...to i gdzież jest to wspólne dążenie nas wszystkich! czemu świat spowolnił swój rytm? żeby nikt tu więcej z nikim nie czuł się razem?!'

Na widowni, wśród niegłośnego gwaru, niektórzy, z tego co usłyszeli, próbowali już znaleźć jakiś motywik do zagwizdania, złapać rytm, który by złączył wrażenia wieczoru, „ach, gdzie mój numerek, Boże, zostawiłam w szatni!"

„a ja nie mam drobnych, co o mnie szatniarka pomyśli!"

skrzypiały krzesła, trzaskano zamykaniem torebek, poczucie fizycznego głodu opanowało widownię; tam w domu kolacja czeka, a tu im marynarki na plecach powygniatane! – ,prędzej pod ziemię się zapadnę, niż zostanę dłużej!'

6

O tej porze pewnie w górach zaczął już padać śnieg!... trzeba pójść w góry!! tam być jak ongiś!

i poszedł; z radości pobudzonej wyobraźni te same instrumenty się odezwały: jasnym brzmieniem zaczęły Trąbki, rozświetliły błyskawicznie horyzont; potem Werble, one nastrojem aż tak się wzniosły, że i śpiewały czasem; ,w górach, miły bracie, tyle Kamieni czeka na cię!' nic tak donośnie i tak bezwzględnie czysto nie potrafi cię ponieść w dal hen, jak... jak one właśnie!

,...Spodziewałem się odzewu ze świata – ale czy aż wzajemności?!'

czuł ból, że z jego dążeniem nikt nie chciał się spotkać! ,myślałem, że przyjdę nowy, bezstronny, czysty! że rozsądzę świat, by uczuciem go złączyć –

a oni są bardziej wierni banałowi widzimisię!'

Nie wśród ludzi wędrując, lecz polem, bezdrożem, pośród Skał, szedł długo, do świtu doszedł,

odtąd już inny przemawiał do niego świat;

a sam patrzył tylko i zauważał;

‚przecież te obrazy nie milczą!'

każdym zmysłem zaczął odbierać to co niegdyś, tak pracowicie zakreślał to Wyobraźnią;

i jakby na początku drogi był, wrócił,

zaczynał rozumieć, że świat nie stawia żadnych warunków; ani nacisku żadnego nie wywiera na niego nikt, tu wszystko samo się oznajmia, nie dając odczuć ciężaru swego bytowania –

‚świat jest wszystkim przychylny!

tu się po prostu jest z nim! gdy ty idziesz, to i on chce iść z tobą, ta podróż nie powinna się kończyć!'

Oto i gość niecałkiem fizyczny, jak przez mgłę przypomina sobie dawny krajobraz, jakby o dowolnej porze mógł weń zajrzeć i wejść;

cóż, zachęceń jest na tym świecie nie tak wiele! lecz wystarczy przejść próg, by wkroczyć w świat niebywały, jakim był w dzieciństwie! tu się o tym przekonał,

a teraz on, nowy człowiek przychodzi, jak za pierwszych wypraw za miasto gotów na łąki biec, do białych rumianków, różowych koniczyn, zostać wśród nich bez obaw!

i przed każdym Sędzią by stanął tak, przed Bogiem, w którego kiedyś wierzył, w jego opiekę sprawiedliwą, bezstronną; dopiero gdy się okazało, że nigdy jej naprawdę nie było, przestał wierzyć;

lecz dla artysty jest przecież Bóg-rozmówca – i znów weń wierzył –

rodzinny dom go tak nie witał,

może tylko pokoik na wymarzonym poddaszu, gdzie zamieszkiwał sam, tam przychodzili przyjaciele, śpiewali dopiero co skomponowane pieśni,

‚kto wie, czy na całym świecie może być ten jeden wspólny nastrój? bo człowiek zapisuje dźwięk, w pamięci nastrój zostaje, i w końcu człowiek nie wie, co wyrażał!'

7

Skrajem nocy i dnia przesuwa się Efes, dzielny człowiek niegdyś, prawdziwy Ziemianin, tam wczoraj wszędzie chciano się go pozbyć. I by do nowych ról przypasował się, rodzina, obcy, czasem nawet i przyjaciele, w ogóle rzemieślnicy marni szykowali mu zły los, poza muzyką;

a on, artysta przecież, choć umiał przyjąć każdy los, potrafi go też i odrzucić!

bez buntu nie da się żyć przecież,

a jeśli już tak bardzo chcesz zbliżyć się do świata – daj innym wszystko z siebie, dziś mało to komu potrzebne! z twórczością nijak życia pogodzić się nie da, złożyć je w przypadek spójny, syntonię;

taki też i był sprawdzian dzielności jego, największa sprzeczność w życiu artysty!

Tworzył, więc musiał się zdobyć na niezależność wobec sprawców swego losu;

żył i nie mógł ich przewyższyć, oni decydowali o jego krokach.

I żeby choć na chwilę zawisnąć w powietrzu, niezależnie – patrzył tam, gdzie nie sięgał, by trwać w tym!

a ono, jak każde zwidzenie, wpierw się zwidziało, potem go wyparło, i tę nieprzystawalność wszelką siłami na swoją miarę miał dopełniać!

nie wierzyli mu, nie szanowali, drwili i wytykali palcem –

...teraz na powalonym Pniu siadł, poczeka aż zza wielkiego Drzewa wychyli się Słońce, ranny chłód rozpędzi;

przerzucał kamyki z kupki na kupkę; jednym zamierzył się w stronę, z której Słońce miało nadejść;

i pierwsze światło prześlizgnęło się do niego, po nierównej gładziźnie Ziemi, cóż za ciekawy świat! coś kończy się, a coś zaczyna!

z przepływającej chwili, tą ciszą Kamieni, z drzemiącego w nich czasu... rodziła się nieistniejąca nigdy dotąd Cząstka obrazu – mogą być w niej i uczucia zapisane, jak to w muzyce, on już jest świadkiem, że się w nich zawarł i tego wszystkiego sens!

‚coś się dokonać miało, albo i nie dokonało się nic!'

‚lecz cóż by to za przyszłość była, jeśli nie dopuszcza niespodzianek, zmian?!'

Miał już wracać do Wysokich Bram, jak obowiązek kazał; lecz Słońcem ocieplony, a zmęczony drogą, zdrzemnąć się zapragnął, we śnie zaś ukazał mu się Pan, wyjątkowo litościwy

– przepraszam, że o tobie zapomniałem!... jestem, widzisz, pod presją tych tu, uśmiechnął się, by Mu wybaczył, reklamiarzy! to bezwstydni ambitnicy, do niczego niezdolni...

słyszy to FeS i widzi, jak jego Rozmówca sam zabiera się do zamykania Bramy... ależ to sam Bóg zechciał go powitać!

– i ja o Tobie też przepraszam, że zapomniałem, Panie! nie dziś, ale już znacznie wcześniej! odparł Mu zdziwiony swą bezczelnością FeS,

– ot, widzisz tu, bracie-tytanie, bo tytanem wszak jesteś? ja dziś jakby na zastępstwie!!... i dużo dobrych ludzi wpuściłem przez to, a reklamiarze wpierw byli tutaj! reklamiarze i kultyści wszędzie biorą górę; bo prawdziwy człowiek chce się rozwijać, jest w drodze!

– a kiedy nowych uczuć brak, utrwalają się najstarsze przyzwyczajenia! LECZ JA SWÓJ ŚWIAT ZACHOWAŁEM!... SOBĄ! dobrze, może i jestem tytanem!'

– muszę, bracie-tytanie... albo nikogo już nie wpuszczać... lub od początku – stworzyć świat!

I tego dnia Tytan Efs niczemu już się nie dziwił, zniknął z własnej woli gdzieś, przestał istnieć może;

w miejscu gdzie był ostatnio, pierwotna i wrzaskliwa odezwała się ciemność! jak w czas Wielkiego Wybuchu!... żadna tam muzyka! – po czasie tym, i po mnie, skrybie marnym, wciąż tli się ta jeszcze. [kropa]

1999, 2009

Pogrzeb mój, nieco wymarzony

1

Zawsze preferowałem kontakt bezpośredni, jak najbardziej. A tu wciąż marny lipiec, wieczna chlupa, jednak mimo to – zdarzyło się!
na przejaśnionym niebie pojawił się Bóg. Sam w postaciach swoich!
Bo pustka już rzeczywiście była zbyt długotrwała. A tu pojawił się!
Najpierw Drzemiący był,
po chwili Cierpiący,
ale i Wesoły wreszcie!
Na końcu jako Swoisty, ikona zastałości, utrwalił się, Sam w Sobie.
Więc już nie jestem sam teraz?...
Spojrzałem w górę; już Go nie było.
Muszę i ja... coś zrobić wreszcie! od następnej chwili zacznę tak coś – żeby naprawić ten świat!
Przecie on nie jest bez Autora!
I zaciągnęły się chmury znów. Zaczęło kropić. Jak to na Ziemi, zawsze są i będą jakieś kłopoty. A wokół narody trudne. Cechy wyróżniające je niezbyt miłe.
Kiedy znów padać przestało, na ścieżkach pojawiły się ślimaki winniczki. Żyją tu wciąż, Francuzi nie są naszymi najbliższymi sąsiadami, zjedliby. Zaś Niemcy, choć dobrzy gospodarze podobno, zatruli się ostatnio czymś swoim, do nas przyjeżdżają po chleb, w ogóle po zdrową żywność. A bracia-Rosjanie ustawili się znowu jak pies do jeża i naszych płodów przez granicę nie chcą wpuścić, wolą już tę tam pogłodność wściekłą.
Jednak Polska jest wieczna! Żył już Wincenty Witos przede mną, autor tego!
A w Ameryce, bo dalekiej, też przyjaciół mamy! Ostatnio słuszna przyszła rada stamtąd. Niejaki Mr Coleman ją przysłał, urodzony Polak zresztą.

A LIFE WITHOUT RISK IS NOT WORTH LIVING!

Taka wiedza i Polakom może świadomość poprawić, która jak już wiadomo z ostatnich doniesień – nie zależy od rozumu, ale od Czegoś Więcej. Z czym mogłoby się wiązać i przetrwanie wieczne, ale po co?

... a co ja wystarczająco ryzykownego zrobiłem wczoraj? przedwczoraj?

człowiek coraz starszy, to i mniej co robi; cierpi coraz więcej!

a potem umiera.

2

Szli wolno. Drepcząc, pląsając, *Danse Holidays* grając (Norris Cox + New Orleans Stompers) albo *Walc* z suity *Over jazz* Szostakowicza, a niechby i *Pomp and Circumstance March* Elgara, (a czemu to nie Ralpha Vaughna Williamsa, ten był mi bliższy? a już najbliższy to Schumann, oczywiście zaraz po Schubercie! więc Kwintet fortepianowy opus 44; wykonawcy nie mogli być zbyt liczni, w wąskiej uliczce nie zmieściliby się; a na szersze konduktu ze mną nie wpuszczą! to może i *Pieśni Maryjne* H. M. Góreckiego, ja przecież sam je, orząc pole, śpiewałem!

albo *Popołudnie Fauna*?

to już lepiej niech kto wyjdzie z *Etiudą Boogie woogie* Mortona Goulda, tego z Richmond Hill, górala! góry były zawsze mi bliskie. Lecz w drugą stronę iścia, napowrót, z pięć kilometrów to zajęłoby, jak moja drogi ze szkoły! ale jak już to już! niech będzie *Gonią hej, górale trzody// Zaczekaj na mnie dziewczyno!// Czekaj aż sine Dunajca wody* gdzieś tam, kurcze flak, popłyną,

i my tu zostaniemy sami! jak się komu coś przypomni dalej, to o wiadomość proszę na adres... już bez adresu! tam, gdzie mnie poniosą!

‚i nic nie spełnione – choć wszystko miało być!'

niech i przed wami ta myśl coraz śmielej się rozpostrze, aha! jeszcze bez ryzyka – ale przedsłownie!

...a przypadkowi przechodnie trzon pochodu klecą! tam przecie wciąż życie trwa jeszcze!

lecz rozkrochmaleni rodacy, zniesmaczeni trudnym dostępem do placówek służby zdrowia – a rzecz dzieje się, powiedzmy, za rządów RKP-b, Robotniczo-Kapitalistycznej Platformy (z neoliberałami włącznie albo w tle), czy jakiejkolwiek innej – poszczególni rodacy w telewizory się gapią, na angielski film o viagrze, tak im niedostępnej wciąż, ale czekają:

„wzwód dłuższy, ma też korzystny wpływ na wydolność i wydłużenie czasu wysiłku z 12^{+-3} do 14^{+-3} minut!"

aż tyle! tymczasem Józef Szajna, w radiu wciąż powtarza „wszyscy dziś odchodzą od drabiny do Nieba, jaką ja pragnąłem zbudować!", martwi się; a co ja?

co w tym czasie ze mną?

może siedzę gdzieś jeszcze na Gałęzi, z codziennym spacerkiem niby udałem się, i zatrzymałem, z wysoka na świat spoglądam! a na zakrętach ulic jak się nie wyrobią, to trumna poleci im z rąk, ja w otwarte Niebo popatrzę sobie! o, już im się wymsknęła, oni w wieko moje głupio i anachronicznie się gapią

– onaż całkiem pusta! odkryli wreszcie!!

a ja, niewidzialny już, zapomniałem co chciałem wam powiedzieć!

– ach gdzież ten typ? gdzie schował się trup-nieboszczyk nam?!

krzyczą, w miejscu krążą, orkiestrantom rytm gubią; już i *Bolero* czy jakoś tak, poza programem leci, wciąż gra, lecz jakby niekoniecznie!

lecz przez ten czas oni mnie poszukają!

i tak ja tu, a oni tam! kroku uzgodnić nie potrafią, jak muchy w smole się gramolą, jedni na 5/6, inni znów 7/8 próbują, aż do ostatecznego wybrzmienia orkiestry, tego przesławnego dla nich *trata-darr-rach!*

i na tym wyzwalanie przeżyć artystycznych wreszcie się kończy, świat w nowy rytm wkracza, a przy odejściu starego, tuż na podejściu do świateł skrzyżowania – niechby i przeżycia ich zmieniły się!

– bo niech nam nowe życie trwa, jak i krążenie wieczne! ktoś zakrzyczy;

więc trumna im się rozpękła znów, w rytuale luka, historia jakaś hamuje czas niepowstrzymanie!

– ach na cóż to aż tyle kroków marnuje się? ktoś spyta;

– to niech nam porządzi teraz *okolicznościowa i pompatyczna*! inny krzyknął; i zaczęła się właśnie ta od Elgara!

‚a czemu to nie ja krzyknąłem?'

właśnie!

a bo jak zwykle nikt by mnie nie posłuchał, a tak przynajmniej jest muzyka! a mnie tam już nie ma, ta muzyka jak mucha w nosie mierzi mnie, bo źle dograna! jednak to zawsze muzyka, poniekąd już wieczna,

z pamięci teraz się wydobywa coraz głośniej!

i jako cymbał grzmiąca; w rytmie jej gdzieś niby jestem, niby to wolny już, ze środka od siebie i od góry zerkam! ja jako ja! jestem teraz wszędzie!

No, bo to z góry coraz większa wolność przychodzi, swoboda taka! a mnie jednego ona w oczy kole! mnie robi tak, jakbym wszystko miał na opak, wszystko gdzieś leci! i *patrz Kościuszko na nas z Nieba!* raz bym zawołał, a potem już tylko fizycznie *patrz się patrz!* bo jestem raz tu, a potem znów tam, na świat spoglądam w rytmie fal, choć do morza daleko, ale jakby z nim złączony się czuję, no i taki stałem się nieco burzliwy! tu raz z Drzewa lecę, albo ono mnie strząsa, widać ma dość!

lecz ani pisnę więcej, bo Uroczystość się przerwie,

niech cisza trwa, przecież to pogrzeb mój! ręce/nogi sobie łamię, ale jak spadać to spadać!

po drodze jakiś cywil we włosy mi się zaplątał, gdzie ja mam włosy w tym wieku! ale on tego nie wie, i to nie całkiem jest cywil, być może policjant, koks mi tu na próbę donosi,

– z pierwszej ręki, z promocji proszę! dla uspokojenia nerwów pana Trupa, nie należy się nic za!

podaje, śpieszy, by zniknąć, bo sytuacja jasna, a to konspiracja! i żeby nie spóźnić się gdzieś, na akcję, opróżniania ulic z pochodów czy innych z dostawą!

– więcej koksu! krzyczy inny, dla koksu wolność ma być!

jakiś bardzo władczy to głos –

– tu jest furażer, tam żołnierze, czujki dziś są wolne, w nocy pilnują!

– więcej koksu! jeszcze nieboszczyk nic nie brał, ledwo dycha!

– widać musiał wziąć, bo padł, ha-ha!

– jeszcze więcej koksu?! cywile są zdetonowani, wreszcie jakby się budzą z uśpienia –

– zapasów mamy aż do przyszłego roku!

ale funkcyjni krążą, w nieswojej roli wciąż, ludzie wolni;
w półomdleniu to widzę, jakiś Księżyc mi w polu widzenia się plącze, coś kołysze mną, Drzewem się wstrząsa! a tamten był czerwony, bo się spóźnił!
‚nareszcie usnę sobie!'
‚jakieś echo?...'
‚ty dychasz jeszcze?! przecież w powołanie wierzyłeś, głupcze! i w wartość sztuki! a teraz masz, gadzie!!'
‚...zachciało się porządkować świat!'
...bo ze stoickim spokojem pozwalałem sobie być sobą! i nigdy nie była to solilokwia!
więc jednak duch mój ciągle we mnie siedzi! ja się tak łatwo nie poddam!
– a zapomniałeś czego?
‚miałem umrzeć do końca wreszcie! ale nie umarłem!'
i ja, strzałka na skali jeden do stu – ku jedynce na łeb na szyję zdążam, wyniku ostatecznego nie znam, ale świadomość już gubi się!
‚a może to tylko próba?!'
gałęzie mnie łaskoczą, zaraz przywalą!
a to i do wiwatu, że hej!
jedną wreszcie suchą w łeb zostałem trzepnięty, może na wszelki wypadek! gdyż ona i samodzielnie spadłaby, albo jakoś tak się zagubiła?!
z nią i Pokrywka mojego niedoszłego sufitu opada, przyszpila mnie na raz dwa trzy od młotka, czy od tego bolera? prawdopodobnie już by i zatrzasnęła się –
lecz za sprawą grzmotu czy zawirowania tam w Niebie, albo i u nas tu w Rządzie, bo taki to już ogólnoeuropejski nawyk mamy, żeby się rozpadać raz po raz, albo i tylko wstrząsać!
ze świstem gwiezdnym dogadałbym się prędzej, niż by mi tu odejść na czas dali!
po drodze w rynienkę bym, niby Baba-Jaga wpaść mógł, i zdążyć Tam Gdzieś, a nie ucierpieć!
kto wie, może i opowiedzą o mnie bajkę jaką?
jeśli poleci za mną Drzewo, bo wierne, to tam Rozpaczające Drzewo, prosto spod Księżyca wypadłe, no i nie tylko ono! za zgodą własną!

jednak ono, już do góry Pniem wywrócone, na dół leci, do Ziemi chce, może przez solidarność ze mną dostało pomieszania zmysłów?!

...i dość miłosiernie jest w końcu, w sam łeb zdzielonym został; nie zerkam więcej,

nie świstam,

nie dycham!

a ono aż zdębiało!

i Świadka na to nie żądam;

jedynie ta oczapka co od rynienki, pokrywki mojej znaczy się, samoobsługowo się mną zajęła – przyklajstrzyła się teraz pod sam wierzch, ona bo od innego Drzewulca pochodzi, przychylnego mi jednak!

Tak zleciało co moje,

a co reszta, to ty sobie weź, Wieczności!

byśmy się tak czy siak razem w Ziemię wryli, do korzeni trafili, i poniżej, jak najniżej! i alleluja! amen! hejże-hej!

‚a czy ja to raz już nie słyszałem?'

nie było czym! i inne Drzewulce czynne tam były, ZOMO stało ukryte, a ptaszki przyleciały znikąd, stęsknione, by się objawić, mierzą, w które oko dziabnąć, wpierw w lewe czy prawe? no to i ja tam lecę, gdzie patrzyć, gapić się każdy może, nikomu nie byłby to grzech!

uf, i nareszcie – umarłem!

nie dycham całkiem – czy jeszcze troszkę?...

niech tylko tyle, co ta Muzyka moja? – a gdzie Clementi, po drodze był zostawiony, bo on raz bez inwencji był, a potem z! jednak bez niego nie byłoby przyszłości żadnej!

i puste niebo nad tobą, człowieku, zawahało się, może jeszcze myśli, czy by nie pruknąć grzmotem?

czy który z Bogów na to patrzył?

Wesoły? Grzmiący? albo i Drzemiący?

Sam w Sobie!

i byli tam ludzie – może warto by żeby?!

Najwyższe Władze nie są w stanie zrobić nic,

żeby cię wrócić do czucia!

3

Lamentowanie jeszcze mogłoby trwać,
‚oj, nie będę już ja między wami chodził, Drzewulce odwieczne!'
i co by mi się pomyślało, gdyby
...ale nic złego mi zrobić nie mogłyście,
jak i dobrego nie zrobiłyście wiele!
ja – do kogo? kto to?
Gwiazda zaranna, onaż wierna, co się
ponad Całością tak długo schyla, aż spadnie – zajmie się tym?!
albo czy Mrówka, też wierna?
ja tu nikomu nic, tylko temu Powietrzu bym
dziękował
za wiele Świadków Niczego tu jest!
Owszem! ozonem nagle przewiało, spaleniznę czuć,
od Gromu – który był, lecz nie potrafił wybuchnąć!
już do ucieczki się wszyscy sposobią
– niech nam zagrają *Galop* choćby!
zgłodnieli, kiszki im grają marsza; każdy chce wyprzedzić innych, pędzą!!
i niestrawnością Ziemia przejęta wciąż
ktoś się upomni –
i zrodzi nowy hymn,
co anonimów w imienników pozamienia; przestaną lekceważyć piękny dar życia?...
– To... skoro tacy marni, do pogrzebu mało skorzy –
to może i mnie jeszcze nie czas – odchodzić?
tylko tyle co furią pożywić się ponad stanami Nieistności – albo i zacząć łączyć się w jedno – lecz z czym!
co zostało i żyć nie może od nowa! gdy świadomość znika! lecz choćby na moment...
do synapsów wrócić, i kontaktów z Gwiazdą, z Mrówką! niech rany się zabliźnią!
kiedyś, w każdym z nas, człowiek istniał przecie! jako motyl drzemiący, nowy rodzaj zdarzeń!

5 lutego 2009

Labirynt, wyjście

Tu dycha pokaleczony zwierz, a tam figlują małe; ale czy świat jest tylko dla nich?
tu, w świątyni przyrody i sztuki, gdzie ścieżki wiodą w poprzek jedynie!
oni tam – z góry na wprost – spadają ku mnie pędem,
z krzykiem, jakby wyrzucani wahadełkiem wiatru,
ja, tarcza na dole, słuchem, spojrzeniem asekuruję ich przed upadkiem –
już od kwadransa tak siedzę, znoszę los cierpliwie, w milczeniu. Oj, nie po to tu siadłem, by za punkt triangulacyjny służyć,
a jako wieża przyglądam się niebu, wodzie; całej tej stronie świata w stawie, który jest zwierciadłem,
mój smutek się nie uspokoi, jeśli na czynniki pierwsze go nie rozłożę! o każdym innym miejscu świata bym marzył, byle tu nie siedzieć, a przecież
smutek + odkryty powód = zły ląd!
lecz w sumie to najwyżej – pół smutku.
Miałem tysiąc powodów, by zostawić ich własnemu losowi, lecz niechby wpierw oni zostawili mnie!
tak niewiele mogę pragnąć.
Ktoś z góry, pokrzykując, leci komuś tu na łeb na szyję! siedzący nie ma na nic wpływu!
Niedaleko mnie i Pani siedzi, na oko starsza ode mnie, nieruchoma, w drętwieniu robi postępy. Oboje my, dotknięci kataklizmem historii, możemy siedzieć i ledwo dyszeć; oni nam pokazują radość spadku;
ach, trzeba by odmienić ten świat! czy zrezygnować nie mógłbym ja z tego?!
widzenie mam coraz węższe, katuję się z powodu wyobraźni, by to przerwać, coś zacząć takiego, czego się dawno nie zaczynało!

Już człowiek i własnego czasu nie ma, w bezczasie być musi, niby specjalnie mu podarowanym – i doznaje rozproszenia.

Tamtym radość służy, radość pędu, pohukiwania, zdobywania; aż tyle i spadkiem można się cieszyć?!

A tu nawet nie ból, samo drętwienie w głowie; takie rzeczy nie ustępują same, gdy ciało do ruchu nieskore, nic więcej nie umie; już parę tysięcy lat musiało się i tego uczyć!

– – skupić się na wolnym temacie, motywie!

jedyny motyw łączący z miejscem to „ból niewiadomego pochodzenia"; tak zależę od reszty, jak diabli!

Od północnej strony parku zbliżają się; ciemni, kruczowłosi, to południowcy, po odgłosach mowy sądząc Włosi;

w miarę przybliżania się krzyki ścichają,

na dole każdy chciałby już pokazać się jako cokolwiek kulturalny; póki reszta zalega tam wyżej;

popatrzy tu badawczo, niby że on potrafi coś odkryć, tyle mam na początek mojego spodziewania się;

‚ach, jaki dziwnie wygięty pień drzewa!',

‚a tam w kotlince – jak nierównomiernie usadowił się staw... jeśliby z nieba spojrzeć – pewnie i ku górze wody swoje by roztoczył...'

‚a tu jakiś Innocente siedzi, patrzy i nie patrzy, w powietrzu rozpłynie się zaraz!'

‚on i staw, ustawieni naprzeciw siebie, pilnują, by nie wyparował wpierw któryś! w odbiciu podniebnym zaraz rozpłyną się!'

‚a zza drzew jakiś zwierz z długim ogonem tu sunie! nie smok, nie diabeł... to przecież paw!'

Jakże i ja mógłbym patrzeć na to inaczej, niż pod dyktando tego ich spoglądania? naśladuję ich wymysły;

‚uśmiecha się Innocente, widzicie?'

I wszystko sobie odkrywają, jakby coś zaczynało się każdej chwili, nieuchronnie, u progu ich zdziwienia.

Gdzie byłem myślami – przed ich pojawieniem się?

w zawieszeniu uwagi!

a teraz? czy nadal jestem potencjalnie jedynie?

By coś zacząć, za przeszkodę główną mam ból głowy; lecz ich nieobojętność dla obrazków zastanych przejmuje i mnie!

chociaż żadnemu pacjentowi by nie pomógł zachwyt dla jego otwartych ran!

Na odległym horyzoncie będąc, nie interesowali się mną, nawet nie wiedzieli, że jestem;

teraz – stają się moim towarzystwem;

ja dla nich nie, choć oni dla mnie – tak!

jak nawałnica spadający znaleźli już swój kierunek – dzięki mnie stali się już aktorami, zależą ode mnie!

a czy mogę zapomnieć o wczoraj? tam wszystko zostało jak było! a dla nich się wszystko zmienia!

tutejsza niedozielona łąka – staje się dywanem! pokładają się na niej, zadomowieni bo jest przedwiośnie, którego ja nie zauważałem; w figury taneczne po drodze się układają, żywioł w sobie odkryli, nie mają przeszkód żadnych!

patrzę na ten ich ruch, zabawę, skrępowanie pęka, sporo rzeczy tu się zaczyna.

Im sprzyja pęd, wiek, może i oddalenie od domu; z grona siedzących w rozsypce, kolumna spacerowiczów formuje się; jedni za drugimi stają, kolumna rusza, znika w topolowej alei; uporządkowani w pary, jakby tam się, w niewidzialności gdzieś, zaczynał bal!

Inni nad wodą w podwójnym kole stają, w przestrzeni wodoniebnej odbicia swe łowią; a to się w pośpiechu staje lecz i podług miary!

W wodoniebie pierwsza grupka już się rozbiła, następni chybotliwy kształt przybiorą, w rozkołysaniu ich rodzi się muzyka.

A my tu z sąsiadką pozerkujemy, zdolność zauważania odzyskując, na przykładzie nie dość podobnych do nas, lecz w momentalnym znieruchomieniu gdy są, jakby i wyraźniejących.

Wybucha nowy gwar, kolejna grupka się ustawia na granicy odbić, czekamy już na nich wyłącznie, aż bezruch i chybotanie utopią w stawie.

Podpatrzyli i oni nasze zapatrzenie. Znalazła się reporterka, Dziewczyna z aparatem, która zbiór kolejny już zapisuje, śmiechy cichną, a zaraz gwar wyrwie ich ze znieruchomienia;

także i staw to zapisał, będzie parę fotek.

A wszystko dzieje się, jakby nic nikogo nie obchodziło, ot, rytuał!

którzy siebie tam zostawili, odchodzą,

przybywają następni, by zaraz zniknąć;

i w nas obojgu jakaś wieczność ruchu się rodzi, chęci do zaprzeczania siebie coraz mniej; tam po każdym pstryknięciu aparatu, rozsypują się na boki, na ziemię spadają wycieńczeni, martwi –

Dziewczyna jako sprinterka każdorazowo biegnie w upatrzony punkt, nowi tam ją otaczają, robi się pstryk dla nich, a to zarazem jest hasło, by się rozproszyli;

ona znów innym wybiera punkt do ustawienia się, staje tam, przybiega grupa, historia stara jak świat dzieje się, powtarza – coś się składa i rozpada, *da capo al fine*.

Aż przyszedł moment, gdy w miejscu gdzie stanęła, nikogo już nie ma, nie podbiegł nikt, choć mógłby i z wyobraźni – lecz nie przyszedł, pomyliła się!

Czy Ona czuje się w tym gronie obca? odgrodziła ją rola reporterki?

Uwolniona z roli, jak nieważna wciąż stoi, najdłuższą chwilę zatrzymuje dla siebie, tej nie utrwala.

czy przetrwa tylko to *da capo al fine*?

życie już zjawiskiem stało się – czystej organizacji!

Pierwsi odchodzący przesuwają się obok ławki; dwójkami, w szyku szkolnym – zbliżyli się i seniorzy dwaj, nie wiadomo skąd zawładnięci przez ten strumień młodych; włączeni w opiekuńczy tłum, kroczą majestatycznie, nad czymś tam debatują wyłącznie swoim;

a któryś jedynie, że *molto scholastico* czy *molto secco*, usłyszałem o sobie; bo i kogóż to określenie by dotyczyło? drugi rozmówca kiwnął głową, minęli, poszli, ja ich świadkiem, a oni moimi nie.

Grupa przesunęła się daleko. Rozweselenie przeszło, spokój na twarzy został mi; tamci zajmują się gdzieś czymś znanym od dawna, nienowym –

ja jakbym od wieków pamiętał ten spokój, obrazki z dzieciństwa, który wdarł się i rozpanoszył tu na chwilę;

do auli bym wrócił, zagłębił w lekturze dysput profesorskich dawnych –

kiedyś musiało i ze mną tak być! fizycznie nieomal ten obrazek odczułem; a geografia zawsze jest wspólna czasom obecnym i przeszłym.

Nieruchomienie zdarzeń znów nieodwołalne –

jeszcze maleńką chwilkę, aż w alei dalekiej przesunęli się; i świat jest ruszony!

wielu rzeczy w sobie szczęśliwie nie zburzyłem dotąd! do czegoś się przyznać, dla innych stać się znów rażącym zaprzeczeniem;

gdy profesorska ariergarda zniknęła w alei drzew, młodzi, niewidoczni, z poczuciem dodanej powagi za nimi krocząc, za horyzont drzew zeszli, tam pewnie w rytmie przypadkowego gubienia się rozsypują, i odnajdywania, pląs kolorowych plamek.

My trwaliśmy, wciśnięci w szeroko rozparty horyzont, czekając na wiadomość... co decyduje o wymiarze wielkości? a że zmian dokonuje się na własne życzenie, to jedno!

Łaz. 1991 i n.

INNY AMBARAS

1

Czytaczu, Spoglądaczu na mnie, cię proszę, sprawdź, co się tu nie zgadza z czymkolwiek.

W czasach otóż jeszcze dość niedawnych, byłem ja Szerlokiem Holmsem, to jasne! zdarzało się nieraz, drodzy państwo, że byłem zmęczony. I któregoś takiego wieczoru zdrzemnąłem ja się był, a o dziesiątej zero siedem wybija mnie ze snu telefon, nic niezwykłego o tej porze, ale nie wtedy.

Dzwoniła sąsiadka z drugiego końca miasta, co usprawiedliwiało wprawdzie, że używa telefonu, lecz to jeszcze nie wszystko.

– Przepraszam, że dzwonię o tej porze, może śpisz?

– Faktycznie, właśnie zacząłem pochrapywać –

– To dobrze, bo wiesz, jak to szkodzi na serce!

– Nie dzwoniłabyś chyba, by o tym poinformować!

– Jak zwykle zgadłeś ale. Przyszła tu do mnie znajoma.

– Nie nazywa się zgadywaniem tego, co wynika samo przez się, bez udziału naukowej dedukcji! Ale i po cóż ona przyszła?

– Odlatuje jutro do Stanów i suszy mi głowę jakimś snem, który wydał się jej proroczy, wobec tego bardzo ważny dla jej wyjazdu –

– no i kariery tam; a w jakiej dziedzinie zamarzyła ją robić?

– nie wiem; nie wydaje mi się, by ona sama wiedziała;

– to rozumiem, ale zdecydowana jest! jak mogę się domyślać –

– czegóż ach?

– już możesz jej oddać słuchawkę.

2

I stworzyła się Ziemia od nowa. Znajoma opowiedziała mi co następuje.

Byłam na basenie, pływałam, choć w basenie nie było wody. Nie dotknęłam nogami ani razu dna, lecz pływałam. I nie byłam rozebrana. Po cóż miałabym się rozbierać, kiedy nie ma wody!

Nie było tam i żadnych innych nienormalnych rzeczy wokół. Poruszałam się w granicach basenu, w nim przecież pływałam. W pewnej chwili i mężczyzna w drzwiach stanął jakiś, taki sobie, w średnim wieku, ani gwiazdor ni łachmyta, mówię do niego:

– niech pan się dołączy, popływa ze mną!

– nie mogę, odpowiada, bo jestem nie stąd;

– a skąd niby?

– jestem z przeszłości;

– aha, to ja mu na to; ale popływać pan nie może?

– właśnie że nie mogę!

Zdziwiło mnie trochę. Bo ja wciąż pływam!

Kiedy wychodząc już, spojrzałam w tamtą stronę, jego nie było. Widać nie mógł przejść do mnie, przez próg jakiś; i został z tamtej strony. A teraz zastanawiam się, bo nie wiem, co myśleć o tym. Pan mi powie?

Nie odpowiadam nigdy tak od razu, zwłaszcza kiedy jestem zaspany. ‚Niechaj mi samo cokolwiek lepiej się pomyśli!' tak myślę sobie. Mało jem ostatnio, umysł nie chce się zdopingować. Całymi dniami wcinam biały serek tylko! To czysta monotonia! Zresztą i nie tylko ja, bo tu ostatnio mamy ciągle kryzys albo wzrost, żadnej stabilizacji! już kryzys wzrostu się utrwalił! i presji na umysł stąd nie ma, toteż i ja jakby bez szans wciąż jestem;

nie to co ona – do Stanów jedzie! nawet jak i zgadnę, co jej trzeba, niczym się nie odwdzięczy. Tam na pewno dorobi się tego i owego, waruny bowiem ma nieliche, do diaska! chyba ona rzeczywiście coś ma!

I myśl leniwa już nawija mi się, z tyłu głowy przechodzi na przód, a wreszcie i całkiem ją opuszcza, choć i do czoła po drodze się wdarła.

3

– No cóż, powiadam, tak jakby do siebie – pani jest piękną kobietą, a to wielki dar!

–... Przecież pan nigdy nic –

– Dar od losu proszę pani, a z losem jestem na ty! z nim trzeba się umieć obchodzić! a to sprawa niełatwa –

i dalej mamrotałem coś nałowiele, ale coraz więcej, w końcu i jednym tchem, nie znosząc przerywań, jakbym to siedział sobie w konfesjonale –

–... a pani to nigdy nie musiała tego umieć, w tym problem cały! to jest kraj, gdzie trzeba mieć i na siebie oko, baczne, jak niedyś nie – a dziś to jest ważna umiejętność!...

pełnia ciszy wreszcie nastała w słuchawce; w końcu ta odchrząknęła,

– pan to khm, dobrze mnie odczytał –

– to tylko pani charakter, o to pani przecież prosiła;

– tak, ale z czego?!

– w szczegółach otóż siedzi cała sprawa, dziś już byle polityk o tym wie, w szczegółach jak zwykle!

– a one to od czego zależą?

– nie wiem choć myślę, że cała zagadka jest w pani urodzie. Pani nie zwraca na innych uwagi, prawda? na mężczyzn zwłaszcza! i nie obserwowała też pani siebie, jakie wrażenie na pani wywołują – nie zauważyła tego wcale. Stąd i nie za wiele może powiedzieć o nich, ich relacjach względem pani...

(apetyt miała duży; i na powtórki pazerność wielką; więc jej niecierpliwość wyprzedza każde spełnienie!)

– ... cóż, myślę, że w ogóle była pani poza wszelkim wpływem – zawsze!... i teraz być może także moim!... i poza własną sterownością!

– ach, pan już niejedno odgadł! choć przecież pan mnie nie widział! ani jak ja się zachowuję względem... no, tych mężczyzn zwłaszcza! a mimo to –

był to moment stosowny, by jej powiedzieć, jakim to ja jestem profesjonalistą, jakie obowiązują stawki itd. Lecz to nie dla mnie! (Choć chętnie kupiłbym i całe pęto kiełbasy zaraz jutro, krakowskiej suchej, a jak się zdarzy, to mi starczy i pasztetówka!)

Ale nie! wolałem pochwalić się swoją wiedzą, i metodą czysto naukowej dedukcji, przez aprobowanie, podwymienianie, wykluczenie, i tak dalej!

Lecz jakże liczne są kategorie niespełnień!

– Proszę pięknej pani! Otóż! tłumaczę jej. Pływała pani w basenie nieprawdaż?

– Tak, owszem.

– I brak wody pani nie przeszkadzał!

– A nie!

– Więc pozwoliła pani sobie dodatkowo skorzystać z lenistwa, nie rozebrać się – a jednak pływała pani! I faktem jest, że tam nie było czym się zamoczyć, nieprawdaż?

– no, a co? miałam zrezygnować?

– widzi pani, inni ludzie są tacy, a już obecny tam mężczyzna szczególnie – nie mógłby tego zrobić. On musiał gdzieś się usunąć!

– ależ ja rozmawiałam z nim!

– tak, obojętnie raczej! co u pani jest zwyczajne!

– a gdybym tak zrobiła coś... tak jak pan mówi?

– ja nic nie mówię! ale nawet wtedy nie byłoby nic z tego, przecież to był mężczyzna, jak inni, których pani wręcz nie widzi! nie korzysta z forów jakie pani dają, więc pozostajecie w innym czasie! Jak na przykład we śnie – wtedy to my sobie każdą granicę przekraczamy, każdy próg! a normalnie to jest nie do przebycia – we śnie jest bardziej jednorodny świat! z następstwem scen, bez akcji. A tam i sama akcja nic nie zmieniła. Przecież pani pływała, gdy on tam przybył! i nic tego nie wynikało;

– jak to?

– uczestniczyła pani w świecie, w którym nic się nie zmienia. Nie tylko dla pani. I to jest główna proszę pani różnica między tu a tam. Choć na panią cóż, inni nie wpływają tu ani tam. To było spotkanie rozłączne! kolejne takie, jedna z kategorii niespełnień. Koniec porady! nie wezmę od pani honorarium, porada i tak nie odniesie skutku!

(i – żegnaj kiełbaso! a choćby nawet i ty, salcesonie!)

– A pan, zapytała jeszcze – cóż za bezczelna kaskaderka uczuciowa!... – czy pan nie zechciałby tam pojechać ze mną – ja za podróż zapłacę!

a to tupeciara!

– dziękuję; byłoby to dla mnie zbyt wysokie honorarium! dziękuję, nie!

– a czy... nie odpowiada panu moja uroda? spytała; przecież umie zobaczyć wszystko, choćby i przez telefon!

– pochlebia mi pani, ale to metoda wyłącznie naukowa, bez osobistych wyróżnień! zresztą... ja też jestem z innego czasu.

– a czy mogę wiedzieć, z którego... wcześniejszego czy późniejszego?

jak mam takiej odpowiedzieć wprost!

– może to ja byłem tam na basenie!

Nie zasnąłem rychło. A ona tam znów pływała sobie po suchym basenie i pływała. Mogłem stąd ją widzieć. Lecz ja słyszałem także fale.

Ale żeby łaziebny tak się na nią zapatrzył, i wody nie napuścił?!

Nie wiem, kiedy przejdę ten próg –

I tak straciłem licencję na Szerloka Holmsa.

PKiN 1991

Przykra historia

1

Zaczęło mi się coś nie zgadzać w życiu; czy mam się cieszyć z cudzych zwycięstw wyłącznie? a wyobraźnię uruchamiać, by cieszyć się sukcesem... wyimaginowanym?

Czy obraz świata, który ci przed oczy nasuną, ma być ważniejszy od tego, który ci się sam ukaże?

o pożądaniu zapomnieć; uznać świat, który praw i potrzeb moich nie uznaje?!

z powodu natłoku tych dziwnych żądań postanowiłem wyjechać do sanatorium, poukładać w sobie nieco!

Zakwaterowanie dostałem we wspólnym pokoju, o osobny należało zatroszczyć się wcześniej; i tak się zetknąłem z człowiekiem, który chyba nie zamierzał z nikim się stykać, zaprzyjaźniać, nie tylko ze mną.

Mnie zignorował od pierwszej nocy –

być może zmory go dręczyły, bo jeszcze przed świtem, by przed nimi uciec, włączył radio, na pełny regulator; ja obudzony, już nie zdołałem zasnąć do rana, choć mnie zmory nie dusiły.

Miałem więc sporo czasu, by zastanowić się, co zrobić? przerwać źle zaczętą kurację? wzgląd na zdrowie przemawiał jednak, by skorzystać z reszty pobytu.

Gdzieś w południe dopiero zdecydowałem się wspomnieć sąsiadowi o radiu, że nie mogłem spać...

– pan ma swoje zachowanie, a ja swoje! ja się do pana życia nie wtrącam! odparł i koniec.

Następnego ranka radio zagrało ciszej; a kolejnego sąsiad wstał w ciszy, ubrał się i wyszedł; zobaczyłem go aż na ulicy, w grupie ludzi, coś jakby przemawiał do nich; gdy podszedłem bliżej, okazało się, że to nie przemowa, lecz połajanka, sąsiad lżył stojącego obok, a reszta spokojnie słuchała;

‚w obcym miejscu tak szybko znalazł słuchaczy? a może to znajomi, którzy podzielają jego zdanie, a z kimś ma tam zadawnione porachunki?'

z grupy stojących nie odchodził nikt, doszedł ktoś jeszcze... tłumek jednak chyba powstał przypadkowo; lecz czemu wszyscy wysłuchują kornie porcji wyzwisk od agresywnego radioluba?

osobnik zbesztany, jak niepyszny, wymknął się wreszcie; nie wyglądało jednak, by ktoś z pozostałych chciał zabrać głos;

‚przecież oni mogliby go zlinczować, gdyby zechcieli; a przynajmniej sprawić mu niezłe manto!'

na manto nikt nie zdecydował się;

‚jeśli to jest tłumek przypadkowych przechodniów, to może oni nie potrafią porozumieć się, wolą się podporządkować woli kogoś energicznego, zdecydowanego na wszystko?'

Kolejnego dnia zobaczyłem, jak radiota wystaje na rogu ulicy, z zagniewaną twarzą, tym razem sam, nikt blisko nie przechodzi, żadna grupa gapiów się nie zbiera; pewnie tylko tamci tak się poddali przypadkowej obróbce... dziś nie dzieje się nic.

W pokoju nie udawało mi się spotkać delikwenta za dnia ani wieczorem; a na kwaterę wrócił późno w noc;

aż któregoś popołudnia przysiadł na swym dokładnie zasłanym łóżku i długo trwał w znieruchomieniu, nie odzywając się. Ja też nie wspomniałem o tym, co widziałem na ulicy.

Może powziął postanowienie, że już odtąd nie będzie dla nikogo tak napastliwy!

Przez parę dni unikał wychodzenia na miasto; pomyślałem, że z obawy, by nie spotkać kogoś ze zbesztanych, teraz dopiero dopadliby go!

widziałem też potem, jak idąc ulicą, rzeczywiście omija z daleka wszelkie grupki ludzi, czasem to wymagało nałożenia drogi.

2

W Biurze Skierowań dowiedziałem się, skąd przybył sąsiad; pani wymieniła nazwę miasteczka, ja uświadomiłem sobie, że mam tam kolegę. Napisałem doń.

Okazało się, że mój zaczepny gość był tam osobą dość znaną, wcale nie jako sprawca gorszących scen; z powodu szczególnych niepowodzeń raczej, które przeżył tuż po skończeniu gimnazjum. W firmie, która go przyjęła do pracy, wykazał się pracowitością, ambicją nawet, z furią nieraz atakował piętrzące się przed nim trudności;

lecz znalazł się też rychło w sytuacji beznadziejnej, stanął przeciw grupie wpływowych ludzi, i nie mógł się z tego wywikłać. Zwolniony z pracy, kandydował na posadę w magistracie, nie dostał jej, rozchorował się, okupił to aż zawałem serca;

po wyzdrowieniu pojechał szukać szczęścia w sąsiedniej mieścinie; dostał pracę, nawet nieźle płatną, lecz jej nie utrzymał, rozchorował się znów, szczęśliwie tym razem bez zawału;

mój znajomek donosił następnie, że jego charakterny ziomek, kiedy wrócił do rodzinnego miasteczka, a zwolniło się tam właśnie miejsce w firmie komunalnej – dostał tę posadę, a zła passa ze zdrowiem minęła;

i nieźle zaczęło mu się powodzić, awansował na kierownicze stanowisko. „Zakład prowadził uczciwie, podwładni go cenili, w walce z konkurencją odnosił sukcesy, niepozbawiony był widać tej sarmackiej mądrości, która pozwala wykorzystać w pełni zdobytą pozycję; w życiu prywatnym też szło mu dobrze, nawet się ożenił". „A na weselisku wszyscy czuli się dobrze, chwalili go młodzi i starsi, nawet ci, pamiętający jego dawne przejścia, uznawali, że bardzo się zmienił! życzliwy był dla ludzi, jego zachowanie cechowały spokój i harmonia..." zachwycał się mój koleżka.

Potem ożenił się z własną podwładną z biura. Dwa lata później małżonka rozchorowała się, zmarła zostawiwszy mu do chowania córeczkę.

„Śmierć żony Zyga przeżył ciężko, długo nie mógł pogodzić się z jej stratą, zaniedbał się w obowiązkach..."

3

Któregoś wieczoru natknąłem się na pana Zygę na dansingu. W uzdrowisku wiadomo, panie lubią się bawić, a pan Zyga odkrył teraz chyba nowy talent w sobie i postanowił również na tym polu być aktywnym. Widziałem, jak dwoił się i troił, żeby choć raz zatańczyć z każdą, żadna z pań brońboże nie czuła się nieszczęśliwa przy nim! wszystko miało być fajnie, jak na wczasach!

‚może już i odstąpi od swych niecnych praktyk ulicznych!' pod dachem, na parkiecie zdecydowanie przyjemniej jest walczyć o uznanie, ale dobrym tancerzem trzeba być!

w przyćmionym świetle, w gronie kołyszących się par, miło jest wpaść we wspólne zapamiętanie i w nim trwać, a niechby to i trwało tak wiecznie!

nowym wrażeniom człowiek poddaje się chętnie, bo i po to jest kurort!

i łagodnieje się, nowe zamiary w człowieku się rodzą!

choć tam na parkiecie mogli i znaleźć się mężczyźni, którzy poznali go przedtem na ulicy... kiedy zapalały się światła, na Zygę mógł zerknąć ktoś i się nie zawahać: tak, to ten sam gość, który parę dni wcześniej...

jednak nie znalazł się nikt tak uważny.

I zdarzyło się, że na zaproszenie do tańca z Zygą pewna dama nie poszła; wypadło to trochę tak, jakby Zygisko na jej towarzystwo nie zasłużył;

odwrócił się, odszedł, opuścił rozbawione towarzystwo. Ja zaś przyświadczyć mogę, że i w pokoju zjawił się znacznie później, niż wyszedł z zabawy;

był bardzo markotny.

4

Widziałem kiedyś, jak szedł ulicą i obserwował starszych państwa, parę idącą przed nim; byli w wieku jak on, posuwali się chodnikiem wolno, bardzo wolno, Zygiljon łatwo mógł ich wyminąć; nie czynił tego jednak;

szedł, patrzył, jak to się idzie, jak tam przyjemnie się czują ze sobą, o wiele za przyjemnie!

więc że tak idą wolno, o reszcie świata zapominając –

a Zyglota-Zygzak wolałby już i uszy sobie zatkać, żeby tego nie słyszeć, oczy taśmą zakleić! bo za dokładnie ich widział i słyszał, a czego nie dosłyszał, dopowiedział sobie jednak, bo oto tak pozerkują na siebie, a on ust im zasłonić nie mógł, a oczu sobie! mógł! w ogóle by nie powinno ich być tu ani na świecie, a jeśli są, to już on sam musiałby przestać istnieć!

a może i chciałby się dowiedzieć pewnie, jaki to jest ten świat, nieprzeznaczony dla niego, dla nich właśnie!

a oni tam gaworzyli być może o niczym, niby zwyczajnie im się szło, a on by już nie mógł tego nie pamiętać!

bo tego wieczoru nawet powietrze przeznaczone było wyłącznie dla nich, on sam mógłby się nim zakrztusić –

i nic w tym dziwnego! żadnych przyjaciół ani tym bardziej przyjaciółek Z. na stałe nie miał, ani takich żeby można było z nimi, z nią idąc, nachylać się ku sobie! a wtedy świat zaczyna aż się kręcić w głowie, omalże już z nim nie wirujesz!

z lewa ani z prawa, za nimi ani z naprzeciwka

nikt im nie towarzyszył tak jak on,

choć przecież tam byli i inni ludzie! –

ci przesuwali się jednak w każdym możliwym kierunku, znikali w tle

i nikt nie zaczepiał nikogo,

bo oni sami dla siebie stwarzali świat, świat im posłuszny – a to był przecież niemożliwy dla niego świat!

i tu na zwyczajnej ulicy on był i władał nimi, choć światem był na zawołanie! –

Zygo uświadomił nagle, że nawet i nikt z jego znajomych w takim świecie nie bywał, w takiej sytuacji! sam nie spotkał takiej przyjaciółki nawet na dansingu – z którą by dało się potem tak od niechcenia sunąć ulicą, niby wolny wiatr, i czuć tego pewnym! i że na świecie nie ma od tego ważniejszych spraw!

człowiek tak intensywnie, tak gorliwie obtańcowuje wszystkie panie! pracuje nad wieloma rzeczami naraz, tak wyróżnia je!

a któraś polubiła go za to?

głupie zdarzenie, fakt głupi!... a jak tych dwoje zobaczył, tak poczuł się nieszczęśliwy!

Więc wiele nowego odkrył w sobie Z. tego wieczoru! na dodatek i tę podłą myśl, że z nim nigdy tak nie będzie!

nie żaden niespełniony cel w życiu, lecz ta myśl odsłoniła mu coś, co zamiast chronić go w trudnym momencie...

i nie miał niczego, co mógłby temu przeciwstawić!

...oni tam idą, on przed oczami ma dowód

tak katastrofalnej wprost straty!

...wtedy zaatakował parę!

wolno szli, na znacznym odcinku chodnika było pusto... to on nie mógł już ich wyminąć!

i zaatakował obelgami.

Przez kolejne trzy dni snuł się ulicami sam; bardzo to puste były dni; w innej dzielnicy je spędził, na inne już osoby pozerkując; a czy przypuścić można, że i... odmienne widzenie zdobyć pragnął?

‚jak być w życiu aż tak ważnym, jak doprowadzić do celu, tam hen, by stało się z nim coś takiego, raz na zawsze?!'

Zajęło go na dobre to pytanie,

‚nikogo już więcej nie prosić, o nic nikogo! ale takim przyjacielem być, jak Tamten!'

Do baru wszedł, zamówił kawę, wydało się mu, że ktoś nań zerknął z ukosa,

musiał odejść od ledwo nadpitej kawy.

Ulicą wędrował, pomyślało mu się, że teraz każdy go zaatakować może bezkarnie,

wyśmiać jego nieprzyzwoite, głupie zachowanie, jego myśli, każdą jego myśl!!

odkryć, jak bezsensowny żywot wiedzie!

a on przecież do dobrych rzeczy miał dorastać! on sporo pożytecznych spraw załatwił! a i sam też, jak nikt, z innych zadrwić potrafił!

Kilka dni przeszło; by złe wypadki uprzedzić, zaczął napadać jak dawniej. Uwierzył, że znienacka atakując, potrafi nie tylko sam obronić się, ale i każdego psychicznie obezwładnić.

W pijalni wód widziałem, jak jego ofiarą padł sąsiad z kolejki, za to że zwrócił się doń, dla zabicia czasu, z pytankiem jakimś błahym; zamiast odpowiedzi odebrał stek obelg; a widać wrażliwy był gość, bo zrezygnował z dalszego stania, nie opłacało mu się widać leczenie wodą i wyzwiskami równocześnie.

5

A dlaczego Zysss nie spotkał się nigdy z należytym odporem napadniętych? czemu bierne stanowisko ofiar mógł brać za potwierdzenie własnej siły, a ich słabości?

czy to był przejaw jego tajemnej władzy nad ludźmi? słabości?!

lubił uderzać znienacka; gorliwie Ćwiczył się dla „nowych niespodzianek";

widziałem, jak wchodził w tłum, zaczynał niby coś do siebie mówić, ludzie odwracali się, a wtedy zaczynał lżyć najbliższego, potem

innych po kolei; nawet gdy krąg ludzki się rozsuwał, on zostawał na placu sam, jak ktoś znaczny, i wtedy czuł się, jakby wierzył w siebie!
już zapewne bliski był zdania, że ludzie prawidłowo nań reagują; i stawiał siebie na pierwszym miejscu, jak na podium zwycięzcy!
wyglądało na to, że ludzie uznali jego władzę, nikt nie miał dość siły widocznie, sobie, by stłumić doznaną przykrość, dać odpór.
On nawet i nie musiał uwagi natężać, uprzedzał wszystkich! błahy powód, brak powodu wystarczał do awantury. On przecież wie, jak daleko sięga ten las, w który z powodzeniem się zapuszcza.
W pokoju siedzi teraz – o czym myśli? czy mu do głowy nie trafia nic, do czego pragnąłby wrócić? tam cofnąć się!
jeśli wspomina tylko przygaszone spojrzenia, zdradzające może i podziw, że do czegoś takiego jest zdolny!
jeśli oni o sobie myślą, że są niezdary! –
mogliby o pomoc krzyczeć wniebogłosy!
‚a ja – czyż nie wyprowadzam ich poza granice własnej wytrzymałości?'
Przez okno naszego pokoju widzę, jak wraca skądś strapiony; może i pogodą, bo siąpi deszcz;
a pod okapem budynku czeka nań dziecko,
może ten ukochany synek jego rodzonej córki?!
i patrzę na zbliżającego się dziadka, dziecko też się cieszy, Zygiszcze poznał malca – jest nieco zaskoczony, jakby zobaczył zjawę! ale podchodzi do małego, powinien by powiedzieć pewnie, jak bardzo się cieszy...
– jak ty urosłeś!...
– aj, dziadzia, ja chce być duzy, o, taki ogromny!! malec pokazuje ręką, a dziadek się zbliża, schyla, może i podrzuci go w górę
– ależ urośniesz, pędraku, i będziesz taki jak ja!
– cy ja... taki jak ty?!... nie chce być taki jak ty!!
dziecko uchyliło mu się z rąk, rozwrzeszczało dziecko
– wies, jak na ciebie mówio...
Zygasowi powietrze zakłębiło się w ustach, wiele naraz, zatkało!
to Wyobraźnia, niewyobrażalna siła, która zatrzymuje w człowieku obrazy, w pogotowiu je trzyma, te niechciane!
na ziemię padł, dziecko wywołało w nim trzeci zawał.

Świeradów 1983

Ruszony obraz

1

Jestem świadkiem w sprawie, ja, klepka w podłodze, należycie wdeptany, nie do ominięcia, pewny!

Naprzeciw mnie siedzą i wypoczywają (po czym?), odłożyli książki, których nie czytają, wyciągnęli nogi, którymi nie chodzą, spojrzenia mają ciężkie, źrenice naprężają, coraz ciężej się we mnie wciskają, jakby dusiło ich powietrze, napychały ściany, a to oni sami miotają się, nieruchomi, bo i w sobie zmieścić się nie mogą, dwie nadęte piłki.

Rozparci na zewnątrz, wciśnięci do wewnątrz, prężą się, siły jeszcze nie dość mają, by wybuchnąć.

Ja, nawet obok nich, oddycham swobodnie. A te, rzucone w płaską przestrzeń stworzonka, nieczułe na ciszę są i na hałas, nie mają czym zagłuszać swój lęk, ja milczę, korpus mój wyczyszczony na połysk, nagi – oskarża ich kompromitujące przybranie;

nie słuchają, nie widzą, żaden dowcip ich się nie trzyma, ostrzeżenia też będą daremne, niemrawi aż do zatraty świadomości, trwają.

Kiedyś Ona, na początku (czego tu może być początek!), odpowiadała Jemu na wszystko milczeniem, lecz pytania stawiał on; niełatwe, choć czasem i proste tak, że aż przyjemne. W końcu zrozumiał i Jemuś, co znaczy brak odpowiedzi, zaprzestał pytań i udzielania rad. Gdyby jednak posłyszała to, co chciał powiedzieć, (a słuchała czasem, lecz nie usłyszała nigdy) – on też nie chciałby dopytywać się dalej, oboje zauważyliby może, w jakiej są próżni, może i idealnej, choć byłem tam ja przecież, świadek.

Jemusz wciąż zastanawiał się nawet, czy by Onnie nie miał czegoś i nowego do powiedzenia; tak by poczuła się tknięta, nie myślą koniecznie, lecz czymś, o co i sama chciałaby zapytać? gdyby tak uznać mogła przypadkiem, że odpowiedź ją zabawi, że jest niej coś – lecz szybko przechodziło jej to przypuszczenie.

Teraz Jemusiak uważa, że Onnaśka kiedyś na pewno zmieni zdanie, o nim także... bo należy mu się to!

Ale Onnina nie znosi cokolwiek zmieniać, a już szczególnie coś o kimś, nie ma takiego zwyczaju, więc i nie zechce. Chyba że...

gdyby ktoś udał, powiedzmy, że coś dziwnego pomyślał, w rodzaju: ‚a jednak ja wierzyłem ci przez całe życie, kochanie!'

wtedy może by i oNnaśka odezwała się!

– ...ty wierzysz jedynie, że jak coś powiesz, to jeśli nie teraz, przynajmniej kiedyś to musi się stać prawdą!!

Jednak nie powiedziała takiego głośno nic, odpowiadała jedynie na swoje, niewypowiedziane myśli.

I chociaż się już spodziewał, że rozmowa nie potoczy się dalej, to jakby się zaczęła, a poniekąd i daleko by się nie potoczyła – to co wtedy?!

2

Żadne drugiemu nie miało chęci do udzielania posłuchu... zbyt trudne to było dla całego Jennostwa, dla niego może i niemęskie, dla niej zaś całkiem niedopuszczalne!

Ale skoro świat cały tak pracowicie brnął do wiedzy tej, jak jest! i żeby zostało jak jest! to może i nic nowego poza nimi, nami nie dzieje się, nie czekamy na nic, milczymy, nie słuchamy, nawet żeby i nie usłyszeć, „z jakich to ktoś powodów czasem do nas przyjdzie albo i nie przyjdzie?"

takie przypuszczenie już i pomyślunkiem może być, jedynym słusznym, na temat świata martwego i już!

Od czasu, jak Obojnostwo za żadne skarby uwierzyć nie chcą, że coś Drugiemu, Drugiej, Jemu, Jeinnej, ważnego do łba się przyplątało, zaczęli milczeć – niechaj przynajmniej Inny ktoś coś mówi, albo i wymyśla –

w swym pełnym zapału, milczącym odrębnościowaniu, każde jedynie samemu/samej sobie powiedzieć coś woli, a to że „pomylił się Onnn, albo się i Onnanissima"; i nie uwierzą nigdy, że się pomylili Obojjje.

Ze trzydzieści już lat od tamtego roku minęło, dla wieczności to pryszcz, lecz nie dla żyjących wśród nudów! im zostaje jedynie parkiet wzrokiem kłuć, czyli mnie; a mnie – być kłutym;

już na powierzchni całej się świecę, w wygodnym niby to ułożeniu, ześniedziałem w końcu, stałem się wyświechtany jak oni; ale to wszystko tylko patrząc od strony powierzchni.

– Ja w nic już nie wierzę! powiedziała miesiąc temu Onaśka do swojego wyłysiałego Boba. Nie przerywając milczenia, ale ot tak, żeby coś powiedzieć. Ich Obojnactwo pod względem długości trwania kwalifikowałoby się już może i do Guinessa, a w modzie teraz być, to po pierwsze. Onni do obchodu godów niech się szykują, dla potwierdzenia wytrwałości, ustabilizalności, zdecydowalności jak nic! i niby maratończycy niech gotowi będą na następne czterdzieści kilometrów w lajkowaniu fejsika; byle gdzieś iść, nie idąc, trzeba tam przymusowo rękami machać, biec nie biegnąc, a nordkijki nie przeszkadzają; a już na chodziactwo, ale na oni nie zdecydują się nigdy, bo to wygląda coś i na pedalskie nieco.

...No, aż tu nagle Boba (czyli Bobowa) znienacka wykrztusiła coś z siebie:

– nie wierzę i nie chcę już w nic wierzyć!

doprawiła to stanowczością, że niby tylko zorientować się musi co do chwili, od której to już jej się nie chce, i nie zważając, że w tej symbiotycznej sytuacji wyklucza to ich Obboje z życia uporządkowanego, co nie uchodzi;

a w dodatku to chyba i dostrzegła me spojrzenie, które jest takie ot, z dołu! bardzo nieprzypadkowe –

– może i jestem wszystkiemu winna, a może i nie, ale!

dla niejasności sprawy już dalszych wyjaśnień nie chciała wyjawić, rozwiałoby to może i moje, i twoje, Zerkaczu tu znad Papieru, wątpliwości – i niczego już więcej zdradzić nie chciała bo nie mogła, a nie mogła bo dlatego i że nie chciała;

często i bywa tak, że Kobieta coś mówi i nie kończy; po to przecież Drugiemu przerwała, by nie dokończył co mówił, a ona jeszcze nie wie, co sama chciałaby wiedzieć czy coś mówić albo i nie mówić, ale tak uważa, to grunt! inaczej nie okazałaby się *trendy* i *au courant* naraz, i w samraz czyli *zuszamen* do kupy!

i tu

ale co tam sama chciała powiedzieć, tego by wiedzieć nie mogła, gdyby nikomu nie przerwała; a mogłaby mieć na myśli i coś, czego nie miała, a co zaczynając mówić sama, coś czasem dla odmiany zostawić w sobie, nie wiedząc co, ale na zapas! niech to zostanie nieodgadnioną zagadką dla przyszłości; czyli przedwieczności naszej!

chyba że by, z nudów raczej, mówić chciała na temat podrzucony jej przez fruwającą nad nami akurat muchę?...

bo jeżeli ona tak lata, to nie czyni tego z przypadku, lecz ma dwa zyski naraz, i że nie mówiąc nic, i że coś tam bzycząc tylko ale do siebie! a tego nam nie opowie!

„niechaj się sens tego wszystkiego nam w innym oczach okaże!"

chyba że tak! bo jak się z kimś zadać nie chce, to inaczej tego już przetłumaczyć się nie da; z inności na swojskość ani odwrotnie.

3

Po zmianie, jak się już w nowej roli obudziłem, a za to jak straszliwie zmęczony! „Kochany, ale to kosztuje!" powiedział kiedyś Wspaniały Aktor, ale to było dawno; tak samo bym i ja teraz; tyle że on był po wykreowaniu swoich ról doskonałym, czyli tuż po drugim czy trzecim zawale.

Mnie wypchnięto zaś z zatłoczonej kolejki akurat, pędzącej w głębokości podziemi. To miejsce należało opuścić wąskimi schodkami jeszcze w dół, potem w górę i znów tak na zmianę, i wreszcie wydostać się do innych tuneli, co było niebawem, a tam już czekali inni ludzie;

w trakcie tego przepychania się zauważyłem, że te kilka tuneli i jeszcze trochę, wszędzie tam już byłem, toteż obejrzałem to sobie na zapas od niechcenia;

stanąłem u wejścia mi nieznanego i!

za mną natychmiast ustawiła się kolejka; nowy tłumek i to przepychanie, zwyczajnie, i wygrzebywanie się z tego, przeć naprzód, byle się byle, ach, i wydostać w końcu z wszystkiego ostatecznie!

Na przedostatnim stopniu teraz stoję, jakieś drzwi przede mną – ale zamknięte! jak stąd do wyjścia?!

– ...a nie skorzystać z tego, jak się już jest?

zaczęła się i tam zbierać grupa, razem ruszyliśmy, w kolejne etapy podróży jak poprzednio, na końcu jednak! urwałem się temu tłumkowi na czas!

osobno stoję! za mną (oby bezpowrotnie!) wszystkie te schody, tunele i kolejki świata; przede mną prostokąt światła!

on się otwiera, rozszerza – prześwit najpierw wąski, za nim perspektywa hen, ku prawdziwej Górze, która rzecz jasna stoi daleko we mgle! tam mieszka sobie.

A z boku ktoś, znacznie wyżej mnie stojący, w grupce, a ja już prywatnie, ale on niepodobny do tych, których poznałem;

doszło do niego paru; po chwili i rozchodzić się powoli zaczynają, na miejscu para z dzieckiem zostaje, tamci naradzają się, zerkają, czy by tu nie zejść, podziemi nie zwiedzić!?...

A Ona mi bieleje coraz wyraźniej u szczytu prostokąta, wymarzony wprost Obrazek! i pójść ku niej – to jedyne, co logicznie wynika teraz dla mnie;

tamci odchodzą, zaraz znikną, na śniadanie spóźnione zapewne – z porannego spaceru się wraca! nie poszli w góry, wśród nich panuje inna logika obrazu, tylko go z obu stron zobaczyliśmy.

Nie zazdroszczę im; nie będę dla nich towarzystwem!

a Góra nieco głębiej schowała się we mgle, szlak do niej wśród śniegów – i ani jednej ciemnej kreski, żadnej sylwetki człowieka!

Po prawdzie i nie spodziewałem się na dziś tak wiele; w przeciwieństwie do zostawionych pod ziemią, oddałbym i resztkę sił, byle wyrwać się na powierzchnię, z Poczekalni w jasny prostokąt wejść! dostać się do Coraz Bardziej rozświetlonego obrazu, a choćbym tam miał się piąć, i na kolanach ślizgać się przez mgłę!

tam będzie czym dzielić się z wszystkimi, tam niczego nikomu nic!

Byłem już sam;

tamci na dole już mają chyba miejsce w kolejce,

a śniadaniarze dopełniają sił żywieniem.

Też głód poczułem, przez całą noc w podziemiach krążąc, o godnym towarzystwie jedynie marząc,

o byciu wśród wędrujących, których jeszcze brak,

ale już mam blisko do nich, znacznie bliżej!

horyzont wypogadza się!

‚Tu możesz zacząć się piąć, byle jak najwyżej!’

a dożywianie?

na dole żyłbym wspomnieniem niemej klepki, przypominającej z odległej Przeszłości żywicę, lecz i polakierowanej, na nieruchomo w podłogę wbitej, by nikt kłopotu ze mną nie miał;

i choć się przyglądać mógłbym otwarcie, jak w miarę gnuśni, spacerkiem dotlenieni, znajdą się w ważnym, coraz ważniejszym punkcie świata, byle tylko u siebie! –

tu logika obrazu jest moim towarzystwem! ona nie pozwoliłaby sobie odmówić mi czegokolwiek,

jeśli tylko jest ktoś pożądany – zechce zaraz złączyć się ze mną!

bo my tu na górze ciężar cenimy sobie przedeptanych lat i dróg!

żywi, żwawi i gotowi, jak młodzieńcy jesteśmy,

a choćby i ze świadomością starców –

bo gdyby się wszystko miało zaczynać – ot stąd poszedłbym w górę! choćby odtąd najdalej!

Już w oczach mam przecinkę drzew, za horyzont wiodącą, do plus nieskończoności albo i minus;

mgła, rzeczywiście zbyt silna dzisiaj, by iść,

zwłaszcza że doświadczenia mało, sam –

lecz kto tak łapczywie rwał się do drogi?

już idę!

są i pierwsi mijani, zdziwili się, że tylko sterta kamieni ich wita, więc na niej siedli, odpoczywają; a mnie pilno naprzód!

w drodze też naddatki jakieś się znajdą, wyłomy skalne na jednego, by odpocząć, kierunek odnogi wśród drzew...

o, Nadmiarze! od kolejnej napotkanej Skały – chętnie służę ci swą obecnością; i choć towarzystwo przyobiecane było, swoje ci daję! od tego nie odstąpię! zwłaszcza że tyle wciąż pozostało do Najdalszej nam wszystkim Góry!

stanąć, rozpatrzeć się, więcej nie pragnąć!

niedawno nie spodziewałem się nawet istnienia tego Miejsca! teraz prawie już jestem pewien, że tam hen, gdzie szczelina w skale – siądę sobie!

a porządku, który poznaję, nie wyrzeknę się nigdy!

4

Kiedyś i do Morza wchodziło się wreszcie, wiodłem ze sobą dużą grupę ludzi; i przez niecierpliwość wybiegłem sam naprzód, w sprawie bezpieczeństwa z Resztą Świata się umówić, więc niech najpierw poznam tę Resztę, ja, opiekun.

Było to wielkie, ślepe, całkiem nieznane mi Morze, wysoko falami prężyło się, na jakieś trzy metry; głębokość miało nieprzesadną;

ono nie może mi być przeciwne! pomyślałem; jeśli zechce, z najbardziej niebezpiecznych głębin mnie ku górze wyrzuci!

i wparłem się weń prosto z biegu – aż wpadłem między podwodne skały!

wydostać się spomiędzy nich było mi nie za bardzo;

– Ot, i złapałeś mnie, Wielkie ewolucyjne Morze, jak rybkę pływającą licho! a ja do ciebie tak ufnie, ku Matce niby, biegłem! nie zdążyliśmy się nawet poznać! czuję twój słony smak, ale zmuszaj mnie bym –

lecz ono mnie między skały zmywa;

– myślałem, że poznam Wolną Przestrzeń, a ty...

kolejna fala przygniotła mnie już do dna, pomocy znikąd!

– o żesz ty, wielkie, może i niegłuche Morze! tak ci nudno samemu... jesteś jak zatrzymana rewolucja, chcesz wystąpić ze swoich progów i nie mmożesz! a mścić się zamierzasz na mnie, pchełce, która nie znosi przemoczenia! zerknij swoim bielmiastym Okiem za Górę, tam ja ludzi sporo zostawiłem! beze mnie wyginą!... ponegocjujmy może trochę! bo jak gębę mi zatkasz, kto ci opowie o tym i owym!? ci tam ludzie też powinni z tobą poznać się jeszcze! tak wrednie zaczynasz...

lecz i myśleć o sprawach towarzyskich darmo!

... a przecież myślenie to może być broń!

do Fal zagadałem; przez chwilę zmniejszyły się nieco; więc i Morze nieco spokojniejsze, reflektuje się?

wyliczyłem sobie, że gdy przy odpływie kolejnej Fali podskoczę, czubek nosa uda mi się wyściubić nad wodę... kto wie, może i zapas powietrza uzupełnić da się!... aż do nowego pomyślenia!

już jestem przy skale, przyparty! jej sąsiedztwo – choć Fala do ziemi wbija – za każdym przypływem może mi pomóc, a tu zaraz znów odpływ...

centymetr po centymetrze zaczęło mnie i całego podsuwać trochę bliżej skały – a gdy podskoczyłem – to i do sąsiedniej, byleby Fala następna mnie nie zmyła!

pomysł, który się zrodził się w tej nie najświetniejszej chwili, lecz i ułamku sekundy pracy Umysłu! a może i Morze wtedy zagaiło się! –

to się przytrzymam i nie cofnę,

a wtedy oboje my, jakby od siebie już niezależni!

czekam, aż przyjdzie kolejna Fala, to anonimowa siła, im głupsza, tym przez zagapienie więcej może mi sprzyjać! i jeśli jeszcze przytrzyma przy brzegu Skały, która okaże się najważniejsza! a nie dam już zmyć się!

o, moje wsparcie szczęścia w nieszczęściu! moje wielkie wsparcie – ty jesteś już rozpoczęciem czegoś, co doprowadzić może i do Wydostawania się!...

gdy podskakując w górę stawałem się lżejszy, a Fala nie zechciała zedrzeć mnie z czubka Skały! jakby mnie rozumiejąc, i podnosić w górę, za którymś tam razem mnie z sobą sunąć zaczęła jak lewar!!

centymetr po centymetrze, wdarłem się na wysokość godną dwumetrowej skały, i już jak ślimak przyssany, choć jeszcze nie pełznący! zacząłem się mierzyć by skoczyć – tam, gdzie mnie by nie niosło!!

i za prostą sprawą Rozumu udało mi się nie zbałaganić prostych obliczeń Wznoszenia się i Podpełzywania, aż do Skoku, z niczego!

5

Świat nie dość przychylny okazuje się czasem, to prawda. Gdzie nie pójdziesz, jest podobnie, nic nie kończy się gdziekolwiek, właściwie nigdzie, przychylność Przydarzeń trzeba dopiero odkryć, sprowokować, z tym zgodzić się trzeba.

Co chciałbym dziś robić?

‚uporządkować loty much!'

pomyślało mi się, choć to zima przecież! patrzę, a w autobusie tłocznym, zimą, są i muchy!... jedna się przede mną na szybie ukazała, z szyby do oka mi mierzy, i do nosa, bezczelna, i do ucha!

‚mucha to coś swobodniejszego od słonia!'

‚ale Słoń rezolutny jest i uważny bardzo!'

jakże ja te jego zalety cenię!

więc między Muchą a Słoniem być!

zamachnąłem się, muchy już nie ma; jestem mistrz-zabijaka! ale wolałbym już postraszyć Słonia.

I oto ja, Słoń Uwagi, a obok mnie przelatują muchy.

Porządek chcę wnieść do żywiołu świata!

byle tylko przelatujące muchy, w liczbie może i pięćdziesięciu na sekundę, były z dala od mojego

oka, ucha i nosa!

bo co jest do słyszenia, niech da słyszeć, a ja wtedy zostanę czuły! a i do nosa mi się – niech nie wślizgują! niech wszystko dzieje się w sposób upoważniony, uporządkowany, każda nieuwaga mogłaby spowodować chaos w Kosmosie! i niech one przestaną na tyle, bym nie musiał jako Najwyższy Sąd stać się tutaj na Ziemi, a co najwyżej – groźny kukuruźnik!

6

– miałbym, ja sędzia, wielką salę przed sobą, co się nazywa Dajninrum, jestem już po pracy, najdrobniejszą jej częścią, poniekąd niezauważalny;

z lewej strony przy ścianie siedzę, ku prawej spojrzenie moje się pcha, więc patrzę, ach tam kto idzie?

– o, Księżna Pani!

więc do przechodzącej wprost, Księżnej Primo Voto, się zwracam, a ta najpierw niby nie zauważywszy mnie przeszła, bo się lokuje przy ścianie przeciwległej; i brakiem zauważenia onieśmieliła mnie; to ja ją tym bardziej!

– o, całe życie pani widziałbym w innym zupełnie porządku niż tu ten! i co do kolejności zdarzeń, sposobu zwłaszcza, w jakim pani tutaj się szło, aż doszło, i ledwie przeszło mimo mnie! jednak mnie pani nie ominęła!!

odezwałem się tak przez rozległość sali, a na początku Obiadu to jest, właściwie wyczekiwania – i tym Pożywianiem się nikt w świecie Umysłu jeszcze nie wzmocnił, więc wciąż czekają –

a wtedy Ona dała mi znak – też wskroś sali – że nie potrzebuje już tego leku na pryszcz, który jej dziś rano wyskoczył, bo jej pomoc obiecywałem,

(zdarzyło się to nawiedzenie Jej Piękności przez osę, która, osa głupia, okazała się na dodatek kąśliwa, czyli że ja zauważam tu kompletny brak logiki i nijakiego związku z tytułem wysokim, a czemu to akurat Jej nosa wybrała?! co zrozumiałem sporo później, gdy się dowiedziałem genezy jej związku z księciem, ale to głupia sprawa... niebawem zresztą, cóż, rozwiedli się)

czemu wybrała Ją na kąsek złośliwa osa?

oto jest Książęce pytanie na dziś!

...czy przez pokrewieństwo dusz?

a jeśli przyjąć, że owady mają duszę, bo to są istoty żywe, to ja uważam, że ją mają i już!

przez pokrewieństwo czyli! a wszystko to działo się nie z powodu mnie ani mojej odzywki; ale z samego faktu istnienia Książcostwa, choć pryszcz i sam prysł, a ona mi (Ona!) znaczącym gestem oznajmiła, że jak na tę chwilę, przydługą, wszyscy już się dość zmęczyli tym zatrzymaniem doniesienia łyżki do ust, to jest przypuszczalnie i 0,005 g zupy cebulowej – choć w powietrzu szybciej stygnie, więc i Księstwu niestrawność nie grozi!

i tak całemu dostojnemu Towarzystwu głód w oczy zajrzyć nie może, choć było sporo takiego ach, Powstrzymania się.

Tak pomyślałem; ale przecie ja też jestem głodny, a mimo to mówię, jeść nie zaczynam, doprowadzam tę gawędę, rzecz fascynująca wręcz! do kresu zrozumienia! nieprzewidzianego co prawda w czasie ale...

i na tym się zatrzymał świat ów, znów ruszyć nie może.

Obory 1992

Ruszony obraz 2

1

Tego człowieka widuję tu od lat. Co rano gdy z długiego marszu wracam, podrapany, może i własną krwią sycący kleszcza, pod pachą mi albo w zgięciu kolan siedzi,

a on n spokojniutki spacer odbywa wokół klombu, zajęty lub roztargniony na tyle, że na mnie nie spojrzy; na innych zresztą też nie zwraca uwagi! ani na to, że od jutra mogę mieć zapalenie opon, boreliozę –

w dodatku ja, wysiłkiem zziajany, łamię sobie głowę, kto jest mądrzejszy, kogut czy komputer? kogut mi dokucza co rano lecz...

tego wokół klombu nic nie obchodzi, to i po co się męczyć? nie nadwyręża rozumu, myślenie przykra rzecz, ale czy aż zupełnie zbyteczna?

(a i kiedy to kogut potrafi odgadnąć, że zmienia się czas na letni, już gdy piać zaczyna? a komputer czy nie wie, ale czas ci się zmieni sam, bez poruty!)

człowiek to brzmi dumnie lecz –

(skąd kogut wiedział, kiedy powinien pierwszy raz zapiać rano? toż to genotypiczne zapytanie! komputer to natychmiast po włączeniu, pokaże ci czas, który nastał! a czy zauważyłeś, mój drogi użytkowniku, przypomni, co ci to tam zmieniłem? sprawdź, powiedz, że ci się to podoba! bo może ci zegarek się spóźnia, a przy okazji... co by powiedział kogut na ten przykład, choć przecież nie mówi, ale gdybyś od niego zażądał tego, to co on? nic?)

i skąd niby Klombowicz wie, że spacerować ma właśnie wkoło klombu?

Jego ojciec, podobno porządny był gość, wiele się w życiu napracował, nawet urlopy tak znielubił, że jak katorgę je znosił – w tym czasie synalek długie godziny spędzał na Legii, tam przez cały dzień basen czynny, no i plaża, zmęczony wracał i odpoczywał, a wieczorem szedł do Hybryd, studenckiego klubu, choć studentem z pewnością brzydziłby się zostać (taki już genotyp dostał! ale po ojcu?! ojciec zaś nie lubił się nudzić i w przeciwieństwie do syna zamęczał pracą.

Teraz się uważa za intelektualistę, bo ojciec zapewnił mu przyzwoity start, gotową pracę, mało co robić w niej musiał, ot, raz w tygodniu felieton szrajbnąć i nie czytając oddać, bo czytanie go męczy! a i pisaniem tak wyczerpany, przez dwie lub trzy godziny w tygodniu...

– czułem się po tym, jakby mi czaszkę kto wytrepanował! użalał się;

i dobre układy miał z szefem, nieźle wszystko szło, więc do udziału w konkursie zaproszony został, na dramat o życiu współczesnym, choć on życia nie znał, lecz wadium wziął, takie coś za nic, czego się nie zrobiło;

„przez całe popołudnie pisałem, wyszło tego aż z sześć stron, więc powiedziałem sobie, dosyć, zbyt męczące! i oddałem tekst, rzecz jasna bez czytania; nie wiem do dziś, co tam nabazgrałem";

jury zapoznało się z tfurczością i natychmiast zapomniało o niej, choć „napracowałem się jak przy dwóch felietonach naraz!" ale wadium nie zwrócił.

Wieczorem za to, w klubie studenckim, czekała nań Dziewczyna; najlepsza rokendrolówa rzecz jasna; ale rzucanie przez plecy i wokół nóg, wirowanie obcym ciałem nie wiadomo gdzie to zbyt ciężka praca, dla intelektualisty niedopuszczalna, Klombek nie nauczył się jej, jak i w ogóle tańczyć, jego ciało wypowiadało się w pozycji jedynej, a właściwie to dwóch, raz siedząc, raz leżąc na boczku czy jakoś tak;

więc ona tańczyła nie z nim, a z innymi, jemu była za to wierna; jak to wpływało na sam rock'n'roll? nie wiem, bywałem tam rzadko; ważne, że odpoczywała ona tylko z nim, a przerzutki i coś tam były poza tym;

lecz taniec to mowa ciała przede wszystkim, więc co powiecie, jeśliby on miał skłaniać ciało do wierności jedynie poza tańcem? to w takim razie czymż jest wierność, jeśli ją wystarczy na bok odsunąć, choćby i z przerzutką?

pytanko retoryczne, zadaję nie po to, by wyższości ducha tańczącego nad ciałem tańczącej dowodzić, albo odwrotnie – ale tu ducha nietańczącego nad ciałem tańczącym! –

przyjmijmy za to, że życie tych dwojga poza argumentacją wszelką przebiegało raczej;

duch zaś pracował, kiedy jego nosiciel nad felietonem ślęczał! a tam wymowa ciała to zadanie poboczne, i niekoniecznie musi komu co mówić;

...ale ona na dansingu dawała się rzucać aktywnie poniekąd, idąc na wymowę ciała przede wszystkim, więc kończyny, czasem ledwie fragmenty kończyn, pracowały intensywnie na całość! i co tu powiedzieć o duchu, niby to jednoczącym?

Dziewczyna już tam zapewne nie dzieliła żadnego z włosów swoich myśli na czworo, przy tańcu, ani przed; a i że po – to mało pewne! ona kochała go za umysł i ciało hurtem, a tańczyciela który nią aktywnie szarpał – jedynie za to szarpanie właśnie! a już na siedzącego pod ścianą cedując siłę przewagi umysłowej, której szarpiarz jakoby nie miał;

przecież już tańczący (gdy tańczą) zawsze mają przewagę nad tymi drugimi, którzy w tym czasie rdzewieją! i tam musiało być podobnie, chyba jednak – jakoś tam odwrotnie; ważne, że ona pasjami lubiła tańczyć, taniec ją uszczęśliwiał,

a Ten, który nie tańczył – chyba jeszcze bardziej!!

W końcu, a może tak było i od początku, uznała wyższość jego (choć nie tańczył), a rokendrolowca pragnęła jakoś tam inaczej, samą sobą, z udziełem wiedzy jedynej, którą one mają może już na wieczyste użytkowanie;

i co by nie powiedzieć jeszcze, na pewno było tak, że On Jeden był taki, we wszystkim najlepszy, a ona go kochała i myślała, że wyjdzie za niego, aż wyszła.

2

Świetną gospodynią okazała się, co prawda mniej wtedy mogła już rokendrolować, bo mu ugotować zupę, a w wolnej chwili, zyskując na czasie, zrobiła coś takiego, że ma teraz dziecko;

no, ona teraz już dobrze wie, czego im do życia potrzeba, sprząta, gotuje, pierze, niańczy, a jak nic nie ma do roboty, to jedynie wyrzuty sumienia przychodzą, tak jak na jego śp. Ojca, że nic nie robi; bo Ojciec w międzyczasie wziął zmarł, gdy roboty nie miał, a cel życia osiągnął, wydał syna za żonę, i to jaką! wydał go za prawdziwą *de domo* księżnę, i choć rodzina się jej wyparła – jego więc Synowi udało się z księżnej zrobić kuchtę.

O nicnierobieniu nie będziemy już tu mówić więcej, byłoby to i dla autora uciążliwe zanadto, jak i niepiszącego tylko felietonów; i chociaż dziś mało już czytających na świecie (to z powodu tego braku równowagi w poglądach na temat ocieplenia, czy postępuje czy się cofa?) –

a że autorów takich jak niegdysiejsi już nie ma, to chyba nikt nie zapanuje nad tym, bo i kto!? nieważne, i o tym już cicho-sza! spełnienie zawinione nadmiernym staraniem też niewiele warte, bo czyni ludzi niewolnikami!

Co się zaś tyczy jakichś tam chodzących po ziemi anonimów...

Ja też przez resztę życia chciałbym mieć czas na leniuchowanie, by móc się czasem, przypadkowo nad czymś zastanowić! ale tu o tym już więcej ani słowa.

Klombista, który uważa się za intelektualistę, przeszedł ostatnio na emeryturę, i spaceruje już na krótszym dystansie, wiecie wokół klombu; a nie wytrzymuje presji jednego, zgadnijcie czego?

mojego sąsiedztwa?

nie, sam zaczepił mnie kiedyś, choć to i męczące zaczynać z kimś rozmowę, trzeba mieć samemu z góry ułożone pytanie, na próbę choćby, jedno zdanie –

nie, bo on też i sam chce się wywiedzieć,

zapytał zatem

– jak pan myśli, dlaczegóż to ludzie coraz częściej się nudzą? my tu obaj zaliczamy się do kategorii inteligentnych, więc skoro pan coś sądzi na temat... to pewnie i ja!

ładne pytanko, zgrabnie ustawione; w odpowiedzi chyba bym dłuższy referat na to musiał, konspekt całości przynajmniej? jakiś esej? w każdym razie nie felieton!

– ... zgadzam się oczywiście z tymi, którzy uważają, że jest na świecie jakiś postęp! małymi kroczkami, ale świat posuwa się naprzód, na coraz wyższy poziom on wznosi się... jednak nie przekłada się to na zmniejszenie ogólnej nudy w życiu, a dlaczego?!

– ... z drugiej zaś strony nie uważam, by dla jakichś tam kroczków paru, warto było zaraz się wysilać albo co! poświęcać! no, niech pan powie!

– ... a nawet gdybym i chciał się do czegoś przymusić, to po pierwsze nie wiem, do czego? a po drugie, widzę, jak ludzie wokół nagminnie zmuszani są robienia czegoś, czego się wyuczyli! to i nie uważam, by było to rozwiązanie dla mnie! przymuszać się do niczego nie będę!

– ... a kolegę kiedyś jednego zapytałem, co robi, kiedy już nic nie ma do roboty? i wie pan, co powiedział? że książkę czyta, i że to nie znudzi; a czyż można i książkę czytać dłużej niż przez pół godziny?!

Po tym pytanio-referacie ośmieliłem się wtrącić uwagę, uważkę raczej, że rozumiem, iż w tak marnym świecie żyjąc, w istocie mało znajduje rzeczy będących w stanie go zainteresować –

– ...choć, jako osoba rozumna, mógłby pan czasem coś i zacząć!

– ...coś zupełnie przypadkowego, niby...

– panie, to brzmi jak loteria!

– ależ i może coś pan wybrać, zdecydować się na coś! to nie byłaby jeszcze praca!

– oczywiście, że praca! wtrącił lekceważąco, jakby kończąc rozmowę;

– ...ale dla wielu ludzi robienie początku okazuje się zazwyczaj pracą! i to nieraz ciężką! wymagającą studiów wstępnych, potem praktyki! być alboli nie być zatrudnionym w czymś takim to już najpoważniesze jest z wszystkich zapytanie!

– albo powiedzmy inaczej – czy mógłby się pan zdziwić czymkolwiek?! no, czym się pan mianowicie ostatnio zdziwił?

– a czym się tu można zdziwić!?...

– jeśli na przykład pan się zamierzy na coś, i postąpi choć o krok dalej – to spotka pana niejedno zdziwienie!!

I tu go przygwoździłem!!

choć tak pomyślało mi się tylko,

bo gdy podniosłem wzrok – zobaczyłem, że mówię w próżnię; a ja mu tak szczerze chciałem pomóc!

a on się spodziewał konkretnej odpowiedzi, rady! teraz zaś gdzieś w oddaleniu zaczął się snuć, kontynuować rundkę przy (wyobrażonym) Klombie.

3

Z niejakim żalem uświadamiam sobie, o ileż lepszego, a przede wszystkim skuteczniejszego doradcę ode mnie,

miała wczoraj pewna Dama w parku;

mijałem ją, spacerującą w towarzystwie, akurat jej młody partner powiedział:

– bo ty tak lubisz i tak już będzie! a jak będzie, to ja jeszcze nie wiem, ale coś wymyślę i wtedy ci powiem, a ty to polubisz, bo tak ty chcesz! bo ty to musisz polubić!

– ależ ja jeszcze nie wiem – co lubię! co chcę...

tłumaczyła się naiwna Dama; lecz w tejże chwili akurat dumną się stała, bo usłyszała mianowicie, jak wielką miłością on do niej pała! więc już tylko o miłości mogła myśleć!...

ja się przez to zagapiłem w sobie – przez co o mało i żuczka nie nadepnąłem na ścieżce, którą on sobie ufnie szedł, w moją stronę zmierzał w dodatku!

i tak ledwo uratowałem mu życie!! jemu przynajmniej.

4

A następnego dnia Klombo wrócił do tematu nudy;

gdy spytałem, czy by nie chciał czegoś, powiedzmy co tu jest obok, zobaczyć inaczej,

– bo proszę zauważyć, dziś pan to widzi tak, a jutro może i chciałby widzieć inaczej! pan będzie przechodzić tutaj...

– wie pan, to jest od początku tak głupie i bez sensu, że przyzna pan, nie zachęca mnie do wysiłku, by odpowiedzieć panu! wymknął się bezczelnie i sprytnie!

– a kiedy na przykład, wśród ogólnej brzydoty, natyka się pan na coś zachwycającego, uroczego! niebywale pięknego – nie zastanowi się pan dlaczego? i nie przejmie to pana wcale?!

– w marnym otoczeniu żyjemy, na marnym tle nic ciekawego narodzić się nie może!

– a ja na przykład: kiedyś się różnym rzeczom musiałem dziwić, i odczuwałem z tego powodu, owszem, niepokój, czasem bardzo silny! i obawiałem się, że może tylko ja przeżywam rzeczy nie tak; ktoś inny, taki na kim mi zależy, czegoś innego by się spodziewał?! po mnie, tylu rzeczach różnych! wtedy jeszcze nie miałem pewności, co tak naprawdę jest ważne, moje spodziewanie pierwsze było korygowane przez następne, a czasem wręcz kasowane!

– ...i bywało później, że o tym samym – myślałem już inaczej jednak!

– przecież ludzie się różnią, i to bardzo!

– więc i rzeczy są tak różne!... a wie pan... ja już od dawna uważam, że ludzie, gdzieś tam u podstaw swoich, są do siebie podobni, w ogóle sobie bliscy!

–....bo i dlaczego miałbym tak bardzo się różnić od nich, od tamtych?... ten niepokój jest we mnie wciąż obecny!

– ależ ludzie się różnią!

– zgoda! a to czemu wyobrażenia ich, przeżycia miałbym lekceważyć z powodu tej różnicy? skoro ktoś przede mną odczuwał coś tam inaczej – to czuję się jakbym, patrząc niego, czyli na tych dawnych, też mi bliskich, jakbym nie musiał zadawać im kłam, choć widzę to inaczej niż oni!

–... potem zadawałem, już tylko sobie, pytanie bo nie byłem, jak kiedyś na początku nie byłem i pewny swego wrażenia – – aż stopniowo upewniałem się co do jakiejś wspólnoty: tego, o czym marzyłem już wcześniej, a pewnie i oni!

i dziwiłem się widząc, jak mimo wszystkie te różnice ludzie są sobie bliscy...

–...tak i w mówiemu teraz panem, tak i w pisaniu! to przecież bardzo indywidualna decyzja czyjaś, jakby formowanie dzieła!

–...ono wynika z chęci sprostania ważnej potrzebie widzenia, które jednak chciałby pan uznać za własne!

– ... a bez jednego ukradkowego spojrzenia nie byłoby to możliwe!... jak i drugie, to inne spojrzenie!

mówiłem, mówiłem...

on już obawiał się zapewne, że czegoś od niego chcę;

– ... a świeżość odczuć, zdolność do zadziwień... są jak młodość, odradzają człowieka!

– może i tak; ale ludzie są bardzo wygodniccy dzisiaj! inni znów nadaktywni! a pan chciałby się przeciwstawić jednemu – a drugiemu – pomóc?!...

– co ja bym chciał to nic, to za mało!... a gdybyśmy tak powiedzmy, ja i pan, i pańska małżonka także?!

zmieniać świat we dwójkę albo i we trójkę! to byłoby już coś! iść z rozumiejącą partnerką u boku, wspólniczką! na spacer?

– pan mówi poważnie – że niby także ja, razem z żoną?!

– a to niemożliwe?

– teoretycznie zakładając...

– wolność to jakby zobowiązanie wobec kogoś, także kogo tu nie ma! bo nie zdążył przybyć! a może i nie narodził się jeszcze!

– to to konkretnie... wobec kogo ma być?

– ...także i wobec siebie wcześniejszego, który wiele od życia się spodziewał, od całej tej niby wspólnoty! no i po sobie także! nie chciałby pan pobyć z kimś takim dłużej? przecież ja tu pana nie namawiam, by iść i mordować!

wtedy on odparł:

– życie jest jakie jest, proszę pana! ono nie zna reguł ani zasad; co prawda niektórzy jakieś tam zasady głoszą, a przeważnie sami się do nich nie stosują!

– ...a nasze wspólne życie tu na czym się opiera? na paru takich mądrościach, przykazaniach, które czasem sprawdzają się, a czasem nie; nie rób drugiemu świństwa na przykład! nikogo z nas to nie zabezpiecza! dogadza jedynie temu, co je głosi i uważa się za lepszego! a drugi może ci odpłacić czymś znacznie gorszym, i co? że pan mu to wypomni?!

– rozumiem, zaraz pan wypowie zasadę najbardziej ogólną, to jest nicościującą wszystko, bo to się wzajem redukuje, „nikomu nic nie dać i samemu nie osiągnąć!"

– ...słyszałem też, „nie stać nas na czynienie zadość spodziewaniom innych, załatwiajmy swoje sprawy, po swojemu!"

– rzeczywiście, jesteśmy biednym narodem i nie stać nas na wygórowane ambicje;

– ...przyzwyczailiśmy się do folgowania własnym słabościom; nie wyobraźni, nie zasadom! to i wyrzekliśmy się ideałów! oraz wszystkiego co swobodnie, podług racji da się wybrać!

– ...folgować przesądom, byle własnym, a to daje małą wiarę i co do wartości własnej!

– ...kobieta cofnie się, na wszelki wypadek, przed zauważeniem mężczyzny w mężczyźnie – a on w niej kobiety!

i zechce przed nią/nim czymś się popisać jedynie;

a potem on/ona i sam przed sobą nie pomyśli, że ktoś tam wobec niego/niej byłby zdolny do niebanalnego czynu! bo i był – a nie był!

poniżywszy partnerkę/partnera uznał, że i sam ma prawo zniżyć loty...

to jest zasada złej, najgorszej wzajemności.

Żyć bez zamiarów, większych ambicji, zobowiązań!

a jak coś zdobyć, to gwałtem, byle szybko!

dzisiaj zdobywcą być! i powiem panu, że strasznie mnie już dziś... rozbolała głowa!

– to ja powiem panu, jedyna rada jednak, to trzymać się życia! póki się da, trzymać się go kurczowo!

Na dworze zmierzchało się już. Albo zaczęło świtać; komputer żaden nie powiadomił, ani kogut nie zapiał, choć z pewnością wiedziałby, jaka to pora. No, ale... kompletna dowolność podążeń.

Ob. 1992 i n.

RUSZONY OBRAZ 3. TYSIĄC WATERGATES

1

Życie sobie boczkiem sunie, a jak kto ma pęd, może czasem i własną piosneczkę zaśpiewa; na innych obojętnieje; tak cały świat;

jesteś zajęty sobą? jak Arvo Pärt w swej *Tabula rasa*, pięknej i smutnej muzyce opowiada, jest właśnie tak;

chcesz 70% energii wydać na spełnienie ważnego zamiaru? to nie wystarczy; więc jutro i zapomnisz o nim.

Zawsze zdecydują inni; twój wysiłek daremny. Niegdyś to wielcy artyści dedykowali wynik swej męki innym wrażliwcom; dziś już i dla męki uzasadnień brak. Manekinami mody młodzi stali się; dla starszyzny, w udręce pogubionej, obiektem schlebiania.

Co powiedziawszy – stwierdzam, że łżę!

Bo oto jestem po Zadaniu właśnie!

Zrobiłem swoje, sprawdziłem się! nadszedł czas, by w świadomości szerszej, publicznej to utrwalić. A od tego są media.

Więc w poczekalni Świątyni Rozgłosu siedzę, moje oczekiwanie wielkie, okaże się, że przesadzone. Lecz uśmiech w pogotowiu trzymam, przesunę go w stosownej chwili na twarz; dalej chłopie, jak będzie trzeba, to i przez wieczność tak z nim trwaj!

A czekających tu wielu, każdy myśli, że może pierwszy wywołany będzie? tak myśli, i gnębiony jest niezauważaniem uporczywym! lecz on gotów musi być!

w kącie, przy odrapanym stoliku siedzę, a Ona się oczywiście spóźnia; ważna jest, mimo wszystko najważniejsza! w notesie odcyfrowuję końcówkę telefonu, zadzwonię, że jestem, niech przyjdzie i pewności mi doda! czy to ..22, ..12, jedynka dziwnie pogrubiona...

– przecież to mój domowy numer! z wymówką nade mną już wisi, a jednak rozpoznała mnie, po czym?!

co prawda, zbliżając się, pytała wzrokiem wszystkich, czy to nie ja? a czemu ona akurat taka?! czemu ją rozpoznaję?

– zdawało mi się... że będzie pani niższa znacznie!

ale mkniemy po schodach wąskich; chybka jest, daje się zauważyć, że te szpilki ją niosą, no i wydłużona jest, bardzo!

– pani szybkościówa niby! skomplementowałem, już u szczytu schodów, za wysokie progi jak na mnie!

– ...rzeczywiście pan tak uważa?... że to wystarczająca wysokość?

– ależ taaak! jak dla mnie to jest pani aż za duża!

spodobało się jej! kompleks na punkcie małości;

– ...raczej wyższa niż średnia! dorzucam,

– to pan dzisiaj trafił mi z komplementem, bo naprawdę to ja... no, nie chciałam być małą!

i rzeczywiście, żywy człowiek z niej, tęsknoty młodzieńcze nosi w sobie! *taka mala a już... taka duza!*

– że co?

– przypomniało mi się, sprzed wojny jeszcze, szlagier! to nie o pani, nie śmiałbym!

głupi, jeszcze jej co takiego powiem!

W pokoju zasadziła mnie między skoroszytami i komputerem wielkim, pewnie atrapa,

– czy działa?

– to nie, nie teraz, i niech pan wie, że to nie będzie rozmowa, jak miało być! ma być pańska wypowiedź o – a właśnie dlaczego pan wybrał taki tytuł?

i wepchnęła mi mikrofonisko wielkie przed nos, takie z gałganów! to twarda przepustka do wieczności, podstawa i do honorarium może! chociaż się skarżą, że tu bieda!

– nie będzie długiej rozmowy! mam dla pana tylko trzy minuty! trzy i góra trzy dziesiąte, brak czasu na treść, niech swą wypowiedź zmieści pan objaśniając tytuł! to

– a dlaczego taki?!

– zanim o tytule, najpierw o treści chyba?

– niech pan go głośno wypowie!

– a o treści nic?

– ... dlaczego pan to napisał?

– ależ to oczywiste, jak mógłbym tak smakowity temat zostawić innym...

i dalej z wnętrza siebie, rozległego, zacząłem wybierać garściami co się da, jak ze ściągawki na mankiecie w szkole, jakbym czytał z księgi, choć ją zostawiłem w domu, ale jestem wzrokowiec, pamiętam! i kątem oka, choć na odległość, także i w oczy Onej popatrując, że otworzyła się wreszcie na mnie, jakbym to jedyny na świecie był! taka i z zimnej żaby żar wyciśnie, z oddaniem się we mnie wtula, i wszystko w porządku już, jest, czego tylko Ona zapragnie, dostanie ode mnie, co dostać musi, choćbym w tej mikrofonowej, tfu, mikronowej części sekundy i bez przyległości miał zmieścić się, i niby rozmieścić wygodnie, przecież jej Oddanie i Czułość mam, i całą tę ścianę, od której już cofnąć się nie mogę, bo Ona mnie wspiera, dla niej to bym ach! i Wszechświat z wiecznością w jeden gałganik wplótł, byle w trzy minuty! a choćbym i rozpleść to musiał natychmiast, to bym rozplótł i zaraz splótł, całą powieść aż od ostatniej linijki z tego wysnuł, w mikropowiastki bym zmienił, w esej, złotą myśl i wszystko splótł ! i na kawałki jeszcze, na takie różne tam ścinki – przed Nią to umiem, nie muszę a chcę, bo Ona tego żąda, a ja to już tylko jedno zdanko bym plótł, z minuty na godzinkę, bo rozciągnąć potem to nie sztuka! ... a dlaczego taki tytuł?! Ona pewnie zrozumie, bo mi ufa, a ja ufam jej, tytuł to drobiazg, mógłby i każdy inny być, co znaczy –

już cały świat Jej spojrzeniem chłonę, a Ona coraz większe oczy ma, i zrozumienie dla mnie, bo jeśli tylko chce, to i ja dla Niej –

– ...a jeszcze niech pan wymieni tytuł głośno!

Nie usłyszała tytułu! choć wymieniłem go cicho. „Tysiąc watergates na tysiąclecie!" krzyczę; nie zauważyła tego; „I zrobić wreszcie koniec tusculanum!"

– A dlaczego tak właśnie? wyjaśni pan?

– Nie, nie powinienem! Tytułu się nie wyjaśnia!

– koniec nagrania!

– co...

– mamy już pełne 3,1 minuty; ani pół słowa więcej. Nie zmieści się.

Co ja przez 3,1 minuty – a co oni tam przez 20 godzin i 57 minut na dobę brzęczą?!

Ależ wielki sukces!

2

A jak ocenia ekspert Radia Maryja, Wszechświat trwa już 14 mld lat, naszych zwyczajnych, to poza ortodoksją. A to niech teraz sprawdzi „Gazeta Wyborcza", i odpowie RMF, Rzepa, to potem i ja się wypowiem.

Człowiek jednak musi być skonfundowany zestawieniem tyla czasu z jego; a ja tam cóż miałem do dyspozycji?!

nawet gdybym przez 70 lat, co jest nonsensem, udzielał się przez te wydzielone mi 3,1 minuty, to cóż to w stosunku do ogromu lat, w których ludzie musieli stać się inteligentni, aktywni, tak żeby każdy zdołał w swoim życiu przeżyć choć jedną aferę, podjąć się nowych zadań, których – jeśli ją ma – to i Wyobraźnia mu coś dorzuci!

Na odcinku, na którym się poruszam (nawet i bez 3,1 minuty uznania), spaceruję sobie, biegam i nawet zasypiam w drodze od zmęczenia, upału, to wszystko mi wolno. A kiedyś tego nie było! był gorszy czas; a jak za poprzedniego ustroju, a jak teraz?

to się już znudziło i odmieniać im przez wszystkie deklinacje, koniugacje, tryby i sposoby – aż wydrukowali sobie stosy książek, tysiące artykułów –

a czy nie lepiej byłoby nie bawić się w żaden tam taki pozór? bo i moje przekonanie o przydatności to też pozór!

ale jak żyć nie pisząc? toż to obraza boska!

a pisać i potem złożyć to w niezdeptanej trawie, przy mało uczęszczanej drodze, gdzie przechodzą nieprzypadkowi, wolnomyślni, lewicowi i prawicowi... i ktoś może o te papierzyska się potknie, i zaklnie, i nawet jeśli nie potłukł kolana – ach żesz ty!!

a to w końcu mogłaby być i symfonia Schuberta, ta nierozpoznana, Dziewiąta, Wielka!

a życie moje symfonią nie jest; a tu nawet i nie zamiatają!... jeśli będę miał szczęście, to i czyścioszek jakiś zbliży się, i zniży – nie ot, żeby coś podnieść, dla przykładu, ale po guzik jakiś!

i jakie tu jest porównanie moich możliwości do rozmaitości minut tam nie wiadomo czego!

jakaż to firma, powołana do budowy społeczeństwa przyszłości, wypuści się tu kiedy w świat?

jak było przedtem, tak będzie i potem;

przydatność moja (ach, problematyczna!), i sądów moich (ach, nierozpoznanych!) nie musi być nawet i zmierzona!

a ja w kontekście czego to mówię, i z czym?

ty dużo wiesz, licencjonowany Czytaczu sądów moich tu zza Ucha, i to, że moje życie zostało szczególnie źle wycelowane w czas, a w nim żyjemy!

albo się ja wycelowałem źle z zadaniem swoim –

przez tysięczny ułamek zdarzenia zwanego życiem – bo niekiedy być może istnieję – z poza tym czym? już nie wiem!

w przeciwieństwie do tego, jak wielki jest wpływ Wszechświata na nasz los (oj, wielki!) –

tu niknie choćby i potencjalność mojego życia,

no i waszych!

jakże nonomikronowej dokładności musiałby użyć Pomierca, gdyby zechciał czułość tego mojego czasu mierzyć względem nas –

ale i powstałby z tego raport!!

ale i – jak wielki musiałby z tego być i dla archiwisty kłopot, by jeszcze i uczucia wpleść – być może czule? w porządek tego katalogu!

o, Ważni i Wpływowi Gracze Czasem! a czy unacześniliście swoją wiedzę – choćby na dziś?

3

Jeśli Słońce istnieje od 5 mld lat, a takoż i Ziemia, jeśli życie naszego rodzaju ma udokumentowaną historię powiedzmy od 1O9 tysięcy lat, (ostatnio już podobno od 4, 5 milionów!), zaś życie moje w stosunku do tej historii ma się jak jeden do *n* –

to coś sumując, odejmując,

uważam, że i tak sporo czasu zaoszczędziłem niektórym, nie każąc im powtarzać wysiłku pokoleń, na obcowanie ze mną;

a czy tam specjaliści od trwania za pensję czy za wierszówkę, wszystkie swoje dobogodziny powielają jedynie matryce? możliwe!

– oglądałem wczoraj film o historii Słońca, Ziemi i paru innych planet, ich księżyców, planetoid, latających Kamieniszcz, o które można sobie nosa potłuc, jeśli tam komuś tak wysoko uda się podskoczyć i zawirować sobie w Kosmosie. Film stworzyli mądrzy ludzie; skalą zaprezentowanej wyobraźni wywierają wielkie Wrażenie! a zdawałoby się, że nawet najinteligentniejszych nie stać na tak wielkie Dzieło!

Obraz ciał niebieskich nam pokazali, jakiego oko ludzkie nie widziało, stworzyli go w ciągu ledwie rocznej, może półtorarocznej pracy. A na ten efekt złożyły się miliardy faktów, dziesiątki, a nawet setki lat pracy wielostwa innych ludzi; i jakże niski w tym ułamek czasu przypada na pracę Państwa Nadinteligentnych!

zaś naprzeciw stoi *n*-krotnie liczniejsza część ludzkości, ta od niszczenia; i to jest też obraz ludzkiej potęgi na dziś!

W życiu pojedynczym każdy pisze swój rozdział, pod tytułem *Widzimisię*, bo innego imać się by mu za trudno było, to i nie warto –

a ludzkość to kupa takich rozdziałów, co raczej nie brzmi dumnie; a tam są różni ważni, i tacy, którzy im jedynie (nigdy nie wiadomo komu i czemu?) służą;

i nie jest już wcale godzien uznania ktoś, kto przeżył coś zachwycającego, i czego nie da się wyjaśnić; bo gdyby tak – to inni zawsze chętnie go uduszą;

człowiek na świecie coraz mniej znaczy;

a kiedy już ostania puszczę wytną, wysuszą, upustynnią –

„wolnym być" będzie znaczyło jedynie czynienie innym krzywdę;

bo i człowiek już manekinem jest, jak w modzie!

wszelkie matryce, kalki bardziej liczą się!

i wsadzisz kij w mrowisko – zagryzą, zatłuką!

ludzkość bo już nie służy ludzkości,

a czysta poezja to jest wyznanie Spadających Kamieni; niech sobie zdolny pisarz nadal zmyśla historyje zgrabne; a kierowca niech uważa, że jezdnię ma dla siebie tylko.

Zaś myśl, co na opustoszałych ścieżkach próbowała się zatrzymać – niech sczeźnie!

niech żyją wszyscy konsumenci!

– zmarzłem, budzę się, a tu mamy lipiec! choć jasny dzień, przez noc liście z drzewa pospadały, komunikaty coś sugerują, świat będzie już martwiał odtąd i obojętniał! i tylko Sąsiedzi mówią, że to od tych Kamieniszcz!

– Klombiona spotykam, minął już siódmy rok od śmierci naszej; kiedy to burza Drzewo na nas zwaliła, szczęśliwie że z różnych powodów, bo i nie mieliśmy już nic więcej do zastanawiania;

– ...pan dość inteligentny człowiek jest, odezwał się Klombion, i nawet zdaje się, że nawet dość gramatycznie coś zauważa; to i powiedzieć teraz mogę, co byś pan jeszcze mógł!

– a co? dla kogo?

– a tylko na wspomnienie naszej znajomości choćby!

– to może lepiej już nową myśl jakąś...

– ależ tu nie ma z kim!... więc niech pan mówi, to ja się podporządkuję!

– a niby dlaczego?

– z zapału do niemyślenia otóż! to taka zdolność u mnie, nawyk!

– a jaką wypowiedź wolałby pan usłyszeć na koniec – smutną czy prawdziwą, weselszą?

– powiedzmy, że smutną najpierw! dla kurażu...a potem

– smutna jest taka, że nic o niczym już nie sądzę;

– a weselsza?

– że nic nowego nie mam na myśli;

– ...to znaczy że ze wszystkim tak źle? pan, człowiek krytyczny, i zaawansowany umysłowo dość...

– no powiedzmy!

– a biorąc pod uwagę, że o kobietach pan nie za wiele dotąd myślał... i czemu tak? kobiety myślały za pana?

– przenigdy! bo kobiety, proszę pana, tak ogólnie rzecz biorąc...

– teraz i genderyzm, epoka nowa...

– pan przecież też jest jakoś... mężczyzną!

– lecz z punktu widzenia tematu to ja znam lepszy przykład! z genów jestem mężczyzną;

– a ja też trochę kobietą;

– to jak każdy; tylko że oni z charakteru do tego mniej... się przyznają! kto wie, może i ja, jak nam dziś mówią, jako półkobieta –

– czasem potrafię być i jak mężczyzna!

Ale to już nie wiadomo, kto co i dla kogo mówi –

– ... ale tym z Watergate w Ameryce to udało się!

– ono tam było przez to, że nikt nie zwracał na to uwagi!

– tak byłoby u nas! ale tam, panie, policja, prasa, sądy i gazety działają!

– ot, żyli sobie zwyczajni ludzie i się nie bali! nie wiedzieć dlaczego!

– jak i u nas teraz – zwyczajnie ludzie, a wszystkiego boją się!

– choć tacy indywidualiści niby!

– jeśli tak jest, jak pan mówi –

– każdy już woli żyć tak, by samemu nie myśleć, i żyć nienajgorzej!

– to nie tak jak w Ameryce!

– bo u nas to trzeba by panie, żeby watergares wybuchało nie raz na jakiś czas, ale

– parę razy na rok albo i raz na tydzień;

– o, to-to! to byłoby dobrze!

– ależ Polacy, panie, to jest cywilizacja buntu i niezgody!

– i zachwytu nad tym, co mogłoby być! ale to już coraz mniej! wyeksportować by nas gdzieś do Reszty świata – tam bylibyśmy na miejscu...

– i moglibyśmy wdrażać ichnie procedury!

– ...na wszelki wypadek! tak, bo gdyby jeden to odkrył, i drugi, trzeci –

– to wtedy i jeden na drugiego, a drugi na trzeciego... wspólnie empatycznie zrobilibyśmy wszystko!

– ale my tego i tak już nie doczekaliśmy!...

Ku północy się miało; Kogut zapiał pierwszy raz, lecz chyba przez pomyłkę; bo gdzieś tam komputer się odwiesił się i zaczął cykać, zmianę czasu obwieścił, a stary trwał, lecz Chmurka nas sobie gdzieś zabrała... w ten czas letni jeszcze może, choć i zbyt gorący.

2009/2011

SOLIDARNOŚĆ LWA I GAZELI

Dla triumfu zła
trzeba tylko
żeby dobrzy ludzie nic nie robili.
Edmund Burke

1

Lew goni gazelę, chce jej zabiec od przodu, by nie walnęła zadem; lecz jeśli uda mu się chwycić za gardło, choćby za kark – już nie puści!

Inne w tym czasie gazele, nieatakowane, przyglądają się, gapią;

– ach, cóż za rycerski pojedynek! podziwiają.

Lew im nie dowierza, ogląda się, gdyby został zaatakowany z boku, musiałby zwolnić śmiertelny uścisk.

A kumoszki się cieszą, rzadkie zdarzenie widząc,

– jak ten napastnik się trudzi! komentują; może lepiej niech odpocznie, choćby po biegu?

– bo siostra nasza, ta nieszczęsna, z pewnością grzeszki na sumieniu ma! oj, pocierpi teraz!

Kiedy na ludzi patrzę, zadziwia mnie ów nieprzekroczony próg zwierzęcości; wystarczy, żeby tylko dobrzy ludzie nic nie robili! o, jak samotnie czuję się wtedy!

choć przecie żyję wciąż.

2

Każdy, nawet średnio zdolny tuman, od momentu przyjścia na świat napiętnowany jest obowiązkiem zbudowania sobie stanu równowagi z ludźmi, ze światem w ogóle! Póki jej nie ma, nie potrafi czuć samodzielnie, nie będzie sobą.

Jest w tym realnie spełniająca się sprawiedliwość; chcesz być sobą – podciągnij się do równowagi świadczeń z innymi! wywalcz sobie to prawo!

W tej Redakcji walczyłem krótko, pół roku; za to po paroletnich już zmaganiach w poprzedniej;

dlatego namawiał mnie Redaktor tutejszy, żebym się do niego przeniósł;

– pan taki warsawianista – przyda nam się!

a ja czekałem Bóg wie na co; aż wyleciałem z tamtej za puszczenie zdjęcia z powstańcem na okładce! bo wtedy to właśnie oznaczało przestępstwo.

– Za to u nas będzie pan miał warunki świetne! przy takiej inicjatywie rozwinie pan tygodnik! i pozycja pana umocni się!

Tak dałem się uwieść czułym wyrazom, i to nie był błąd na początku, ale coś jak uśmiech pięknych oczu gazeli, zbyt szczery! podobno się uczyć zawsze lepiej zacząć na błędach cudzych; na swoich możesz nie zdążyć, i nauczyć się czegoś jeszcze, uchować żywym, to już zdawałoby się –dwa grzyby w barszcz!

tak i wciąż żyję jeszcze;

po doświadczeniach, jakie zdobyłem poprzednio – także jako inspektor pracy – po wielu przejściach wiedziałem, że facet nawet i ledwie zipiący może przecież gryźć, kąsać, a ryzykować wszystkim.

Do tej pory sytuację moją pogarszał fakt, że nie wiedziałem, iż nowy mój Redaktor czegoś nie wiedział, w co nawet i trudno uwierzyć –

że etat, na który mnie przyjął, był już zajęty przez kogoś innego, martwą duszę, choć rzecz ma się nie u Gogola! ot, żył sobie tam ktoś i pobierał pieniądze, a ja musiałem na to pracować!

a że pracować lubię – więc to nie był aż tak duży mój błąd! powiecie; jednak co do mnie – przed czymś takim przecież miałem obowiązek się zabezpieczyć!

bo przestroga najpierwsza to: jak przychodzisz na obcy grunt, to musisz, nie zważając na porę dnia czy nocy, każdą stertę piachu przekopać, w obawie, że czai się w niej na przykład kret, a krety ja lubię akurat, lecz co do bycia w piachu już zdecydowanie nie, szlachetniejszy zawsze byłby choćby czarnoziem...

I tak objąłem funkcję Sekretarza redakcji, czyli faceta, który faktycznie robi pismo. Tym bardziej, że Naczelny, który mnie ściągnął, do Redakcji przestał już w ogóle przychodzić, a co nie znaczy, że czuć się mogłem swobodnie, bo był tam jeszcze Zastępca, który z punktualnością pierwszej uczennicy w klasie zjawiał się co rano, a głównie po to, by mi się przyglądać. Od redagowania sam też się odsunął; no i czekali wszyscy dnia, aż się wyłożę;

musiałem przypomnieć sobie nie tylko, jak się redaguje tygodnik, bo robiłem to kiedyś... nieledwie w dzieciństwie, jak to udowadniał ongiś zebranym towarzyszom pewien Dyrektor, kiedy chciał uchronić mnie przed zarzutem hunwejbinizmu, a dla młodych czytaczy dodam, że było to modne odchylenie chińskie od zasadniczej linii Partii, która do dziś tam rządzi... to się i dziś im przyda...

lecz przechodzę do następnego etapu życia, czyli eksperymentu.

Otóż okazało się, że czas wyczekiwania na pierwszą pensję trwał pół roku, a tygodnik pod moją ręką wychodził wciąż, i wszystko szłoby dalej jak w szwajcarskim zegarku, przekonałem się, że bierne wyczekiwanie Zastępcy na moją wpadkę może trwać długo, jak moje na pensję; którą zresztą w tym czasie pobierał kuzynek Zastępcy, który był na zwolnieniu;

lecz wreszcie stało się! przyszła upragniona chwila!

i wyleciałem ja z pracy – bo już jak w ulu całe miasto huczało, że Naczelny ma wylecieć, no i nie było nikogo znaczącego dać w zamian...

Wypowiedzenie pracy dostałem ze skutkiem natychmiastowym; na mieście ludzie jeszcze wciąż pytali, jakże tam? twój Naczelny poleci teraz już na pewno?!

– ależ skąd! odpowiadałem – lecę właśnie ja!

i wymówienie dostałem bez argumentów, „żeby mi nie psuć opinii".

W przeddzień zwolnienia odbyło się kolegium, na które, nie zostałem zaproszony, odbyło się ono pod nieobecność i Naczelnego; ale był Zastępca i doproszono do składu pewnego kierownika działu jednoosobowego, który zdążył tylko źle się wypowiedzieć o moim felietonie i natychmiast wyszedł;

– no, skoro bliski przyjaciel Sekretarza tak ocenia jego tekst, to my już nie będziemy zabierać głosu!

Tym doproszonym kierownikiem był akurat K. Mikuś, autor wstępniaków na 22 Lipca, dość gorliwie starający się zakolegować ze mną, co nawet uznałem za rzecz ludzką – kolegostwo, potrzeba przyjaźni zdarzają się wśród gazeli... nie dość uwagi zwracałem na ten fakt.

A jeszcze wręczając mi wymówienie Zastępca powiedział:

– Pan wie, że od początku byłem przeciwny pańskiemu przyjściu do Redakcji. Jednakże teraz chcę powiedzieć, że zła opinia o panu, jaką miałem, wcale się nie potwierdziła!

– jak to?!

– no, nic na pana nie mam!

– ach, jakie to dziwne, co pan mówi! bo ja o panu... będę już myślał tylko źle!

wygłupiłem się mu się z tą prawdomównością, ba, odwagą! w życiu albo wyznaje się jakieś ideały, i trzeba je czasem komuś jak oczy wyłupiać – albo się przechodzi na drugą stronę, przedwstępną do...

– ...a czy wymówienie już poszło w ruch?

– oczywiście, poszło! sprawy się cofnąć nie da!

– i to jest jeszcze i dziwniejsze, co pan mówi!... a jakie teraz pańskie zdanie o mnie, jakie jest?

– to już nic nie znaczy!

– rozumiem! wystarczy, że znaczyło! a u pana to już nic nie zostaje dla siebie?

NIe odpowiedział. A ja, szczęśliwy, że tak niewyobrażalne jeszcze przed chwilą zdanie, fizycznie zawisło w powietrzu, i że zostanie między nami może coś i do końca życia choćby – no, szczęśliwy byłem!

I w tył zwrot, on pozostał z odwróconym spojrzeniem. Tak rozstają się już nie dwa wrogi, ale tylko ot, Polacy zajmujący różne stanowiska służbowe, i prywatne.

... Skoro on siebie tak zdezawuował!...

‚to starszy człowiek! pomyślałem, nie będę mu już dokuczał jakimiś... dżentelmeńskimi wymówkami!'

chociaż on sam się kiedyś przyznał, chce być dżentelmenem!

To dopiero później się dowiedziałem, że on miał bratanka, który – przez swą wieczną nieobecność – zajmował stanowisko służbowe, które tak ochoczo ja sprawowałem.

...A zresztą do pracy przyjmował mnie nie on, lecz Naczelny –

takie jest dictum faktów...

Względem mnie uczucia swoje wyraziły jeszcze dwie osoby z Redakcji: Sekretarka Naczelnego i Grafik – zgłosili natychmiastową chęć odejścia, i słowa dotrzymali.

,Wynik ja + 2, w akcie solidarności,

to już znacznie lepiej od jakichś faryzejskich gazeli! pomyślałem sobie, jest Postęp w ewolucji Świata!'

Póki Lew i opuszczona Gazela wciąż walczą, zrodziło się tu dwoje nowych ludzi.

3

W kolejne dni i tygodnie dowiadywałem się coraz to nowych motywów mojego zwolnienia; na mieście powtarzano uparcie, że w KC i nadal aż się trzęsie od plotek o zwolnieniu Naczelnego.

To były jednak plotki; nie odszedł.

Przyszedł raz na obiad do Stowarzyszenia.

Publicznie go wyprosiłem z sali.

Wieczorem na premierze w teatrze natknąłem się na niego; był z żoną, na mój widok znikli sami.

Jednak przyznaję, że bardziej mnie zabolało zachowanie Krzyśka M. Owszem, pomagałem mu nieraz w kłopotach, mimo marnych tekstów, które przynosił, w Redakcji miał jeszcze opinię „opozycjonisty"; ukrywał przed nami jakieś tam ambicje polityczne, w weekendy podobno jeździł do Krakowa ktoś go tam widział klęczącego przed trumną Marszałka;

a w dwa miesiące po mnie, wywalono i jego z Redakcji; nikt się za nikim nie ujął, nie solidaryzował.

Pewnego mokrego chłodnego popołudnia, był chyba listopad, przechodzę obok Domu Chłopa, przed frontem była tam nędzna jadłodajnia, a w tym coraz silniej mżącym deszczu siedział K. M., wtryniał jakieś cynaderki, z dodatkiem deszczu;

i zwolniłem kroku, prawie przytrzymałem się, jednak nie robiąc obrotu ciała, tylko by mnie zauważył, spojrzenia swego nie zamierzałem obciążać, niech wie, że go widzę swym zadem, jak to danie wcina, ot, hiena.

Znacznie później okazało się, że przez cały czas pracy w Redakcji donosił na kolegów –

by tą drogą szybciej wybić się!

...już jako polityk.

A kiedy dokonały się zmiany, został posłem, no i prezydentem chciał być; do dziś nie mam złudzeń, że brak mego współczucia tam, nad cynaderkami, osłabił jego poparcie na to stanowisko, choć pewności też nie mam.

4

Na spacerze w parku widzę –

ach, któż kto tak aleją na wprost i poprzecznie, choć w intencji dostojnie sunie się? czy aby to nie bywsza wysokość nade mną, pan Zastępca? może teraz mi zechce satysfakcję dać za obrzydliwość „złej opinii”? coś tam wyjaśni, dla podbudowania swej starczej równowagi?

podchodzę bliżej, właściwie to już chciałem... sprawdzić, czy już zgadza się ze sobą on, który zdania nie zmienia?...

zacząłem iść – a on zauważył mnie szybko, i prędzej niż ja, wiekowy facet przecież – z nagła zaczął biec, truchtował w przeciwną stronę! tak u Antonioniego pamiętam, tym samym kierunku biegł facet, w krzaki, z których doń strzelano! ale w życiu się nie zdarza dwa razy, ani tak pięknie jak w sztuce, ni w ogóle!

starszy człowiek! pomyślałem sobie, zmiękła mu ot, godność!

...a co to ja chciałem mu powiedzieć?

„znalazłem pracę, która mnie zadowala” albo

„szefa sprawiedliwszego niż pan trudno by wymarzyć ale...”

albo przywitać się tylko, bądź co bądź ze znajomym?

miałem nie jeden zamiar; lecz nie spotkałem człowieka;

bo to jest problem polityczny zanadto,

i nie dla byle kogo:

walczyć ze złem? czy tylko – odpychać je na krok od siebie!

‚a bo poza tym, wie pan... ze mnie to może i nie taki lew! ale i pan na gazelę to już nie wygląda! bieg był bez wdzięku!’

A dla kogo jest ten świat? czy nie dla takich właśnie?

... może i tylko dla takich!

Nade mną wisi Chmura; ona nie zdradziła mnie nigdy! nawet jak miała lunąć deszczem, to wpierw trochę, no, przez naiwność może pokropi nieco, troszeczkę, zanim tam czym gruchnęła!

i ty masz rację, Chmuro,

ty tam sobie patrzysz, z wysoka i chyba dobrze widzisz... pewnie też czasem i chciałabyś dowiedzieć się, jaki to jestem ja, czy niezły farciuch ze mnie?

5

Mój wymarzony, kolejny szef, był tak dobrym człowiekiem, że trafiłem do niego z ulicy, wprost i bez nikakich! I przez okrągły rok potem trzymał mnie w sekretariacie, przy układaniu papierów, bo nie wiadomo było, co ze mnie za ptaszek. Przy układaniu starych gazet trwałem; potem też i okazję do szlifowania cudzych tekstów mając, właściwie to całej Redakcji; bo wszędzie tacy inteligentni autorzy są, że jak kogoś wyczują, to i ośmielą się zawsze o coś poprosić, a ja zgadzałem się, bo przecież praca to jakby, w domyśle, i awans!

Zaś Szef lubił sobie drynknąć czasem, ale to po zajęciach.

Więc jak już stałem się i ja dość ważny – z tym robieniem tego co robiłem, i mimo tego, jakie miałem służbowe stanowisko...

drynknąć co prawda nie lubiłem ja wtedy jeszcze,

ale przecież każdy ma jakąś przyszłość!

Więc i zdarzyło się, dość późno wychodzę z Redakcji, a Szef jak zwykle czujny, miał uchylone drzwi na wszelką okazję – to i postanowił mnie dopuścić do towarzystwa;

z mieszanymi uczuciami się na to zgodziłem;

i rozmowa się toczy, aż w pewnym momencie tak toczy się –

– jak ja na ciebie patrzę, powiada, to nie mogę nie wspomnieć naszego wspólnego znajomka...

– ależ nie ma żadnych takich! przecież tak długo siedzę tu w sekretariacie!

– ależ jest! taki Ślązak jeden, jak zresztą i ja, tyle że ja się urodziłem w Dąbrowie Górniczej...

– to na Śląsku jak wyklęta pluskwa!

– no, nie powiedziałbym! ale stąd, na odległość, to może tak wygląda! a jest prawie to samo!

– prawie! no i...

– to ten sam, co wyrzucił ciebie z pracy, pamiętasz? zanim ja cię przyjąłem;

– jeśli jego masz na myśli... toż to szuja!

– wiem! tak zwodzić chłopaka przez rok, zapraszać do swojej Redakcji, a potem...

– ależ ja wygoniłem go ze Stowarzyszenia, jak przyszedł jeść! a potem z premiery w teatrze!

– taki jesteś w gorącej wodzie kąpany! a czy ty wiesz, że on przez siedem dni tutaj przychodził i błagał, żebrał mnie na kolanach... o miejsce dla ciebie!!

– on u ciebie – dla mnie?!

– żebym cię przyjął!

– ...no wiesz, gorszej dla mnie wiadomości nie miałby i sam diabeł w piekle!

– skończyłeś? to polej jeszcze!

– nie skończyłem i nigdy nie skończę! bo jeśli o mnie chodzi... to powiem ci, nad czym ja tam jeszcze siedzę i płaczę! bo czytam poezje, takie różne przypowieści Lechonia, zajmuje się on w nich przyszłą Polską; my, dawni Litwini, a jak chcesz to i Ślązacy, skoro mamy ją z wyboru, to i musimy się nią zajmować! wszak wiemy, że trzeba ją stale, od nowa budować. Żeby sąsiedzi znów jej nie rodrapali. Ty też, bo jesteś ze Śląska,

– ja z Dąbrowy Górniczej!

– o, to tam pewnie brzmi jak podróba Ślunzaka... ale nic, dla mnie jesteś Ślązak! A Lechoń, szlachcic ze Żmudzi zresztą, to też mój kolega Litwin...

– ... już polałeś!

– jeszcze niewypita!

– to ja teraz od siebie dodam – że ci współczuję!

– a niby dlaczegóż to?

– bo... ja widzisz, ja tego nie doczekam, jestem chory; ale człowiek taki jak ty... nad cudzymi tekstami ślęczysz, nic za to nie masz... ty będziesz musiał żyć w jeszcze gorszych czasach!

– a te niby lekkie, co odchodzą?

– przyjdzie i zapanuje egoizm powszechny, sobkowstwo!

Szef rzeczywiście chorował; był przy Zarządzie Głównym delegatem do kontaktów „z tymi nienaszymi"; niedługo potem zmarł rzeczywiście; a pogrzeb miał świecki; zagrali mu z taśmy Mozarta; nawa tych z Rodziny zgorszona była zachowaniem tych z Redakcji, którzy śmieli się, dowcipy opowiadali, bo mieli z nim za łatwe życie; nikt go nie uszanował.

Jednak trochę pocieszył mnie wtedy Szef; czym?...
nie wiem.
I dobro zwyciężyło!... ono miało rządzić światem;
i już nie rządzi; bo po pierwsze nie umie.
I masz tam w zapasie, chłopcze, jeszcze tę Chmurę! w niej niespodzianek mnóstwo, i niekoniecznie klęsk przed tobą! rewanż poniekąd.
A z przeszłości to już nic pamiętam – przodka chyba miałem, na imię mu Franz, zdaje się.
A z dwudziestu lat przyszłości?
Jak się nie weszło między wrony!...
bo ja jestem kawką, jak Franz, już powiedziałem, choć piszę się przez małe k.
A czy byłby na ten przykład i Lew? taki inteligentny, żeby zrozumieć gazelę?
umiałby to?
przecież wątpię;
a czy Gazela – szybka, piękna, zwinna – w takiej jak jej sytuacji – jak się inaczej zachować powinna?
można by to na modelu przećwiczyć?
nie można!
bo do rządzenia musi być ktoś jeszcze.
A czy cały problem władzy nie dałoby się przenieść gdzieś... do jakiejś Chmury? z niej widać najlepiej –
Jestem już gościu starszy nieco; może i powinienem mieć jakieś wsparcie? jeśli poparcia trzeba szukać wszędzie... pamiętam, że nawet i hitlerowcy nosili na klamrach napis *Got mit uns*, a szli mordować;
Bóg nie pomaga każdemu, kto sobie tego zażyczy.
Lecz i to nie jest problem widziany z pozycji fideisty tylko;
a jak z mojej?
bo gdzież, jeśli nie tu, gdzie jesteśmy, możemy prawdziwiej doświadczać świata, by i on nas doświadczał? świat jest każdego z nas, choć w różnym stopniu dla każdego dostępny; jest Wielka Przestrzeń jego, Kosmos cały, który ciągle i wciąż wpływa na nas niezmiernie;
i sam Bóg
jeśli jest, i jeśli go nie ma,
są jednak czyjeś wieczne prawa w Kosmosie, i nasza wieczna świadomość; Bóg może być i świecki. Niezależny od czołobitności człowieka.

Zaś bez wyobraźni jest ten, kto się go nie spodziewa.

Lecz kiedy zdradza nas nie tylko „przyjaciel", bo kiedyś pełnego koleżeństwa nie dostał, uważa potem, że go i nie potrzebuje,

albo szef do niczego nigdy nie czuje się zobowiązany, o swoje interesy dba, uważa, że to wystarczy...

– więc gdyby nawet Go i nie było –

to przecież, choćby w sytuacjach trudnych, choćby dla równowagi, dla wyrównania krzywd jednak się Go spodziewamy –

nie wiem jak kto, ja uważam,

że bez takiego Poczucia Całości życie byłoby i funta kłaków niewarte,

mimo niepewności, czy rządzi nią Bóg, czy nie –

ja osobiście cenię wszelki ład, harmonię wysoko, taką co jest ponad ślepotą ambicji, cudzej i własnej, chęcią posiadania władzy;

i po cóż komu taki pyłek Wszechświata, jak K. M.? jak Zastępca? jak i ja? a choćby i mój ostatni przyjazny Szef? co może naprzeciw?

toż to byłoby śmieszne uzurpatorstwo!

co taka literatura, jak dziś, która nie spełnia żadnych wymogów wierności – ludziom, ich obronie wartości,

tylko zużytym konwencjom służy;

polityka, która na ostatek właśnie narrację przejęła, czyli bajanie;

kiedy drżącą ręką ten rysunek z poszarpanych kresek prowadzę, o naszym pomieszkiwaniu tu,

i w większej Przestrzeni –

to Świadomość wspólna, wieczna, ona funduje sobie mnie, podmiot który odczuwa, i ciebie, Czytaczu, kogoś jeszcze –

to ten wspólny jest Ruch Ku! nasz glejt, przez niego warci stajemy się – wchodząc w Kosmos, jak do szerszego mieszkania, by tam spotkać partnera.

Bo człowiek... któż jest człowiek?

Taki Ten co się stara – rozpacz przetworzyć na broń, pomoc innym! Bo wszak nie tylko bogobojnym!

W ogóle człowiekiem od tego tylko punktu się jest – kiedy się przekroczyło próg zwierzęcości.

1980, 2011

Milijon albo Wielka Przemiana

1

,... ja nie każdemu swój głosik dam – choć tobie może?'

,a kimże ty jesteś, kogo nie widzę? skoro odzywasz się tak pewnie, widać, zaufanie do mnie masz? słucham cię, mów!'

,a czy tam jest kto? nikt do mówienia! phi, ot, chrząszczyk zbrzeżny jestem, swój i nikogo więcej!'

,chcesz, bym do towarzystwa cię wziął?'

on rezolutny jaki! a głosik skromny, pewnie i na Morzu pośród fal sam by utrzymać się nie mógł, przybliżyć ani oddalić, a więc i w górę się unieść pewnie nie! a tu bez podpórek wspina się! wypełnia mi czas nastrojem własnym!

na całej rozległości lądu niewidoczny, lecz słyszalny, a więc istniejesz! i do reszty świata wołasz, jako niezaprzeczalnie bytujący tu Muzykalnik!

i ścichł, może od moich myśli-słów speszony; wciąż nikogo w pobliżu nie widzę – ale że odezwał się głosem, szeptem, nie jakiś tam szum fali – to infradźwięk raczej, delikacik! i jakby dowiedzieć się, skąd pochodzi?

z przeszłości niepoświadczonej? z niepamięci może?

stamtąd już nic dobiec nie może; a gdzie obecni się wciąż trudzą zestawianiem pozorów – to nie on! bo oni zajęci są niby-czuwaniem!

... a z zaprzeszłości czy nie jest przypadkiem?

energią niepasujący tu wcale, ciężarem argumentów waży jednak! sam lekki pewnie tak, że i ćmy by do sufitu by nie przyszpilił.

A ja nie jestem przecież na suficie; jestem gdzie jestem!

i dobrze też wiem, że takiej zachęty do przyjaźni nie zostawia się bez odpowiedzi!

sam jeszcze wciąż czuwam na skraju żywiołów; na brzegu Ziemi, Wody i Przypadku poleguję sobie; co druga fala mnie dosięga, i strzępy zasłyszanych rozmów; a jak na Niebie coś się rozbłyska czy pohukuje czasem, burzę licho niesie albo co –

ona ma zmierzyć się tu z nami; sprawdza, czy czasu nie spędza kto zbyt marnie.

I dla nich ja też – gość wątły! nie zauważają mnie!

nikt nie natęży uwagi.

Jeśliby zapytać o mój wpływ na nich...

a on podobnie, tylko jeszcze bardziej nikły;

ja dla nich jak ot, ten chrząszczyk zbrzeżny, zauważalny lub nie, w pozycji leżącej –

bo nic nie wspiera mnie z Morza ni z Ziemi,

ani od sufitu Nieba;

i jakże ja butnym miałbym być?!

mogę i dać świadectwo obecności cudzej.

Lecz zdanie moje na czyjś temat? zechcieliby je potwierdzić, wesprzeć, mnie, słabszego?

...a już jednak coś mogę!

potwierdzić, wesprzeć kogoś-coś, kto z ochotą z własnej i nieprzymuszonej woli obdarowuje mnie czymś tam! może i Wielkim Czyńcą przez to stanę się kiedyś?!

... tymczasem gdzież on, też Wielki Czyńca dotąd, schował się? już obdarowanym być i nie śmie?

Żyłem ja sobie niegdyś nieźle; występowałem w sprawach, o wielkie rzeczy starałem, rozbijałem się;

aż w końcu z sił opadłem, wpisać mnie zdążyli na listę rekordów, wyczyńców różnych, i takich co bez porównań...

a on tu słaby, na granicy zaniku może – a jeszcze ma głos! może i kiedyś uniesie się!

‚...niech cię nie odstręcza mój niski tonik! ja wiem, że ciebie zrazić może znikomość moja, nieporównywalność do Wielkich Twarzy!'

‚...nie spodziewałeś się spotkać kogoś takiego, myślisz sobie... choć i myślenie to skok przez niepodobieństwa dla mnie!... lecz jeśli ustrzeżesz się błędu...'

mądrala! może i przede mną nikt go nie zauważył, a teraz stawia warunki!...

‚... bo człowiek to jest dla mnie Olbrzym, choć czasem... nieuważny! my, istotki skromne, musimy być czujni na każdy taki akt nieuwagi! trzeba się strzec, by nie wejść w kontakt z pierwszym lepszym! niejeden już takiej próby nie przetrwał! a ja też... nie wiem, jak do takiego jak ty... się zbliżyć!'

Widzę, że i spodziewanie twoje nie zna granic! wielkich rzeczy dokonać chcesz! gdy ja – do prawdziwych dokonań mogę westchnąć tylko! – – lecz ciebie wesprzeć mogę, jeśli chcesz! bo też nie jestem byle Gapiowate Zwierzę, które w każdym miejscu, z byle kim bytować może, i nie zauważy! przez wieki wędruje sobie, pośród możliwości, i nic!... to ja chętnie pomogę ci! będzie to i dla mnie lepsze, niż bym do gapiów miał dołączyć się!

...zostań moim współczynnikiem energii zużytej masy, tej co do ciała porównuje się; co w porównaniu z wysiłkiem twoim może być i tak Potęgą!

niech więc to będzie taka pierwsza zasada równości naszej, pośród innych, co z nierównowagi wspólnej połączyła nas!

a myślę, że i podstawa Wspólnej Chwili, którą przeżywamy!

jeśli i ty, przy znikomej zawartości ciała, znaczną aktywnością swoją zechcesz mnie wesprzeć – tym bardziej to nas połączy!

więc zostań ze mną!

bo już nie miałem zapału do przedsięwzięć żadnych!

Lecz jego głosik zanikał, to niby dobiegał jakby; z niewiadomych przyczyn tracił moc; lecz posłyszalność, trzeba przyznać, miał wielką! dla mnie, a czy i dla reszty świata?

ilość energii, proporcjonalnie do kruchości ciała, samej energii na artykulację użytej, może i zbyt wielką była dlań?!

Potem nie słyszałem go więcej;

z tego, co mówił, ja sam może i mało zdołałem zrozumieć?!

Odtąd zapragnąłem usilnie, by niczego nie przegapiać więcej! niech każdy głosik skromny i cichy odbiorę! bo zlekceważyć go może byle barbarzyńca, zniszczyć! przez nieuwagę nadepnąć coś, co samo znika szybciej niż bzyknięcie muchy; a każda chwila miniona to może być wieczność!

2

Czy ten Śmiały Rozmówca naprawdę zamilkł?

nie patrzy na mnie z ukrycia? znikąd?...

jeśli z całej tej magmowatej ciżby niedoistnień nie zdołam wyróżnić nic –

to jak ktoś zechce potrafić zauważyć coś? choćby skrawek mojej twarzy?

...oj, nie chcę ja być cieniem cudzych niedoistnień!

Ten Głosik... jeśli on jednak jest!!

i mnie należą się prawa wyłączności podobne Mikroistocie! całe życie chciałem być z kimś, przeżywać jak on, poczuć się razem,

lecz nawet do równości z równym nie dano mi szans!

...Tamten odrazu uznał, że mogę z nim być!

a może podobnie być wiernym wszystkiemu, co zawachlowało się choćby i tu od zaniku ostatniej fali, do kolejnej, i zanikło;

ludzie są tacy słabi, bezradni;

lecz przecież i mnie, całemu światu może grozić podobny zanik!

Ludzie nie wiedzą, jak mogliby się stać od nowa kimś, czy choćby się zmienić!

bez takiej perspektywy... On jednak z nicości umiał wydobyć się, wyłączyć!

czy zechce ktoś kiedyś okazać mi, jak się to robi?

... jak rozebrany na części przyrząd zaczynam dzień! potem chcę zebrać myśli, i nie potrafię;

maszyna skoroduje kiedyś, człowiek nawet nie wie, bo i na co miałby uważać najbardziej, nie wie – by zostać całością, ba, nawet i tą myślącą?!

a przecież ma się za coś więcej niż maszynę!

Z Chaosu i Zamieszania wyłonił się świat, nieświadom siebie, bezradny wobec zasadności Tamtego zamiaru!

i czym stał się?

gdybym to ja wymyślał ten świat, byłby on – z tej myśli!

‚... a czy wisiałeś kiedy, mój Muzykalniku, w powietrzu długo? żadnego przydziału nie znając,

bez rodziny, zadań do wykonania, szans na wczepienie się w możliwość Chwili?’

3

Dziś rano, przy goleniu, zastanawiałem się, z braku lepszych myśli, czy to ja muszę mieć tak skrzeczący głos?

bywało już kiedyś, że i zaryczeć mogłem jak Lew, przestraszyć kogoś w ciemnym korytarzu, jak tylko chciałem!

a umiałem ryknąć głośno, jak Niedźwiedź chory, co rozleniwił się zanadto, bo głodny!

a tu akurat trafia mi się skrzeczący głosik!

odezwać się jeszcze bym mógł, ale urzec kogoś?!

ileż to już lat! ile rzeczy mi się tak nie udaje!

jeszcze czasem, jak się wysilę, to i – poskrzeczę sobie! ale pomyśleć, zamarzyć nie da się przy takim głosie!

...a może by tak wpaść na pomysł, jak wynaleźć sobie Wspaniały Głos?!

człowiekowi Doświadczonemu nic od tego nie może się wydać ważniejsze!

Umiałem już zlekceważyć długą, przymusową samotność – to czemu nie umiem czegoś zacząć teraz, niby przypadkowo...

bo przecież tak nie lubię darmo tracić siły!

a słabeuszem nie jestem!

jeśli coś zacząć, chcę tego najusilniej – – to na początek niech się przynajmniej dokładnie ogolę!

A potem, też niepewność, lecz zaczynam ćwiczyć;

i zakomunikować, choć nieśmiało, usiłuję wszystkim, że BYĆ MOŻE NAPRAWDĘ JA ISTNIEJĘ!

4

Wykrzyknąłem to,

wcale nie nowowynalezionym głosem, ale jednak

Głosem Jaki Już Trochę Pomyślany Był!

W zapasie pamięci miałem taki pomysł;

zaraz mi tu przybiegną, oburzać się będą, że krzyczę jak zarzynany! i nie zechcą popatrzeć wpierw choćby, jak krzykacz wygląda!

wielu oceni, że niepotrzebne to było –

ale ja tu dziś, znów na Skraju Żywiołów i tak dalej, Morza, Lądu i...

leżę, a tu przede mną, w każdą stronę zaprasza mnie świat –

tak samo, jak i znajdę się jeszcze raz w łazience, i gdy zakrzyczę!

choć bywają nieprowokowani niektórzy, co wykrzyczą się najpierw, że ktoś im pierwszy miejsce zajął;

i nawet dzieci, wracające ze szkoły, nie wystraszą się tego!

pokusa rodzi się najpierw – by gościa z niezbyt eleganckim głosem pozbyć się, no, unieszkodliwić!

a tu już od dawna nikt nie dźwięczy długo, bo i donośnego głosu nie ma, takiego jak ja!!

,...więc teraz zrobię dla ciebie ja, mój ty Wszechdźwięczniku coś!

a może wejdziemy do Morza razem... wszak już tam byliśmy kiedyś, bardzo dawno, pamiętasz? nawet gdy i wyraźnie nie zaczął się Czas! przed Wielkim Wyjściem to było –

przypomnimy sobie, jak się to pływa –

... a jak już zacząć, to potem ćwiczenia zapisane jak na taśmie ciągną się! a kiedy już się skończy nabieranie wody do płuc – skrzelami pooddychać sobie możemy!

,ach, jaka ulga, i szczęście wielkie, że w mamy ze sobą jeszcze te skrzela!'

i tak wykrzyknie każdy, kto pod wodą, albo i wykrzyknie niemo, jako ryba! a „ryby głosu nie mają"! nie śmieszne to?!

i przyzwyczaimy się do życia, za każdym razem jakby ono pierwszym było! i bez niczyjej pomocy STANIEMY SIĘ!

i ty, mój Muzykalniku, zapragniesz skorzystać z usłużności fal, a każda cię będzie chciała ponieść daleko, ba, może nawet i wysoko! byle z tobą być! tak i – z nią lub na niej – przewędrujesz z pół świata za darmo;

... a potem z całej tej Ogólności na Ziemię wrócimy;

wyjdzie się na brzeg, Słońcem ogrzani, złotym piaskiem posypani, z używaniem płuc znów oswoimy się! i łatwiej nam to pójdzie, bo każdy świeżą pamięć będzie miał!

i do jaskiń – elegancko! – zstępować zaczniemy jako ludzie; a potem już tylko, że reumatyzm szkodzi, to i na ciepły ląd gdzieś nas wyniosą; no i trochę do Morza powrócą! i do wszystkich Żywiołów tak wstępując, próbując, niby przypadkiem wyłącznie –

Powietrza sobie, brachu, w płuca nabierzesz ile wlezie! i przyzwyczaisz się, będziesz to robił rutynowo! przy okazji zauważysz, kiedy światło ci tak chętnie w oczy kole, że jest od Słońca, nieosłoniętego niczym, a przecież to tylko Zwykły Dzień! bo nocą to i od Gwiazd będziesz miał światła sporo, jak najwięcej, więc i w sobie je będziesz miał! do Puszczy jak na polowanie wyruszysz, ach, na łów, na łów, towarzyszu mój! albo wręcz i na bój, na bój! zwyciężysz w boju niejednym! i zwyciężymy wszyscy, „Teraz nasi górą!" pokrzyczysz sobie; a jak kto myć się lubi, to i o wodzie, nieraz głębokiej, znów pomarzy! i ty o tym nie zapomnisz.

I będziesz Sąsiadów miał stałych;

na niektórych pokrzykiwać zaczniesz, nawet i wrzaskliwie krzyczeć, ty, za wielkiego Pana być chcący, więc żeby uznali cię, a jak już kto się wyrwie, jak Filip z konopi, to i za „Największego ze Wszystkich!" uznają cię. A ty

– ONI MI TU PRZESZKADZAJĄ WE WSZYSTKIM!!

mrukniesz sobie. Albo i głośno

– TALENTÓW TUTAJ TO NIE MAJĄ ŻADNYCH! HEROSÓW JAK JA NAŚLADOWAĆ NIE POTRAFIĄ!

tak i nieraz sam sobą się zachwycisz.

Więc i Prezydentem zostaniesz. A przy tym noblistą! Bo życie takie właśnie jest! *I C'est la vie! L'etat c'est moi! Welcome people! und vivat coca cola!*

Wszechczłowiekiem zostałeś na przykład.

Już Ponad Wszystkim stałeś się. Inaczej brzmi teraz twój Metaliczny, wieczorem zaś Aksamitny Głos – niż tych tam słabeuszy, krzykaczy sejmowych! i gazeciarzy co się o poprawność kłócą; i niemotnych wydawców;

– ech, jakąż to rozległą skalę Pan ma!

niejedna Dama ci powie, a ty nic.

– Ach jakże przekonujący ma Pan tembr!

i szemrzą ludzie wokół;

i żaden tam, he-he, przy tobie głosik mikro odezwać się nie śmie; on niewtajemniczony w skali pochwał!

ale tak wprost, niejeden z tłumu, do siebie mruknie, inaczej się nie ośmieli nawet i kurduplem nazwać cię, ale może...

– a z jakichże to on jaskiń wylazł, nie tak dawno przecież? czy może spod wody? a ryczy w uszy tu nam, jakby legion za sobą przyprowadził! bo czyż to Piłsudski?!

– JA DLA WAS ZA MILIJON STERCZĘ TUTEK! I ZA MILIJONY CZUJEM SIEM!! odkrzykniesz;

– ot, człowieczek mały, a taki w nim tłok!

– szaleju chyba najadł się!

...a kto to powiedział? niby nikt? niezbyt śmiały! ale może i niekoniecznie to jakiś marnie brzmiący głos! nieśmiały z pewnością, ale już dzielny!!

... i z niewidocznym swym ciałkiem do Morza pcha się wprost, do cna zanurzyć się zechce! mądry jaki!

...a ty tu kto? w łazience bez okna gdzieś, zacznie ktoś ćwiczyć, o zgrozo, swój głosik marny, skrzekliwy!

5

...I był reżyser jeden. Wielki.

On co pół kroku zawsze przed innymi szedł. A jak trzeba to i za. On też pomyślał i powiedział sobie:

,To ja zrobię o nim film!'

I tak zadziałał ze swym wybornym namysłem, że niedługo trzy czwarte filmu powstało, ale bez jednej czwartej:

głęboko ukrył niektóre plusy, które nie były dodatnie, choć o to i nie podejrzewał może; lecz pomylił się w czym innym; zatrzymać musiał produkcję z tego powodu, że młodociany mecenas jego zdefraudował; zbyt szybko wpadł, film się zatrzymał –

A wyszedł już na wielki plac niejaki John Wayne

sam był, ale krzyknął

– Barde't!

cisza;

– Alfons Vincent Barde't, no, wyłaź!

i tamten wylazł, padł plackiem; strzelaniny nie było!

Tak więc i film niedokończony został! promotant wpadł, film poszedł na półkę. Nikt, zgodnie ze spiskową teorią dziejów, nie poszedł siedzieć. No i...

1995, 2013

Sarmatyzm? Oczy w garść!

Jeszcze chwała Bogu, nie schodzi Sarmatom
na mężech dobrych, na rozumiech bystrych
i dostatkach wojennych.
Szymon Starowolski

Gdy oklask dla przemocy brzmi na wszystkie strony
Ten znów podnosi – nie łeb podgolony,
Lecz głowę wychyloną z dantejskiego piekła,
Z której zda się krew cała wyciekła,
Bo on, co myślą swoją szedł przed naród przodem,
Teraz stał się już całym świadomym narodem –
I gdy wszystko przemocy gotuje owację,
On woła „Nie pozwalam" I to on ma rację.
Jan Lechoń, *Rejtan*

1

Powiadają, w życiu każdy ma swoje szanse. A ja cóż, jakbym nie patrzył na swoje życie, z dołu, z góry... spełnienia widzę przykuse; ale wciąż – wybieram pracowicie!

oczywiście wiem o ograniczeniach podług własnych uwarunkowań – one są decydujące! i podług okoliczności ogólnych, historycznych, w jakich przypadło mi żyć – te mogą się zmieniać najbardziej, wbrew wszelkim przewidywaniem; będzie i o tym słów parę.

Z punktu widzenia celu, większego od ciebie, najogólniejszego, są możliwości do spełnienia! poza osobistym horyzontem czasowym wszakże, my – ludzkość – zawsze możemy kiedyś wygrać; zależy, jak się do tego zabierzemy!

a ja dla siebie dziś widzę szanse coraz mniejsze!

i o tym będzie słów więcej.

Najwięcej szans zyskuje wygrany przede wszystkim! on ma większą moc! a ja cóż, nie czuję się na siłach!

choć życie, wiem... nieraz bez mocy się rodzi,

nawet i ze śmierci może powstać, jak katolicy uważają, z resztek rozproszonego... materiału! lecz jeśli się tylko jest w ruchu –

ja w ruchu jestem właśnie! i

– ach, jak ja kocham ten spowolniony, jak od zapomnienia, krok; za ciężkie schody pod górę? lecz jeszcze się wchodzi!

– dzień dobry?

– a nie najgorszy!

jeśli o własnych siłach da się wepchnąć na górę! –

a tam już chwiejesz się... wyciągasz z kieszeni klucz, w kręgu cieni stanąłbyś może...

‚a nie za szeroko w życiu mierzyłeś?!'

za szeroko? skąd! dochodzę tam właśnie, gdzie wysoko!

i w pokoiku byś stanął, przy stole, lub w fotel głęboko opadł, przecie to życie może być i spokojne!

krzynę muzyki sobie bym otworzył, to żywa inteligencja dźwięku!

a nie każdy o tym wie, nie każda taka jest muzyka! ale niech nas otoczy!

‚nas?'

mnie i co tam jeszcze, wszystko! ja zawsze z wszystkim za pan brat byłem! z drzewami, mrówkami, żuczkami, i z ludźmi czasem! gdziekolwiek będąc, z kimkolwiek nie idąc, rozmawiałem też i ze wszystkim!

tak się prostujesz, i wspominasz sobie, chłopcze ...ćdziesięcioletni, spodziewasz się, że na pewno to nie ostatni raz jeszcze –

ach, łatwe było kiedyś wejście! i codzienny powrót z! – jak ja ciągle kocham ten ruch!

a mój najbliższy cel teraz?

nawet nie cel, to wciąż powołanie!...

A przyjaciel Sobo powtarzał wciąż

– jak ja kocham być aktorem!

lecz aktorem nie został, to raczej już ja, ćwiczyłem głos, na wielkiej scenie zagrałem kiedyś – choć raz tylko! potem zbuntowałem się i zdradziłem to chwilowe zajęcie.

Sobo się nie uczył, nie ćwiczył nigdy; bo leniwy zbyt.

Właśnie na dziś mam tu robótkę ważną, choć i zmęczony jestem! lecz jeśli nie wykonam jej dziś, jutro nie podołam jakiejś ważniejszej jeszcze!

i bezsenna noc mnie czeka,

lecz w skali życia to nic!

a człowiek zmęczony nie zaśnie!

pomodlę się do pigułki, także o wejście w sen! do drugiej, trzeciej, kefirem popiję sobie! położę się, zgaszę światło, zacznę czekać, będę na starość wspominał wszystko, co trzeba robić, samemu gdy się jest, i by się działo coś, oprócz czekania, by się wspominało! albo

‚nie wysilając się ponad miarę, nie zrobię nic!'

tak trzeba; i zrobić więcej, niż się wydaje, że możesz!

byle nie poddać się tej niechęci do wszystkiego...

kiedyś, w ciężkiej chorobie będąc, odkryłem, że sam sobie pomóc mogę najwięcej! – powoli, jak najpowolniej z nieruchawości się wydobywając, poruszaj palcami, kończynami, wreszcie przełóż się na drugi bok – w aktywność wejdź! darmo nie zacznie się nic –

i tak muszę!

– zapisać najpierw to zdanie! szukałem go pół życia! a Tamta powiedziała, dała mi wprost radę! przez pół życia jej szukałem, tylko jej! znalazłem wreszcie teraz!

‚a przy okazji odzyskałeś głos, jakbyś znów był aktorem!'

tak, mógłbym „światu dać nowy ton! ...dopóki marzeń nie potopi żal!" – nie ja, to John Barrymore tak uważa;

o, mam to zdanie!

„przez całe życie nie witał mnie nikt; parę razy tylko, ze trzy, ze zdziwieniem wielkim zauważyli, że

– a kogoś takiego nie było tu jeszcze!!

gorszyli się – dziwolągiem dla nich byłem, jak dla mrówki Kamień, po którym drepcze, a dla kamienia też Mrówka dziwolągiem być może! lub dla psa! jak pełzający Żuczek!"

2

Zajmowałem się już kiedyś czymś, co nazwałem Otwieraniem krajobrazu! Napisałem kilka wierszy na ten temat. I byłby już mój tomik wierszy, gdybym go wydał; a stało się, że nie, wydawca powiedział,

– panie kolego, u nas to mogłoby się ukazać dopiero za rok albo i dwa lata!

– aż za dwa lata?! to ja dziękuję!

a zauważę tu zaraz, że na wydanie później *Schuberta*... czekałem pięć lat z okładem, już po przyjęciu tekstu i podpisaniu umowy. Wtedy jednak moja uwaga zwrócona była nie na siebie, własne sprawy, lecz na świat, który zawsze wydawał mi się najważniejszy! bo jak coś robisz z przejęciem, to w zupełności wystarczy ci ta wolność, że robisz! i podług własnego wyboru!

aż pół wieku musiało upłynąć, bym szczególniejszą uwagę zaczął zwracać na pozostałą zawartość siebie; gdym już poczuł się wolnym!

Kiedy rzyszła ta nowa wolność, to kto silniejszy, szybko ją bierze – i już jest najbardziej wolny! bo nikt chyba się nie spodziewał, że tak będzie, a kto stał w kolejce do niej – już ją ma!

i wtedy znów instancje operujące siłą – stawały się odnowa samowystarczalne.

I Sobo, mój przyjaciel, pierwszy wyciągnął wnioski:

– wiesz, dotąd wierzyłem w te ich wszechmądre głupoty... ale nie teraz! ja się nie odsłonię pierwszy przed nikim, bo i nie muszę!

,i to jest właśnie mój temat!' pomyślałem; nie można zaprzeczyć, że i przyczyna mojego głębokiego pesymizmu. Bo jeśli Morze ci rzuca wyzwanie, a ono ma siłę niewyobrażalną, to ty człowieku, nie postawisz kroku więcej, nawet i przed wyczerpaniem swych sił; Morze na swoje zdanie o tobie i ono wróci tu zawsze.

Ale nie możesz unikać pierwszej próby!

no nie! choćby i dlatego, że jest tu Morze!

a jest i Niebo, a ty – czasem jak Pustyni skraj!

To wszystko mam w oczach, wolno mi, bo to jest prawdziwy, mój na oczach zastygający świat, niech to się wpierw uspokoi – '

a życie jest jak w *Boskim poemacie* Skriabina, wielkie, szeroko rozkołysane, jak Morze! i rzuca wyzwanie wszystkim, bo jest siłą!

jest i naszym matecznikiem, prakolebką – a dziś sprawdzianem, czy co potrafisz, chłopczyku, przy swoim czy potrafisz do końca obstać!

mieliśmy z nim kiedyś wspólny rytm, przyrodzony! lecz jeśli nie wyczujesz go, przegrywasz, toniesz; mimo że już tak dawno wyszedłeś ongi z wody!

i spełnienie z nim jest... względne, niedokończone! ono ogranicza się do ułamka sekundy – to skala nie dla ludzi – i już!

na lądzie, w naszej skali, człowiek może zajść najdalej!

„...nie tu!" jak mali ludzie powiadają, i stają się coraz mniejsi, na innych coraz bardziej nieprzemakalni!

„ – bo żeby się powiodło, musisz wpierw ukraść tego pierwszego miliona!"

I rzeczywiście, nowe państwo zajmuje się coraz bardziej państwem, władza władaniem, a poszczególni obywatele zamiarem swym kapryśnym... choćby trochę i uczciwym!

„ – a kto upada, temu brakuje mu sił – więc w sprawiedliwość niech wierzy! i jeśli ma swój cel, niech się go jak świeczki trzyma, tej niby wiary!"

Rzeczywiście, sprawiedliwość sama nie trzyma się niczego! ona jak wiatr, który pędzi, a gdy drzewo pada, ona w ustronne miejsce zmyka, na pustynię gdzieś, (taką jak była w moich oczach choćby, gdy odpocząć, schronić się chciałem od wiatru); i wśród ludzi podobnie!

tutaj zaś hałasu wiele wszędzie, o nowej wolności; i w nieuwadze każdy pędzi, jak dzik jaki, bo uważa, że łatwiej będzie mu pod ostrzałem cudzych spojrzeń przemknąć, gdy zasług żadnych!

tu człowiek i na fale się rzuca, a w niczym mu to nie pomaga, bo wszystkie instancje, służby zajęły się sobą, cóż – i zadowolone są!

a z innych potrzeb co jeszcze? –

myślałem, że na starość, nawet i bez ciszy będę mógł się obejść, jak przygłuchnięty cap! i aż mi się ciemno robi w oczach – w uchu taki hałas dzwoni! powody do zachwytów są coraz rzadsze, ktoś mi je zabiera!

a życie bez ciszy – jak bez uwagi! bo ona świadkiem wszystkiego jest, ta twoja i nasza ćśśsz-sza!

czy bez niej, bez zastanowienia, może się zrodzić coś dobrego?!

Chyba też za długo wierzyłeś w te ich wszechmądre głupoty, i ty ...ćdziesięcioletni chłopcze! do domu twojego już nikt nie zwróci; uznaj, że go i nie miałeś! teraz gdybyś choć reklamiarzem został! albo felietonistą jakimś czy noszącą się na nogach wyniośle wystukującą stukot zdobną młódką!

czy jakiejś idei, nawet i ideologii apostatą, cóż że dawno wyblakłej?! bo raczej i „Nie zapomnij ukraść pierwszego miliona!" też nie!

3

Ale w latach mej frenetycznej młodości, gdy szedłem otwierać krajobraz, spacerowałem ja sobie ulicą Piwną –ale tam jak spacerować? w ścisku zupełnym? na chodniku wąskim tłum, a wysoko nad tobą ściany domów aż się zbiegają; nad nimi dopiero, za niewidzialnym horyzontem zwisa niebo. Lecz i tam zerknąłem – a jak się masz Niebo? trochę i czasu zajęło mi czekanie na odpowiedź; lecz gdy patrzyłem w górę, przez niewiadomą chwilę, pragnąc by jak najdłużej mogła trwać, to wszystko ach, mi się podobało jeszcze wtedy!... aż tu

– oczy w garść! huknął ktoś przede mną;

nim zniżyłem swoje poloty, i nie zdążyłem zobaczyć kto to? lecz to kobieta była, umknęła i nie zauważyłem twarzy!

uczyniła mi tę wypominkę i znikła, gdy już rozdziawiłem buzię by spytać, jakże to tak – „oczy w garść!”? a czyje oczy i w garść czyją?!

poszedłem, echo nieme, za tym sam, i całego tego brzmienia było tyle co we mnie.

Lecz już wiedziałem, że ważne to wezwanie musi być, i żałowałem, że może nie powtórzy się, nie ujrzę nigdy tej Kobiety – pobiegłem szukać, lecz skąd? jak wygląda? gdybym i w okamgnieniu ją chwycił, w tę niby swoją „garść” – już by mi się wymknęła! a teraz kobiet w tłumie jest mnóstwo, z tyłu są wszystkie takie same, ubiorem jeszcze wtedy nikt w kraju się nie różnił, biednie było, a twarzy nie znam; pozostał szary tłum. Już lepiej gdyby to fala na Morzu była jakaś, powtarzalna, poznałbym ją po szumie, nie za tym, to za innym powrotem! choć nie za długo szemrze fala;

pomyślałem jednak, oto zdarza się mój początek! mamy tu część ważnej zmiany.

Obrazek Tamtej znikł, jak i nie zaistniał, lecz sytuacja z nią wiele mi streszczała; może i całe życie odtąd!

Spojrzałem jeszcze raz, tym swobodniej w niebo, bez pośpiechu, i w bezkresie tam gdzieś Nieznajoma się spojrzeniem swym jak moje może się odbijała, już teraz wydzielona z tłumu, jak i jej uwaga „oczy w garść!”, która przylgnęła być może do mnie jedynie, do nikogo więcej.

Miałem już trzy składowe tryptyku doznań; że istnieje to Niebo; że potencjalnie wyczuwalnej istnienie nieskończenie Dalekiej, która jednak trąciła mnie łokciem, fizycznie doświadczyłem jej – lecz nie wiedziałem więcej o niej nic, niewiele! (gdyby choć kuksańcem obdarzyła mnie mocniejszym!) – i tyle uchwycić może myśl, kiedy ci ktoś sprzed nosa znika!

a może był to najważniejszy sygnał ze świata, z tak obcego świata, dla mnie?

ten trzeci element ze zbitki doznań był najwyraźniejszy – miał sens wytłumaczalny we mnie; więc był rzucony jako łącznik tu ku mnie, bym miał „Oczy w garść!".

W kilka tygodni później na tymże deptaku pojawiłem się z kimś, już z Dziewczyną, zgrabną, o wyróżniającej się urodzie, i szliśmy w rządku, jedno za drugim, noga w nogę dla oszczędności miejsca, bo tam (mówiłem) wąski chodnik, a na ramieniu nieśliśmy, niby zawiniątko, matę chińską zwiniętą, rytmicznie uginającą się na znak, że i nas coś łączy, na trwałe ta mata; bo jeśli przedmiot sam trzyma się naszych ramion, to i pomyśleć możesz, Przechodniu, Widzu, Wszelka Widownio, Umknięta Damo, że samoczynnie się wspiera tu kierunek nasz podążania ku! zatem i ty się dołącz! pobierzmy się choćby przez wspólny kierunek!

było otwarte, wyraźne pomykanie sobie, wspólne, że ach!

taki to był nasz pokaz możliwości!

I co? zauważył nas ktoś? nic nie wynikło!

a przecież mogłaby, niby przypadkowo tam się znaleźć; ale nie objawiła się, właściwie to i nikt więcej!

ta Dziewczyna potem, co się ze mną, na zgrabnych nogach tam poruszała, to naprawdę ładna była; ale i ona zapomniała szybko o naszym znaczącym marszu, jakby nie doceniła symboliki tej demonstracji, wspólnego marszu, i zniknęła z mego życia, nie szukałem jej; ani następnej podobnej;

bo i nie mogłem powtarzać tak abstrakcyjnej zabawy – nie była ważna już dla nikogo!

to wspólne bycie i dobitny wyraz zgrania płci z płcią – widocznie nieważne było dla tamtejszej niemej widowni, nie w głowie nikomu było jakieś tam „oczy w garść!"

gdy zrozumienia dla intencji brak, reakcji ze strony obserwatorów zero, nawet i złośliwych uwag brak; to i na co w takim miejscu może liczyć człowiek?

4

Sobo jednak szybciej ode mnie wyciąga wnioski; choć i oszczędza się totalnie; słyszałem, jak raz do kobiety powiedział: „nie będę ja się z tobą pokładał bo – nie lubię się poświęcać!"

A nasza ostatnia rozmowa z Sobo była taka.

Najpierw ja wypomniałem mu, że już chciał być aktorem, a nie jest...

– aktor to wiesz, musiałby dykcję mieć wyśmienitą!

– no tak, a ty seplenisz! co jest przypadłością twoich dziąseł, że nie masz staranności w artykułowaniu?

– zbyt nadużywałem się dotąd, ot co!

– to i mógłbyś się leczyć, jeśli paradentoza...?

– ...w aktorstwie ważne także żeby i wzrost był słuszny!

– no tak, całkiem nieduży jesteś; lecz zazwyczaj mali trzymają się krzepko! nie wypominając, Stalin z Bierutem mali byli, to i ten trzeci przy nich, no, jak mu tam... Rokossowski – długo się nie uchował!

– ta-aak?! rozmarzył się Sobo i całkiem już zamilkł;

bardzo skryty potrafi być Sobo! trzeba to powiedzieć; ale po chwili:

– ... stary, a jakby się to rzeczywiście udało?!

– a co?

– no, jak tamtemu się udało, to i po śmierci go z tego mauzoleum nie wyrzucili!... nawet i chwalą go ostatnio w filmach! a te ich manifestacje pierwszomajowe pamiętasz? do dziś się z nimi nic nie równa! ludzie jak raz uwierzą!... no, nic! no nic! uspakajał już sam siebie Sobo, i całkiem zamilkł.

– mówiłeś o manifestacjach...

– a stary, jaka tam siła była, pamiętasz?!! ile kobiet, dziewczyn prężnych, jurnych, bojowych – było na jednym placu naraz! z jakim poświęceniem one to wszystko robiły! co przy dzisiejszej technice, wiedzy! –

leninowskie pytania, co by nie mówić, stawiał sobie Sobo!

– a nie zapomnij i ukraść pierwszej władzy! rzuciłem na odchodne, ... bo pierwszego miliona już chyba masz?!

i tyle tego z rozmowy z Sobo pamiętam – naszej ostatniej czy przedostatniej.

5

‚przed rankiem światło migocące, patrz pod słońce!'

zachodziłem ja o różnych porach na tę Piwną, wciąż spodziewałem się! aż mi znienacka krzyknie jakaś: ‚hej, ty, facet! masz może prawdziwe oczy? to weź je sobie w garść, i – tak trzymać!'

lecz już podobne (i niepodobne) odzywki nie trafiły się; spośród wszystkich dziewczyn, kobiet szukałem tej, która jakieś cechy użyteczne miałaby ku – – a tu żadnej uwagi, żadnego zrozumienia!

nawet i zwyczajnie ciekawej partnerki do wspólnego iścia wciąż brak, do spaceru choćby, w rozejściu się, ale i we wspólnym zderzaniu się znośnej, w układzie nadrzędnym czy podrzędnym, bez pierwszeństwa – nie było i nie znalazłem;

bo albo tylko się chciałem dowiedzieć czegoś ja o niej, a już ona o mnie nic wcale! bo i pytałem już różnych, bez względu na urodę, wiek, płeć narazie jedną tylko uwzględniając, choć i obie dla mnie ciekawe byłyby lecz się nie trafiły – – program, jaki im w zamyśle proponowałbym, w zamyśle, a może i połączone życie kiedyś! gdy zaczynało się coś udawać, aż się i udało lecz nie na dłużej; to i potem już się nic nigdy w tym względzie nie stało,

bo się i nie staje, a szukam;

ową zasadę, nie zasypiaj idąc, stojąc w miejscu, czy śpiąc, nie zaprzestawaj niczego nigdy! w ruchu żyj, miej oczy w garść! przyswojone już miałem na bieżąco.

Kiedy sam śpisz, czasem z głuchym tąpnięciem drzwi się z klucza otwierają, przesuwają od ściany, inaczej niż na jawie, raz w tę, raz w tamtą stronę! takimi fanaberiami kieruje się każda chwila zjawień! aż i płaszczyzna podłogi pęcznieje czasem, powierzchnia stołu rozbłyskuje coraz jaśniej, w jeziorze przyśnień dzieje się wszystko podług przewidzianego, zda się, porządku, i masz to na sięgnięcie ręki, dopóki śnisz! a bywa że i widmo w dzień staje się, a ty myślisz, że to noc, choć w przywidzeniu dziennym! bo potrzebujesz jej wciąż, tego jedynego świadka!

bywał u mnie i Szura Czerkaski realnie, no, sam Mistrz! i program swego koncertu przy mnie układał, ostatniego co w Warszawie dać miał; a kiedy żył, on cicho wchodził, siadał, i chociaż u mnie fortepianu nie ma – on grał tak długo, swobodnie tak, jak tylko Chmury po niebie swobodnie płynąć chcą gdzieś, ‚byliśmy wtedy razem, pamiętasz, Mistrzu?', ja na widowni co prawda, w tłumie! a ty siedzisz jak tam u mnie, ze zrozumieniem uśmiechamy się – tylko on tak wyraźnie potrafił pokazać co ledwie pomyślane!

i choć tego przez sufit nikt nie widział, niebo nad nami było jak tamtego wieczora w Filharmonii, wiem bo człowiek to czuje! i dzisiaj wiem, jak Chmura nad nami, a za nią i Chmurka zwijały się gdzieś za oknem, w muzyce zapisane, czekało się na to może i wiek cały! –

6

Kiedy spałem, czasem bynajmniej nie z daleka przychodziły do mnie jakieś szepty, szmery; i nie otwierając oczu pytałem

– a tam kto?...

– a my tu nic, tylko tak sobie! a ty tam spokojnie śpij!

to głos żeński był, taki dla swej łagodności się odezwał, lecz nie był to Tamtej głos...

– a wy co tu, kto?

– a my nic, na koniuszku tapczanu posiedzimy ot, nie przeszkadzaj sobie!...

to nieznajomi kochankowie zachodzili, bo zmęczyły im się nogi, wiadomo było, że pod numerem tym i tym jest facet, gościnny raczej! wieść rozniosła się tak skutecznie, na godzinkę albo i pół przychodzili, by zadomowić się; i nie zamykałem drzwi – zgodnie z zasadą, że się nie zamyka! u nas na Starym Mieście nie było wtedy bandytyzmu jeszcze, ani policji, żadnych takich; też i spodziewałem się trochę, że może, a nuż! bo w końcu i odwiedzi mnie skłócona z życiem, albo i niesłusznie z kimś tam powaśniona?

ze spaceru zboczy, powie, że to po drodze, zabłądziła i w jasną noc wpadnie do mnie, skruszeje, choć mogłaby i w noc ciemną! wszak przychodziły nawet i całkiem nieznajome, nowe! zostawały; też nie narzekałem;

aż i Druga moja miłość w końcu, imperialistka zaborcza, rozwalić kiedyś chciała drzwi, z podejrzeniem...

– przecież było widać, że są zamknięte, i to z zewnątrz!

– a bo ja myślałam, że ty zaryglowałeś się z jakąś!

– więc nie myślałaś, a podejrzewałaś tylko!

to i nie było wyjścia – skoro łączy nas zazdrość tylko! jak mam się na stałe wiązać z... ciągłą tu uciążliwością remontowania drzwi?!
– marzyłem, by swobodnie na plecach sobie lec, poobserwować, jak w ciszy hen, daleko schodzą się Chmury,
dodają się, uzupełniają,
od nich się uczyć budowania świata!
miejsca dla wszystkich dość.

7

Nieśmiało, lecz z impetem opisywałem świat; z zachwytem niekłamanym, nigdy na klęczkach!

a kiedy coś budujesz, to jest wolność właśnie, ona w zupełności starczy ci za wszystko! a ty, nieograniczony niczym, już nie musisz i żądać specjalnych względów!

dopiero wolność! tworzysz świat podług najwyższego, jaki uznałeś, porządku;

„wprowadzam ład na pokiereszowanym śniegu", napisałem kiedyś, i była to najistotniejsza deklaracja ideowa moja, uzasadnienie tego, że coś robię! nie miałem już powodu, by czuć się niespełnionym wtedy –

a teraz do tego świadomość, że to nie ostatni mój świat, ale dopiero początek! z pewnością stworzę i kolejny!

nie stałem się anonimowy nigdy, a dziś przewaga takich wszędzie! w próżni żyją, zniecierpliwieni, domagać się wciąż muszą, żeby inni padli im do stóp! coś tam ktoś zagrał, coś zaśpiewał, o czymś rozpisał się – lub w kącie stanął akurat dobrze oświetlonym! –

i świat ma uznać jego „wielkość", próżnię, którą ma w środku.

Ja z nabranego rozpędu, potem już z nawykiem iścia, mimochodem – otwierać pragnąłem świat! z własnego domysłu wysnuwałem jego nowy kształt i swoją nową postać –

dziś widać, że jedynie powłokę udało mi się zerwać czasem!

cóż, świat nie zdążył mi się otworzyć; na Ziemi nadal przeciąg – jak wiatr zawieje!

Aż kiedy ta wolność następna przyszła – i kto silniejszy, ten bardziej wolny! a już instancje siłowe szczególnie! i tylko one z każdym dniem stawały się samowystarczalne!

– i pojawili się ci z końca peletonu, i zapragnęli być pośród rozgrywających!

i o tym, o co rzecz idzie, mając jedynie szczątki wiedzy! ale na czas zdążyli, przydatni okazali się! i państwo już zajęte było tylko państwem, samowałkowaniem! pojedynczemu człowiekowi zaś... ta jedyna, niewymienialna szansa bycia przestała już być... Już w radiu się słyszeć zdanie, „Nie ma dziś tak odważnych, by ktoś wystąpił choćby przeciw produkcji narkotyków, opozycja słaba, w rządzie nikogo, kto w tym interes widziałby dla siebie!" –

a i bezdomność coraz więcej ma imion!

kto chciałby w jutrze znaleźć coś takiego jeszcze dziś!

zatruty, chory – znów na początku drogi; aż do zaparcia tchu niemowny, po cudzym ogrodzie błądzisz, stare splątane gałęzie poznając – nie wiadomo już, do którego z drzew należą!

‚jednak wyczerpaniu uległeś, żyjesz w okaleczeniu – bo może taki jest sens wszystkiego?!'

– skupiłem się na udręce własnej; w niej, może i odczytać coś ważnego mogę, z tego co przychodzi z zewnątrz, a nie jest w tobie?

lecz i nie jest już żadnym dodatkiem pasującym do czegokolwiek! a myślałem, że sens...

‚jest we wszystkim? wspólny w jednym?'

bośmy się nań ugodzili! bo rzeczywistość pewniejsza może okazać się od dziesiątka byle upewnień, ona pojemna jest, wspólna!

a ile zaproszeń godnych pominięto?

od ważnych, co się pogubili, tych, co są w drodze –

...a sprawiedliwość?

niechaj świeczki trzyma się ktoś, kto upada,

ona – nie trzyma się niczego.

Może i wykrzyczeć coś mogę, co chcę – w pustą przestrzeń?

‚oczy w garść! ...ćdziesięcioletni chłopaku!'

8

Mówią znów, że wolność jest związana z poczuciem mocy;

to tak, jak szczególną zdolność wyobraźni – jedni posiadają, a inni nie!

‚więc trzeba ją otworzyć! oczy w garść!'

filozofowie dawno już taką posiadali.

– posłyszałem nalot, grzmot podziemny, dudnienie, które się czuje przez skórę; a potem, w następnej chwili coś trzasnęło, w środku Ziemi pękło jakby, to ze 20 metrów od mojej kryjówki tabun dzikich świń pędzi, co mówię, mknie! jedno za drugim i parami, żywy, wartki ciąg, strumień szarzyzny przez łąko-leśną przestrzeń wyznacza szlak sobie! a wzrok każdego z nich wlepiony wprzód, wielkie szczęście, że nie na bok, bo bym już nie żył! istota dzika tak bywa mądra, że nie rozprasza się na boki, nie zważa na nic, mknie do celu!

celu? przecież go nie mają!

czy desperackiej sile nieuwagi, czy też ich słabej ciekawości świata zawdzięczam życie! o, jakaż to wielość bywa w jednym, kiedy tak dudnią, pohukując, tętnieniem po ziemi suną –i przypomniały mi się lata wojny, czy zejście lawiny śnieżnej w czas pokoju;

po minutach, że tak szczęśliwie przeszli – wierzę i nie wierzę, że nastała cisza, w pamięci to dudnienie mam;

gazetę do ręki biorę, z tym pewniej! a tam stoi napisane, że baronowie baronami już teraz nie są, oligarchowie zaś tak, i ci na pewno są nietykalni!

– w głębokość lasu jedynie wierzę, w nieograniczoność tamtej zieloności! by pobrnąć stąd gdzie pieprz rośnie! ach, gdyby mnie chciały jeszcze nieść tylko te nogi!

‚o, jak niedaleko jestem od nich!' i kontempluję tę swoją swobodę!

teraz już jako nieDzik mam odwagę zapytać,

– co też tam u was, świnie, przepraszam, dziki, w porządku wszystko?! czy las okoliczny dobrze się sprawuje? na kogo szczerzycie tam swe kły, biegnąc przed siebie, przystojne, wielkie, znacznie ode mnie ważniejsze!

i w odpowiedzi nie zaszeleściły mi liście drzew, również i te z ziemi, trawy tam uczepione, kolor szarości między-między utrzymujące.

A Sobo najpierw jako myśliwy zasadził się na demokrację, bo ona jest użytecznym sposobem po pierwsze po drugie i trzecie; najpierw by zdobyć władzę, po drugie by się przy władzy utrzymać i po trzecie długo jak nigdy!

do swego celu właśnie dobrnął Sobo, który jednak od pewnego czasu czuje lęk egzystencjalny: bo każdy dziś nie gorzej od innych chce żyć, i z całą rodziną tak żeby! a więc Sobo innych celów narazie nie widzi, jeśli udał mu się numer o władzę, to i pewnie znajdzie następny cel; jak dokraść jej więcej, on na to wynalazek ma, narazie cicho-sza! skryty jest, to i nikomu nic nie powie.

Ja na nic nie jestem zdecydowany; ruszać czy nie ruszać? po staremu gazetę bym czytał, baronów aferzastych czy też oligarchów z urzędu obyczaje poznawał nowe bym, jak to kocha dziś prasa!

9. Głosy z radia

Głos MĘSKI słyszę: Kochaj się długo, żyj zdrowo i szczęśliwie! Mamy wreszcie wolność i nadmiar teraz, mnogość wszystkiego! pani Elwiro, słuchamy!

KOBIECY: ...i cóż ja powiem? śmiesznie wyszło u nas! w każdym razie ja nie narzekam ale on? kręcił i mędził, a ciągle namawiał żeby z kimś jeszcze spróbować, z jeszcze jedną znaczy się! no to się doczekał!

REDAKTOR: ...a czego?

ELWIRA: tego niby, że ta Szwedka nie chciała z nim!... a przedtem to i kamasutrę robiliśmy, dobrze szło! ale on nie, choć widziały gały co brały! z jeszcze jedną chciał ciągle! i teraz wie pan, redaktorze? kobiecie z kobietą jest bliżej! więcej mamy do pogadania ze sobą, dobrze jest! ale no... co mężczyzna to mężczyzna jednak!

RED: ... i z kim pani jest teraz?

ELW: no, z tą Szwedką oczywiście, nawet i bardzo nam dobrze! a ten tak się palił – teraz siedzieć w domu musi sam!

RED: pani Elwiro, to już dziękujemy pani bardzo, następni do nas dzwonią.

10. Niemota aż po mowność

I wspieraj miernotę, miej to za jedyną cnotę! tak najwygodniej!

A na dworze pies szczeka, z radości, bo jest słoneczny poranek, a on podwórza panem, przeszkadzają mu tylko ptaki, bo śpiewają, sam by pogonił za nimi, pośpiewać by chciał, tak choć przez chwilę artystą pobyć.

Ja sam w różnych odgłosach rozmów jestem, i nikłych, nierozpoznanych słów – z milczeniem swoim sam stałem się jeszcze mniej rozpoznawalny; choć uważny jeszcze, żaden tam proch tej ziemi, ale na powietrzu sobie, pod sosną siedzę, na mojej ojczyźnie-Ławce, bo ją zająłem... i jakżeby nie – po dawnemu gazetę czytam, prozy ni poezji tam nie drukują teraz, ale tych jest nadto!

a tu nieznajoma podchodzi, obca i

– ...proszę pana, a czy nie jest panu za zimno tam, na ławce?

o co jej chodzi?!

i zastanawiasz się, człowieku, nagle, czy aby świat już całkiem na głowie nie stanął?! ona do ...ćdziesięciolatka przyszła i pyta się...

– czy panu nie jest...

– ...to pani tak się troszczy o mnie? czy nie zamarznę?

‚może i zniecierpliwiona jest, jak i ty, człowieku! że świat nie w tę stronę zmierza, na odwyrtkę znaczy się obraca? kosmicznego porządku ona szuka w nim, prawdziwie kosmicznego – obok ciebie!

– a co się stało?! ja pytam; że pokolenia zmieniają się, to i ludzie czasem! choć i rozmijają się!... pani tu jest, i ja jestem!...

‚a bo czy człowiek nagle może stać się ważnym? nie jak tam zawieje wiatr?'

„a nie za zimno panu..."

ta Dama świetnie wie, jak niekoniecznie bliscy są już sobie tak gatunkowo bardzo spokrewnieni!

‚z mojego punktu widzenia, w moim Kosmosie przetrwała tylko ta Ławka!'

‚ a jeśli i ja przetrwałem – to przecież gnuśny aż tak nie jestem!... żeby na zaczepki Damy nie odpowiedzieć!'

‚... przecież i owszem, warto zaczynać z kimś coś, a nawet i z takim, co na ojczyźnie-ŁAWCE siedzi/leży, gazetę niby czyta!... więc i czy ja – mogę nie pragnąć takiego sojusznika?!'

‚bo czyż i mnie brakuje takiego rozumu, no, polotu w ogóle i wyobraźni? jak jej może nawet i dobroci?! całe życie spodziewałem się, że taką Spartankę spotkam kiedyś, która zechce podjąć się czegoś niemożliwego!

– ...A czy Maciejunia pani zna?

– Maciejunia? och, któż by nie czytał *Przedwiośnia*!

‚no – to zastąpmy teraz gładki blichtr najbardziej pożądaną treścią!

– ...bo Maciejunio to jest ktoś najbardziej pożądany dla mnie teraz! ktoś, kto by mi stworzył okoliczności nowe, niekoniecznie wyszukane, upragnione jednak!... by pasowały do mych ukrytych potrzeb?! mogłaby pani zastąpić mi w tym Maciejunia?

– ależ oczywiście! przecież się domyślam... tu niedaleczko czekają chrupiące bułeczki, można zagotować mleko! ja bardzo dobrze rozumiem, czego ktoś... w takiej sytuacji może potrzebować!...

to i ja już naprawdę zacząłem rozumieć, po co jest prawdziwa literatura, sztuka, i z postacią Maciejunia włącznie! żeby „utrafić w naszą skrytą potrzebę”... a nie ćwiczyć „spełnianie reguł”!

,ona trzyma oczy w garści!... tylko czy ona też jest na pewno Sarmatką?! Bo jeśli ktoś nie miał życia przed życiem – ,

Wielkanoc 2007, 2013

Ucięta noga

1

Chciałbym bez ustanku po łąkach iść, zamglonych, nocą, a choćby i dniem, w upale,
lecz nie ja kiedyś; ja dzisiejszy!
a tu słowa jak na miał idą, zdanie się rozpryska!
chciałbym życie na nić porządku nanizać, jak nizałem je przez lata całe!...
Z tą opowieścią naprzeciw wam staję, wszechnieobecni, o, anonimowi, zwycięscy!
by się zmierzyć z siłą waszej obojętności.
Nie od dziś o niej wiem, przed dziesiątki lat wiedziałem, lecz bardzo chciałem wejść i w ten świat, jakbym godził się na jego niby-prawa!
i okazało się, że ścianę atakuję,
a wy w przewadze wciąż, z tytułu liczebności;
chciałem poznać ów świat, kiedy i nieludzkim się staje,
zatrzymaj uwagę na tej chwili Czytaczu, niech ona trwa tyle, by opowiadanie wypowiedzieć; niech nie rozsypie się zdanie w piasek, a ty stań się świadkiem; posłuchaj, co się stało, gdy nogi schodziłem, lawina nieszczęść ruszyła, a ja stałem się ziarnkiem piasku.

2

Już dwa lata w otępieniu trwam, choć i chwile świadomości czasem miewam; a wtedy myślę – zrobię to wreszcie!
z powodu bólu, bo jest nie do opanowania, niech stanie się, bym choć przez chwilę mógł poczuć siebie, własne myśli, z letargu bezczucia i bezmyśli wyrwał się!
i zadzwoniłem, bo miałem do kogo; na to znajomości też trzeba mieć! póki ma się dźwięczny głos;

i pamiętając, jak to nam polegiwało się wspólnie,
jak niechętnie podnosiła telefon wtedy...
– tak, to ja, oczywiście!
głosikiem nieco odmienionym wyśpiewywała swą gotowość niesienia pomocy w potrzebie, zadowolona wciąż, że jest poszukiwana, ważna!
już nie leżałem przy niej jako czysty model junactwa! – więc jeśli ciało nie pamięta, rozum przypomni sobie!
i co się dzieje ze mną, nawet nie spytała; potwierdziła owszem, że przysługi nie odmówi. Umówiła mnie z najlepszym, jakiego tam mają, specjalistą od, ja że zapłacić mogę zaraz, ale niech to będzie na pewno fachmam, profesor choćby!
a jaki tego koniec? nie obeszło jej ani trochę. Wiele spraw załatwiała innym, załatwi i mnie teraz, w szczegóły nie wchodząc... tylko jak zareaguje Profesor?
W głowie już jak w Biblii miałem zapisane trzy rzeczy niezmienne, termin, miejsce oraz parę słów, które mu prosto w nos wytoczę, no, przynajmniej zapytam się. A by mnie zechciał posłuchać, zanadto się nie śpieszył, pozwolę mu się ciąć, lecz nie odrazu; oni tam lubią zrobić coś tak czy siak, byle szybko i choćby na próbę!
lecz go poproszę...
O, w próżni niejednej już bywałem, a teraz przyjdzie mi skoczyć w nią bezpowrotnie, trudno!
przez okno windy widzę, jak gromada ptasia dzyg-dzyg, na własnych nóżkach skacze chętnie, choć i w zapasie latanie jeszcze mają;
a tej nocy, ani poprzedniej, żaden mnie sen nie wzmocnił, bo nie imał się, nie uwyraźnił żaden obraz przyjemny, nie tylko mój zapał prysł, lecz i cień porządku świata nie odsłonił się żaden,
na wrażenia nowe ogłuchłem; wszystko od tego rozpierającego bólu, od środka szpiku idzie, rozsadza mi kość przez godzinę, dwie, i tak lata dwa! a niech to stanie się wreszcie!
Umówieni byliśmy na popołudnie. Przywlokłem się w nastroju trwożliwym, blady, złe przeczucia; fakt, że i wahań wiele, o reszcie świata nie mogłem zapomnieć – ogłuszony, a może to nie na zawsze... gdzieś cień nadziei się błąka, ten jeden?...
tylko przedmioty – nowość! – wydały mi się bardziej od wszystkiego realne, wszędzie obecne! współczują mi chyba.

Po kwadransie, jak to w zwyczaju u nich, zjawił się Pan Docent czy Profesor, poprosił do pokoju, a tam dwa krzesła, na jednym okruszyny po śniadaniu, stół podłużny z postronkami w rogach, rzemieniami zwane elegancko –

– To którą że tam powiem...

– a którą panu profesorowi wygodniej; mnie chodzi o to, żeby o połowę było mniej!

– aż tak boli pana?

– nawet nie wiem, czy da się znieczulić, gorzej chyba nie będzie, nie może być...

– ddd-dobrze!! zechce się pan tu położyć, o proszę! głową nie, głową zwrócony do mnie, żebym widział, jak pan reaguje; a tu przypniemy jeszcze nogi teraz, a rączki tam! a ja będę mówił wszystko, co robię, a pan niech się nie niepokoi. Na ból pan jest, jak słyszałem, bardzo uodporniony!

zacząłem marudzić coś o uprzęży, by odwlec coś tam, to on od siebie zaraz, „a pan kapciuchów nie założył, i proszę! skarb państwa naraża pan na stratę, he-he!”... i o badania konieczne zapytał, wyniki czy przyniosłem!

– ach zaraz, my tych zdjęć tutaj dużo mamy! pan wszystko wykonał, prawda?... a byłbym zapomniał, wczoraj otrzymaliśmy, z Londynu prosto, taki kombajn, USG sprzężone z tomografem, nie próbowaliśmy na nikim, to może by pan jako pierwszy?

– a dawaj pan!

na to zawsze warto poodwiązywać te cholerne postronki!

3

I wspólnie Pan Profesor i ja, daliśmy sobie radę z nimi! a dalej to i na dwukółkę nie czekałem, ot, pokuśtykałem sobie, zbawczą myślą niesiony, że jeszcze nowego coś może być na świecie! po drodze kogoś spotkam, może zainteresuje się mną! choć narazie... się nie zanosi;

nadprogramowo mną się zająć nikt nie zamierzał, nie zdążył! wlokłem się ja przez ten Łącznik, jeden, drugi, nie kuśtykając, sam siebie niosąc na rękach, czy jak wiewiórka skacząc, w szkole tak po poręczach bywało, nie jak przez kozioł było czy podrzuty na poręczy, te mi nie wychodziły, ale teraz proszę!! patrz, panie od wuefu, jak świetny jestem! zdolności mi przybywa wciąż, notę mi podnieś, nawet na cztery mniej!

i skoki w powietrze z pozbawieniem pracy nóg już potrafię, w lewo i w prawo, a niech to będzie jak druga matura, och i ach! w szale spotęgowanych możliwości jestem, nawet i wniebogłosy darłbym się! śliny mi tylko cholerka nie ma! już zabrakło!

i dotarłem aż do Pana Odpowiedniego, co to kierownik, a do tego i grzeczny był, zaoferował, że mnie sam zbada, „bo personel wie pan wypuściłem na trawkę!", „na urlopy już?" widać lubi pracować sam!

przede mną zaś, wiadomo, nie musi się ważnić, dawno dopasowany jestem do tego co jest, potrzeby też wyczuwam! takim człowieczkiem i coraz mniejszym się staję, żeby się przez powietrze poprzerzucać było lżej!

a jak mi ktoś obcy, choćby tu zaraz, wyrok odczyta, to i nogi się nie ugną, a dla protestu nie tupnę niczym, bo na nich i nie stoję! dużo by jeszcze mówić o przewagach moich, ale i po co tak gadać? –

po półtorej godziny obracania na wsze strony, już i dla obracanego stało się jasne, że co jak co, ale po pierwsze, to Odpowiedni Pan mnie bada – a po drugie, że już się zmęczył, i aż za bardzo!

więc odważnie, głośno i ze współczuciem pytam się, jako pracownik w bólu pracownika bólem cudzym zmęczonego,

– ja tu panie widzę, że coś nie tak!

a pan spocony, niech chociaż mi powie, co się tam jemu, cholerka, nie udaje tam?! a może... z przepływem jest coś na tak?! czy ni tak ni tak tylko?!

– a no bo proszę pana, widzi pan tu...

– coś nie zgadza się panu z tym, co Pan Docent napisał?!

– a no właśnie, Pan Docent...

– ... że nie ma przepływu w żyłach? a pan stwierdził że jest?! i tym się pan martwi?... panie Kierowniku! to pan mi jesteś jak Kolumb Odkrywca, pan mi się widzi nawet jak bliższy, jako prawdziwy brat! tyle się pan namęczył dla mnie... a teraz to już ze wszystkich pan najbardziej zmęczony jest!! widzę pana staranie... pan byle czego nie chce mi palnąć! a służba nie drużba, wiem, ale pomyłkowo żeby... pan odważny człowiek jest! ale ze mną to można iść na całego!... i co, jest przepływ?! bo powiem panu, że mnie o to tylko idzie i nie odejdę stąd dopóki mi pan nie powie tej cholernej prawdy! a ja dla pana za to o Nobla wystąpię! a choćby o Oskara! panu się wszystko należy, co pan chce, tak ślicznie pan koło mnie tańczył! pan i odezwać się po ludzku umie, choć pan jest i szef! a ja przecie wiem, że tu pytania są po nic, bo w odpowiedzi usłyszysz prędzej o kocie coś albo psie! ale pan to jest inaczej! a ja musi pan wiedzieć, zniosę wszystko, a przynajmniej zdaje mi się, że rozumiem pana i okoliczności wszelkie! bo pan wielki człowiek jest dla mnie! bo – co, jest przepływ w żyłach?! jak rozumiem...

– no... właśnie! a pan Docent tu napisał...

– panie! tu jedna była taka co przed nim, że mi to napisała, a Docent jej uwierzył, przecie nie mnie; i ona tam dotknąć nogi nawet się bała, dla niej za wielka ona była, zbyt spuchła! i narzekała, krzyczała na mnie, innych na świadków biorąc, że dopuściłem ja do tego i w ogóle! a ona już nic nie może! i jeszcze jak śmiem w urzędowych godzinach jej czas zajmować, aż tak nabrzmiałą grubizną! jak się przepchnąłem od niej, i od Pana Docenta, Profesora tu, to dalej już nie umiałbym powiedzieć, dokąd mogę iść... bez pana! bo pan z tym swoim tomo-USG-iem przyznaje... owszem, całkiem to niezła maszyna jest, no, Anglików kombajn! jeśli mu się udało przepchnąć przez tę opuchliznę moją, i prawdę powiedzieć! a tamta to zbyt ostrożna była, żeby się tknąć! pan zaś nie! ona na widok bólu, znaczy się mnie, krzyczała, a pan nie! ja się przy panu tak wiele nauczyłem, i jakim może się być, i tak wdzięczny jestem!

a jakby co, i jaki tam zwierzchnik się pytał, to ja owszem! zrobię wszystko dla pana!!! ale niech się pan, kochany panie, nie martwi jakimś tam docentem!...

tylko mam prośbę, niech pan naprawdę jeszcze raz powie – ten przepływ jest?!

– a właśnie że jest!!

– to i ja dla pana szacunek mam, no, już mówiłem, a co do docenta to niech pan zadzwoni, dla niego to ja już dziś więcej nic zrobić nie mogę! i ani już na moment nie wrócę tam, do tych sprzączek, postronków! i spierdzielam już stąd, panie szefie! bo bardzo pana szanuję, a nie chciałbym... a i pan mnie, jak sądzę, też ma dość! bo pan jest człowiek akuratny, i pokazał mi, co może medycyna, odtąd i ja pokażę panu, co jest człowiek... no, może! a jak mnie tu nie będzie, rękami-nogami jak się wywlokę, bo nie jestem jakiś tam zwykły kuśtykający! to choćbym ja i wybiegł stąd sobie, żaden mnie już profesor-docent nie zatrzyma, niech pan zadzwoni i powie, że ja mu też, jak i on mnie, życzę nieźle!

i spylam jak najdalej, może aż na nasze dawne stepowe kresy gdzieś, na Ukrainę, Białoruś, granice teraz otwarte, pojadę, bo jak tu, to teraz i tam jest wolność jakby, na półce w pociągu się przechowam, zdrzemnę się, jeden czy dwa ataki przewyję, do uzdrowiska dotrę jak nic! a tam już i przed wojną świetne uzdrowiska były, to ja skoczę!

jeszcze dziś się tam udam, przyjaźń między narodami zawiążę! mam wspaniałą myśl!

a jakbym ziołami, tam ze wschodu, sobie nie pomógł, to dopiero wtedy... jakby mi poszło źle – to co pan myśli, że wtedy?...

jedną nogę, drugą, a choćby i trzecią jak będę musiał – nauczę się, co z nimi zrobić trzeba! siekierę do ręki, i zrobię! poradzę sobie!

panu zaś dziękuję, przepraszam, pan mi się ludzki okazał bardzo, pracy tutaj pan ma dość! a hej!

i przez Łączniki oba, dla spróbowania swobody ruchu, na rękach, nogach, a oko na widelcu! ja, ot, zabawka losu do nowych możliwości swoich mknę, już pomknąłem.

wrzesień 2004

Posucha wiatru

Boczny i polotny porwał bezmyślnie papier niezdeptany, na próbę? potem przezroczysty worek, w końcu książkę pani S., ona zaś tu niedaleko;

a pana S. nie ma, nie podniesie, nie poda!

pojechał do miasta, przed obiadem nie wróci; od jego wyjazdu pani S. nie zdążyła nawet zdrzemnąć się; długo patrzyła w niebo, dziś tak łagodne, i o świecie, jaki jest, choć prawdę mówiąc nie spodziewa się już po nim zbyt wiele;

gdy tknął ją lekki powiew, ocknęła się, myśl o świecie uciekła, kto wie, może wędrowała do czasów młodości, u progu ich sczezła! ach, zapomnieć o tym,

a tu na miejscu nie ma już nic do zauważenia!

teraz i poczytać nie można; co najmniej do obiadu nie zdarzy się nic –

chyba że w odwrotnym kierunku wiatr przeleci, na burzę się zbiera, to i... ale chyba bokiem przejdzie, potem jeszcze większy upał zrobi się najwyżej;

tyle tu tych rzeczy jest do przetrzymania;

i gdzież ta książka! gdyby Emanuel... pojechał w sprawach do w miasta; ma i własne życie przecież!

a on pojechał i aparat wyłączył, nie lubi, jak mu w drodze coś w uchu skrzeczy –

to beznadziejne, że wiatr tyle może! –

Próbowała kogoś zawołać, ale wołać długo można, skutek ten sam; ludzie stali się tacy jacyś, nie widzą i nie słyszą, nikt nawet nie ośmieli się podejść!

spróbowała siłę przebić się; ale trawa za wysoka!

nawet i nie wie która godzina. Siedzi na wózku, widoczna i niewidziana, ludzie na odległość trzymają się; a jeśli Emanuel –

,zwróć się do mojej myśli, Emanuelu, przyjedź wcześniej!... mogłabym się przenieść w większy cień!'

I pani S. zauważa, jak zbiera się wielka Chmura, narazie daleko, znad Lip tu ciągnie; ale i co można wiedzieć i o takiej Chmurze!

zaczęła głośno wołać, jeszcze głośniej! momentalność takiego wołania miesza się z wiecznością;

zbliżyłby się ktoś, gdyby ją posłyszał; ale nikt nie przechodził w pobliżu. Pan Emanuel gdyby tu był – on rzeczywiście niepotrzebnie wyłącza ten mikrofon!

oczekiwała jakiegoś przypadku być może? byle przypadek pilnie pożądany!

,czyżby na linii Niebo – Łąka – Las zostałam ja sama?'

Zmęczony, przechodziłem na obiad nieopodal; ,zrobiłem dziś coś przecież!' myślałem; miałem poczucie spełnionego obowiązku, misji nawet;

,już dobrze wiem, jaki teraz jestem! na każdą sytuację gotów – może mnie teraz sprawdzać!'

Pani S. tarmosi kołami wózka; lecz za delikatnie; na tak wysoką trawę ma za słabe ręce, nie zdoła rozpędzić się! ,za słaba jestem, albo za ciężka! jak nie upał, to przyjdzie ta burza! zaatakuje mnie niechybnie! może tylko wiatr by coś pomógł!... gdyby Emanuel tu był!' –

i znalazła się na linii przenoszenia przez wiatr... kto ma wyobraźnię, ten wie, jak niszczącą potęgą wiatr bywa!

Byłem głodny, pędziłem na obiad; kobieta mignęła ledwie z krańca mego pola widzenia;

oj, nieznane są ścieżki wiatru ani szlaki karibu! jak powiada przysłowie eskimoskie;

już bardziej do przewidzenia, znany może być czyjś los

jeśli tylko umiesz zastąpisz wiatr, chłopciu.

Ob., 1997

Rekonwalescent

Jestem tu już tydzień i nawet nie wstąpiłem w rozległość Morza; warunków wstępnych mu nie postawiłem, jak mamy się traktować? gdzie choćby spacerkiem dojść można, nie doszedłem!

W nocy tamto Miejsce woła do mnie, ‚hej, zbliż się!' a się nie zbliżę!

Morze fale zbiera, cofa się, fala goni falę przede mną,

ja się kurczę, lecz nie poddaję!

W ciągu dnia, za zasłoną z drzew schowany, tłok od sąsiadów, nieme twarze pchają ku Słońcu; ja ledwo wyobrazić sobie mogę skoki do fal.

Ciało już od środka zmienia się i blednie; z kwatery idąc tu, przystawałem ze trzy razy, z odległością mam kłopot – wszystkim z drogi musiałem zejść.

Snującego się w oddali Przechodnia łowię cień – ot, i wszystko, co się zdarza! O, moja dumna partnerko, dawna Falo, ciebie tutaj nie ma, wszystkie brzegi już wysprzątałaś, teraz z pamięci ledwo wyłowiłem cię!

...bądźże mi i dziś uczynną, wspomóż,

bym się choć raz ściągnąć dał na tamten Brzeg!

niechaj sobą wąski skraj ziemi osłonię – a ty mi go przybliżysz z otchłani niebytu! i odmyj mi piach z oczu, z nóg słabość spędź, bym znów do horyzontu zaczął wędrować!

zgodnie ze swoim poczuciem nadmiaru, ty się wycofasz, ja zawisnę w powietrzu, ślad myśli czyjejś!

i wyśledź mnie z głębinno-niebnej gmatwaniny sfer, gdzie jesteś! powiedz, gdzie ja jestem teraz?

nieustające wahadełko Morza, tu postrzeganie byle szybsze – wolałbym ja tam zanurzyć się z tobą –

równowagi mojej bądź ramieniem,

odejścioprzyjściem niezwodnym –

a czyż nie potrafiliśmy kiedyś zadbać o wszechuspokojenie świata?!

niechaj tu jeszcze krzynkę poleżę sobie, skorzystam z chwili! Słońce dzisiaj zmienne, albo pomarańczowieje, to na ołów topi się; burza widać idzie – zza dalekiej bytni wszechświata tu się pchać chce; w powietrzu aż się ćmi od leniwych latadeł, ich mrowie zmianę czyni, z niedość widzialnego na szalone!

i tamta Chmurka wyczekuje na coś, waha się, czy aby nie lunąć znienacka na nas – od przedpołudnia widać i Słońce znudziło się, całe Niebo w drzemkę wpadło; a Wiatr ścichł, choć do przewodzenia wzburzonych sfer szykował się.

Coś tam chlusnęło, obok Morza gdzieś,

dalej, a w zakątku Nieba, już wybuch się czai, pretensje Czegoś do Czegoś tak się napięły, że chyba i tu zaraz bryźnie grom!

zanadto skupił się może na momencie zaczęcia;

a po drugiej stronie mrugnęły błyskawice, czy uderzą? czas wahnięć i kończy się i zaczyna.

Cły tłum tutaj żyw, rozpierzcha się, zmyka,

– *ghru-uruhmm!*

– *uruhmm-ghru!*

i jak nie mruknie-trzaśnie, od strony nadświata! mogłoby przez Przypadek i zabić kogoś!

– dżdżyk jeno zamżył, łagodny wreszcie, powietrze gdzieś po zakątkach mroczy się; bo wszystko co nie jest Chmurą, nie spada tak nagle!

Ja tu wciąż, klątwę Niebytu zlekceważywszy, cóż więcej mogę zrzucić z siebie? pośród rozpełzającego tam lękliwie harmideru, gdzie miałbym i własną awanturkę wszcząć?!

nowy byt z niebytu?

z całej tej obojętności świata na ląd wrócić, tak jak wraca niby właściwy porządek rzeczy?

gdyby jednak –

ach, gdyby i dalej się szło... pod Chmurką hen przemsknąłbym, innych nie zaczepiając, w pośpiechu niby, porozmawiał bym z nią jak On!

nie przytrafiło się to nikomu! a i dotarłbym może gdzieś, gdzie się i spodziewam?

już frunę – a na powitanie nikt nie wyszedłby!

– tu! tu jestem! nie tak bardzo Świadka mi trzeba,

ale żeby coś takiego, gdzie bym, jak dotąd nigdy, się wśliznął!!

a zza pleców ktoś syknie mi, Bluźnisz!

rozwrzeszczą się i pozostali;

oskarżony bym został znów, wezwany przed urzędującego – bym z nim dochodził, brońboże, sprawy Głównej!!

a tej jedynie, że sprawiedliwości i tu tyle co psu na budę! za to jedynie Słudze tłumaczyłbym...

nie czym on jest, ale na przykład Wieczne Obcowanie!

i złączyłoby się w jednej chwili – – ja, jego nieuwagę, z czymś jeszcze tam!

skazany zostałbym!

za przekroczenie by tak rzec, myśli nie dośc żwawej,

czy takiej, co tu nawet nie da się przytoczyć!

i uzasadnień żadnych, niczego;

więc i bronić się – byłoby niezręcznie;

(a czy się domyślasz, Świadku Mimowolny, jaki ów sługa, z dwudniowym zarostem zapewne, i cóż za dyzgust dla oka!)

cały zapas tam trwania na umizgi zużyć musiałbym!

(i któryż ci urzędnik zapomni, że wobec niego, nieostrożnie, na szczerość poważyłeś się! do tego jeszcze ta zazdrość, że ciągle mam władzę nad sobą – jak nigdy on!!)

Tu na dole, na całym świecie, obywateli lojalnych mają dość, każdy na tackę rzuci, donosem przysłuży się! – – o, Mieszkańcu znad Chmur, w którejkolwiek chowasz się stronie, i dalszej uwagi szczędzisz mi, oszczędź i siebie!

jeśli na Krańcu trwasz, może Ostatnim, ku Nieskończoności gdzieś w zgrabnie zagiętym Półkolu spoglądasz – wiedz, że ja wiem, iż tu jak w Kosmosie linii prostych już nie ma, takoż Sstworzeń cierpieniem nieskrzywionych!

ja Jestem jakbym tu szedł – ale i nie dojść bym mógł!

zdarza się to i przed każdym niespodzianym skrętem drogi: nie zauważysz Gospodarza! domostwo jego niby tuż-tuż, byś się spodziewał! –

lecz obecności mojej, proszę, nie tłumacz przypadkiem;
jeśli ciągle słyszę: „Wszystko milczeniem jest!" (a draństwo kłamstwem) – to dowiedz się, że szukałem, szukam i tu jedyności, spójności, zasady!
której przecież być może – nie ma!
tylko Inność może gdzieś tam została!

7 lipca 2011

GÓRA

Z okna mojego mieszkania na Mokotowie, też z Grabówki, Bobrowej czy z Kosmosu, wychodzę, bo tu tylko wysoki parter, a mgła już opadła, na ulicy wciąż gęstnieje tłum! i jak wydostać się z niego, pomyśleć! a tam gdzieś, niedaleczko, świątynia Wang sobie stoi, co prawda tłum mniejszy ją oblega, ale też! mam iść czy zostać?! w zamieszaniu tym stoję, może lepiej najpierw posiedzieć gdzieś trochę?!

a ci, co już siedzieli, chodzić nie przestają; Aleja Drzew też sama sobie stoi nieopodal – i co z tego? a ci co już nie siedzieli, też chodzić nie przestają; co siedzieć będą – jeszcze fundacje teraz zakładają; a jak kto wydawcą był na przykład – to fundację dla Wsparcia i Promocji zakłada, i „koniecznie ze stanowiskiem d/s wydawniczych", zastrzega, żeby była ciągłość, tradycja; a wszystko jest na wzór domu schadzek, tam i bez miłości, jednak życzliwie niby, bez miłości, ale i z nienawiści!

A dalej jest wciąż ta Aleja Drzew – ona sama jakby do mnie podchodzi, i co dalej?

więc i ja do niej wyruszam, choć w takich warunkach zawsze człowieku zostajesz sam, z zamiarem niby, ale i niewyraźnym jeszcze!

w górze coś na kształt chmury nierozpoznawalnej i dla siebie, bieleje; w zrywnych podskokach zbiera się ku górze, czyli do nieba; bo mgła już całkiem opadła, białe łąki tu wokół, a wszystko wciąż i tak poza granicami moich możliwości;

jeden krok nazad, jeden w tę, co by mi się chciało coś zacząć, a może co stworzyć? siebie? więc już nie jestem przy świątyni Wang; tam wciąż jacyś Francuzi krążą; jeden mi się przyglądał i

– *Wous etez triste?* pyta,

– *Non triste, mais pensif!* ja, poliglot, tak mu odpalam!

bo mi debatę osobistą przerywa – mam iść stąd albo i posiedzieć? wciąż nie wiem!

Aleja Drzew trwa sobie, przy wolnym powietrzu stróżuje, pusta; to i ruszam, nie zatrzymuję się –

zostać czy już nieodwołalnie wyruszyć – oto pytanie!

1

A z drugiej strony drzew alei –

to ranne światło jakby w rozproszeniu trwało, a jednak jakby i sprawiało pewien ruch; dziwny, byś może pomyślał sobie, że gdzieś, na końcu tego, czego nie widać, nieznanego coś się otworzy. Mgła opadła, to i droga już wolna. Tylko by się o tym przekonać, trzeba iść.

Niebo wciąż niewidoczne i skryte; światło, w odróżnieniu od wczoraj, jakby przedwiosenne. Kto wie, ile może czekać człowieka, jak się stąd oddali? To i w drogę!

Potem widzisz zgrabne wychylenie ścieżki, w którą zamieniła się droga; łagodnie omija Górę, a Góra też łagodna. Zmiany ciągle jakieś się dzieją, ale powód ich odtąd staje się nie tak ważny: idziesz, bo taka jest góra. Trzeba się porządnie napracować, ale to normalne. Idziesz, a świat, tam z tyłu, może miałby ci jeszcze wszystko za złe – ale ty tym bardziej idziesz!

A czegoś się po nim spodziewał, że da ci więcej? niż poznałeś dotąd?

Teraz już wiesz, że te spodziewanki wszystkie, że tamto nieprawda.

Możesz tylko znaleźć się w nowym świecie – albo w starym zginąć! Takie miałeś możliwości dwie dziś rano; takie i teraz twoje zadanie!

To nieruchome otoczenie, które samo się obraca do ciebie – ono już cię wybrało! Inaczej by ci się tak nie wystawiało na pokaz, z coraz to lepszej strony.

Tu przedtem nie musiało tak być, przed twoim przyjściem.

Ale czy musiało się formować akurat dla ciebie?

Może i nie; może mu tak się chciało.

Jedyny sposób, żeby to sprawdzić – dalej iść! Patrzeć jak się zmienia. Sam nic zmieniać nie muszę. Tu jestem.

Poza tym co robię, co widzę – czas jakby stanął; a ja nie po to tu przyszedłem, żeby zostać. (Przecież i na trwanie tam, gdzie się jest, trzeba się wysilić.)

Mnie – dalej się pchnąć. Krajobraz mam gratis, nowe istnienie gratis; dla mnie tylko ta droga, jeżeli oczywiście nie przestanę iść, nie znieruchomieję.

Droga i cała mi posłuszna jej otoka: wystarczy, że dodam kroku, a górki dalsze i bliższe pędzą ze mną razem! Niemo, w ciszy pośpieszają, jakby z obawy, że je przypadkiem zostawię tam, w półuśpieniu.

A drzewa! Cóż drzewa: stały dotąd, wpięte w ziemię, pewne że nikt ich nie śmie ruszyć. A tu zrywają się do drogi z tobą pierwsze! Wszystko, co było wcześniej ode mnie, z nawyku stałego nieruchomienia uwalnia się, skoro ON SOBIE TAM IDZIE!

Początek to dopiero – czy już stały pęd?

A może i – nawyk pędu? żeby wypaść gorliwie i ochoczo!

2

Nogi, jakby już zapomniane, ciągną się gdzieś z tyłu (zostają w przeszłości). Ale jak można zapomnieć o nogach! To one się wpierają w wiatr, kolana od tego są jak z lodu. A ciebie tylko trzyma w poziomie i pionie rytm, sprawdzian zachowania stosownego do twojej obecności tutaj jedyny! Inaczej staniesz i zamarzniesz.

To rytm chroni i sprawia, że jeszcze nie zepchnęła cię do tyłu ta skała! wielka, silna! Bo człowiek jest po to, żeby się skale nie dał. I umiał czasem powiedzieć, ździebko się posuń Grubeńka, bo ja stąpnąć muszę! a nie ustąpię, za nic!

A poza tym, żeby, widząc to i owo, wyczuł kiedy jej szepnąć jakie mocne słówko. Przecież ona jest wielka, taka skała. I czasem ciebie usłucha. Może nawet lubi to przedpotopowe cielsko z drętwoty ruszyć. Mów do niej choćby w infradźwiękach! Za długo tam siedzi okrakiem, może jej się cknić! Czemu nie miałaby i zatęsknić do twojej obecności –

byle ptaszek jej skrzydełkiem w szczelinę mógł zasiać małego grabczyka albo inny dąb, wiatr kropelkę wody wpuścić – a to jakby dynamit w ciele zagnieździł się na lata całe i rozpiera!!

A ty sobie idziesz, prosisz posuń się, daj mi miejsce! i niczym nie zagrażasz Wielkiej Skale! Każda prawdziwa wielkość lubi być grzeczna.

Więc – trzymaj rytm i przypatruj się Skale! Zobaczysz na swej drodze niejeden jeszcze dziwoląg, bo – swoboda tutaj wielka wokół! im mniejsze coś-ktoś, tym raźniej może sobie poczynać. W nieogarnionej szerokości, tylko to wycie wiatru nieustannie ujada i trwoży; niechby sobie i raz już sczezł!

Ale czy mam zostawić to tak? Ja – że tyle mniejszy od tej góry gór, albo że nie zastałem oczekiwanej Ciszy?!

Przyszedłem tutaj pierwszy raz i bez rozpoznania. Ale mógłbym się przysposobić, i na przyszłość –

od niechcenia,

choć może i z przyzwyczajenia, ruszam znów, w wiadomym niby to kierunku, a że wiatr coraz silniej tnie w uszy, to normalne, jakby się wściekał z powodu nieskuteczności! A dla mnie przecież nic lepszego niż przeć się i przeć! I tak niech zostanie.

Idź, mówię sobie, będziesz może miał nowy nieprzewidziany sprawdzian! inaczej – jakże się dowiesz, kiedy kończy się to, jeszcze nie wiadomo co? że w ogóle idziesz –pójdź dalej trochę! nie patrz za siebie! Idź póki możesz – i bądź silny. Masz tutaj do przymiarki wszystko, póki się jeszcze krok za krokiem stawia! Niech wszystko odegra się teraz, z taśmy która może i jest, a tytuł jej SWOBODNY PRZYPADEK.

3

Drzewa, które przeszły w ciszy, nie mają już wagi. Zniknęły gdzieś, jak i ślady, co były przede mną. Im wyżej, tym bardziej robi się ciemno. Czy sprawia to wiatr? Wielka jest siła jego wytrwałości.

Minąłem wielu schodzących w dół.

Aż tu przede mną – – nogi jeszcze w górę się rwące, prące naprzód z rytmicznością wahadełka zegara. To są długie, kobiece nogi. Mogę być pewien, że nigdy się nie zatrzymają.

Oczywiście, jest bardzo wskazane, żeby sprawdzić. Bo ja na przykład to idę sobie bez powodu, ja się waham, a one?

Dla nich ja mogę być teraz – pierwszy zewnętrzny sprawdzian.

Szedłem dotąd bez powodu, teraz idę sobie po coś!

Tam, za Górą, może i coraz większą, kto wie, ile tych jeszcze swobodnych przypadków może się zdarzyć?

A może już tam zaczyna się nie widziany dotąd rejon Kosmosu?

Zasapie się i tak każdy biedaczyna, jeśli na tym, co ma, poprzestaje.

Więc ja nie poprzestaję!
Idę, choćby nie wiem jak harda była taka Góra!
A – Nogi?
Będę miał przynajmniej jednego żywego Świadka!

4

Czy doszedłem, nie wiem. Zdaje się, że być może. Rozmawiałem po drodze nawet z całą tą Obejmą. No, oczywiście Wszechświata. Coś jak kraniec Góry która przeszła w Chmurę, albo i odwrotnie. Dużo lodów nakłada się na tych krańcach. A Nogi, które przed niejakim czasem wydawały mi się niedostępne – już przede mną są, na widoku. (Niepokojąco zgrabne, fakt!)

I pomyślałem sobie – no, już teraz zostaje mi tylko jedno. Choćbym i zlodowacieć miał dla pokazania swej potęgi, co znaczy pokrewieństwa z Obejmą i tak dalej,

choćbym i na proch się starł od tego daremnego wysiłku, co mnie jeszcze czeka – i tak ją dogonię! Pokażę jej swój cel! Mój albo i nasz Cel!! A wpierw dogonię!

Kiedy doszedłem do następnego zakrętu, który wyznacza Skała, rozejrzałem się, Nogi widziałem teraz z tyłu, za sobą. Musiałem je minąć po drodze, nie zauważywszy. Tak szerokie nagle przejście zafundowała nam Skała, żartownisia!

I niech tak już zostanie! powiedziałem sobie, jeśli samo nie ma się już nic stać więcej!

Nie będę po nikogo wracał – i nie będę się przed nikim siłą swoją popisywał!

Pokazałem, że mogę tu dojść i niech to wystarczy! Jak kiedy innym razem dotrzemy na tę cholerną Górę, powiemy sobie jak było. Rozpatrzymy się dookoła. Pogadamy o tym i owym. Jak będzie warto. Wtedy można by też i zacząć niejedno.

5

Przeniosłem się znów. Jestem dość wysoko. Ciągle tylko dość wysoko! A Nogi tuż tuż za mną ciągną się. A Słońce, jakby zdradzone naszą nieuwagą, przewiało się gdzieś, wiatr nagle tak zawył, że może się zbierał tam het, aż od ziemi.

Robi się ciemno. Ale sztuczki te znamy. Nie przeciw takim, co się tu przypchnęli, ale grzmij pusta Trąbo! A rycz a piej! Choć nie wiem po co. Mnie na to nie weźmiesz. Niech nawet wszystko to się wzburzy i prycha, JAK TYLKO CHCE! Nie miałem ja ochoty na początku wracać, nie wrócę i teraz! Ależ grzmij, Trąbonisto groźny! Nic tutaj nie wystraszysz, to dobre na obcych!

Nic nie można widzieć przez zadymkę. W górę ni w dół. I tego jeszcze nie mogę być pewien, że wszystko, co się tu zaczyna – i dalej odbywać się będzie, dłużej trwać w tym jednym stylu: bezwzględnie i uparcie! WYJĄTKÓW NIE MA DLA NIKOGO!

Jeśli tutaj dostałem się ja, dostać się mogła i ona. ONA JEST RÓWNA WSZYSTKIM WIELKIM! Każdemu im wyżej tym trudniej. Tym bezwzględniej poczyna sobie z nami ten niby tu porządek! Cel? jaki tam cel?! Nie wolno mi teraz rozproszyć się na czymkolwiek innym niż przetrwanie.

6

Tylko że jej tu jeszcze nie ma!

Przetrwać umiem tę chwilę! Ale czy wiele dłużej?

Jeśli potrafię uporać się ze sobą, to i jej będę musiał jak najszybciej pomóc. Wiem, wszystko kiedyś mogłoby wypaść inaczej, może i byłoby łatwiejsze.

Skalne zbocze, jakie się ukazało teraz od strony wiatru, w nagłym przesmyku światła, pewnie jest i Nogom widoczne. Może być dla Tamtej znakiem upewnienia, że jednak w zasięgu jest – dojścia do tego co widzi! a nie takie to oczywiste, że dojdzie! Jednak już łatwiej iść, choćby w takiej wiudze, przyjmując każdy fakt jako potwierdzony, niż go odrzucając!

I nie trzeba zaraz się dziwić, że coś nam się objawia – tego wszak potrzebujemy! wdarliśmy się przecież na cudze! A rozum lubi zarzucić wędkę w każdy nieznany przesmyk świata. Znaczy to, że i łączność między nami, i coś, co uchodziło za martwe – teraz jakoś jest możliwe! I prawie wszystko to znaczy, że życie, nadzieja i zamiar, nie opuszczają tak łatwo żywych! Wszystko zdarzyć się może! Niech no tylko wejdziemy kiedy w otwartą przestrzeń – niech będzie ją widać, niech w ogóle jest!

Teraz to już wspólny nasz cel! Jedyne zadanie!

7

A wiatr jednak ustał.

Powoli nasłało się i światło.

Wreszcie, jak okiem sięgnąć wzrok nie spotyka oparcia! Taka widoczność zdarza się – może jako wyjątek?

Dziewczyna mogłaby ją odczuć jako anonimową jasność bez kierunku. Ale przecież zostały tam moje ślady!

Mogłaby po nich dojść, choćby tu, odcinek po odcinku.

Aż ją zobaczyłem. Idzie pewnie, jak na piękne nogi przystało, idzie nasuwając się raczej w swych harmonijnych obrotach ciała –na coraz to nową wysokość! sprawdzając każdy nowo osiągnięty punkt drogi.

I doszła do mnie. A z wysokości nieodległego zbocza nasunęła się natychmiast na nas gęsta szarość. Tak zwykle, z bliska, przedstawia się chmura. Ledwo możemy teraz widzieć własne nosy. Ale i to nie jest potrzebne. Stoimy przecież obok siebie – Pierwsze Nogi Śniegu i ja, jej przystawka do gór!

I na tym faktycznym, a zarazem i wyobrażonym, postoju wydała mi się kimś z dawna znanym; z tak dawna, nie wiem od kiedy.

– Już trzeci raz idę na ten szczyt, odezwała się wreszcie, a zawsze jak tylko wyruszę, zaraz mi się pogoda poodmienia!

– Masz rację, tu się tak zawsze odmienia. Choć idę dziś pierwszy raz, ale czuję, że jest tak zawsze!

I spojrzeliśmy w jednym kierunku – tam światło niemal umykało od nas, napadanych znów cielskiem nowej chmury. Zagarniała i światło i nas! Trzeba było ruszyć – wciąż wyżej, a co!

Szliśmy razem, a ciemna ściana Skały pilnowała, byśmy się brońboże nie potracili po tak nagłym rozhartowaniu uwagi.

1987, 2013

Ośmielanie

Żyć i pisać, dopóki jest światło!
Robert Schumann

1

biegłem przez las, właściwie lasek podmiejski, dopiero co wyskoczyłem z domu, w noc, nocować już tam nie będę! i chciałem się gdzieś schronić; była tam jakaś przecinka, niby-droga, ot, dobre na zadomowienie! i zauważyłem, jak żebrak, niby zając, wyskoczył mi sprzed nosa, przestraszony, że mu zabiorę dobytek! albo przestraszył go mój impet, mój widok! ale jaki tam widok może być nocą? bał się, że go wywłaszczę, odbiorę mu coś, na czym spał, albo miał się czym przykryć, choć on. Więc miałem ten impet ze sobą, biegłem donikąd, a może do Gwiazd, które gdzieś świeciły, biegłem, żeby się pośród nich znaleźć! Bo z domu uciekłem! od ludzi –

Widziałem Olbrzyma, pięć razy większą od siebie belkę dźwigał w poprzek drzew powalonych; to był Olbrzym-Mrówka; a przecie i ja chodziłem po linie nieobecnej, przywoływałem ją w potrzebie, chociaż oparcia, z lewej ni z prawej, nie było;

a w *Passacagliach g-moll na skrzypce solo* Heinrich Biber cztery nutki na 64 wariacje przetworzył; można posłuchać, jak w dalekie rejony cię wiedzie, podług zasad porządku, choć łatwo byłoby poddać się wrażeniu już pierwszej –

wrażeniom przypisując sens; burzy dźwięków nie ulegnę za wiele! – oto i moja relacja z Biberem!

W ogólności to niedowiarek jestem; chodzę nocą, rozmawiam nie wiadomo z kim, mówią, że z gwiazdami; a ja pośród nich znajduję przewodnika;

choć chwalę sobie ufność wielce, lubię polegać na innych, a najpierw ich w sobie słucham; z przypadkowych trafień wiele nauk pożytecznych wynieść można!

a gdy kierując się po omacku idę, chcę z kimś kontakt nawiązać, bo lubię pozostawać z kimś w przyjaźni!

zaś poprzedników swoich nie pamiętam; nikt mnie z nimi w dzieciństwie nie oswoił, nikt ze ścieżek kurzu nie zmiatał przede mną; przez życie przewalałem się niby śnieżna kula, ot, z górki na pazurki; a gdy stanąwszy na nogi, natychmiast brałem się za „zaprowadzanie ładu na pokiereszowanym śniegu" –

zawsze też innym dawałem szans wiele, za towarzystwo dziękując, na ile na wdzięczność pozwala nam świat.

Lecz wy, przeciwnicy moi, wiem, że nie doceniłem potęgi waszej; brakowało okazji! bo przecież i z wami chciałem wypełnić los wspólnie!

a bogaczem stawałem się głównie przez to, że okazji brakowało, by was poznać.

– i oto przed wami staję teraz, dalekie Gwiazdy! sam, a przecież z wami już jestem!

i dobrze wiem – o ile trudniej byłoby mi zostać człowiekiem, gdybym was nie znał;

z wami chcę dzielić swoją wiedzę, tak niepewną; gdyż ordynarni ryzykanci nie próbowali tego nigdy –

oni zdolni jedynie, by obedrzeć cię do ostatniego grosza, nie zostawiając nic na przetrwanie;

ja martwię się głównie tym, co zostawił Biber, a poznało po nim paru innych.

2

Wmawiano mi, że cnotą jest być jak inni; więc technikę posłuszeństwa miałem opanowaną nieźle, to żaden kunszt! „bo ty rozkazodawcą musisz zostać kiedyś!"

z nudy jedynie stawiałem wymogi sobie, a zatem i innym; i już jako dziecko wyprawiałem się w świat, by poznać nowe towarzystwo. Bo jeśli cię ktoś zaprosi do towarzyszenia – idziesz! i chciałbyś jak motyl czuć drgnienia wiatru, umieć pofrunąć we wszystkie strony, choćby i naraz! wszak powołaniem człowieka jest być wszędzie!

Lecz i szaleństwem jest spełniać wszystko, co wydaje się spełnienia warte; i być niecierpliwym – tak, by spełniać co gdzieś zapisane jest, choćby w czasie zaprzeszłym!

Było kiedyś potężne państwo, które nagradzało takich śmiałków, działała rzymska zasada *Audates fortuna iuvat!*

Teraz przewagę mają cisi, tchórzliwi pochlebcy, odważnym już szczęście nie sprzyja! starych zasad ludzkość się wyparła.

3

I w poprzek drogi staję. Już zmęczyłem się.

Chcę się przyjrzeć tej wodzie, co w stawie drzemie; posłuchać ciszy!

i patrzeć, jak wędrują linie z punktu a do b, pojawiają się nowe, wszystkie znikają równomiernie –

czyż to nie jest najprawdziwsza, samospełniająca się, wola Wszechświata?

...a gdyby te linie nie zsuwały się do środka?

ba, mogłyby i w ogóle nie niknąć?

kto z nimi spadnie tam na dół, by pozwiedzać głębię, może i potrafi wynurzyć się potem, będzie żywszym jeszcze! ku górze przetransportują go drzemiące na dole linie!

...albo popatrzeć, jak Strumyk po kamieniach twardych pcha się gdzieś, na boki nie zważa, i mknie, aż w Morzu zginie!

przewędrowałem już świat, na bezdroża zapuszczałem się jak ten strumyk, ochoczo! ba, chciałem też i oswoić Góry! od przydrożnych kałuż zaczynając, przez liczne stawy i bajora świata, mknąc ku Morzu – widziałem tyle zjawisk, ile ci się tylko poodbijać w oczach potrafi po drodze!

i korzystałem z pędu wód, w przestworzach stawałem się lekki jak powietrze! bo tam, gdzie wałkują się Chmury – przenikasz sobie hen, aż do Górnego Dna Przestworzy! gdzie nie ma Wnętrza!

... i tu ci wciąż spokojne, jak było na początku, trwają Niebo i Morze; twoim na co dzień przyjacielem Wieczność staje się; i żeby ci tylko czasu starczyło –

a ty jedynie ścieżek wydeptywaczem stałeś się –

chcesz przeżyć wiele i zobaczyć wiele,

bo wierzysz, że nic w świecie nie znika!
a czy także i pamięć twoja mogłaby trwać wiecznie?
zapamięta twoja skóra i węch, jak co nazwać, a choćby i to dzwonienie w uszach!
i nie zdążysz tego przekazać nikomu –
bo nie masz komu –
‚a jak się masz Mrówko?' zaczepiasz,
‚a dokąd tak pędzisz Myszko?' stworzeń jest wiele, i wydaje ci się, że coraz to dziwniejszych!
‚na co tam czekasz, Załomie Skalny, niedosiężny dla moich nóg, nawet i pamięci mojej, niby od powstania świata?'
na wiele pytań nawet i nie oczekiwałem odpowiedzi; wiedzy nabyłem trochę, za to i ufności.
I rozmawiałem ze wszystkim co żywe, i co wydawało się martwe, bo przecież żyło kiedyś, coś pamięta!
a wiem, że nawet i to Morze potrafi się zagapić, z fazy uspokojenia wypaść, we własną czerń się zanurzyć – dopiero wtedy szarpnie cię i w nicość zamieni!
patrzysz tam hen, gdzie już nic nie widać – a nie jesteś pewny, czy tamta Góra zaprasza cię, czy ci grozi? może w końcu ona chciałaby cię przygarnąć?
z tym spodziewaniem twoim jest jak z energią Fal, niby to się samonapędzających, one też pogładzą cię chętnie, przytulą, a potem przywalą do dna otchłani;
więc może i tu, w miejscu, gdzie stoisz, niby to w Wieczność spoglądasz, a nie w samozatracenie?
i tak trwasz pod niemym jej spojrzeniem; przesuwanie się fal bierzesz za łagodną pieszczotę! one w niedorzeczności swojej wciąż zamieniają się; kto wie, może i ciebie zamienią kiedyś, naiwny człowieku, w nieprzegapiacza błędów swoich.
Cała Ziemia niby gaworzy z tobą, aż ci spod stóp umknie jej kawałek,
i ty z swoim pociągiem ku głębi – ostateczną stajesz się ofiarą poznania tego co nierozpoznawalne!
tak jest wszędzie! gdy ty... ku jeszcze większej Głębi pędzisz!
na twoich oczach na moment zawisa Świat w całkowitej swej niewymienialności!

zaczyna się coś, co dawno było,
albo i nie było! a w twoim zamiarze nie staje się nigdy.

4

Myślałeś, idzie się, to i możliwości wzrastają! a ich wiele nie ma, z żywych, jak z martwych nikogo nie da się bezkarnie ośmielić, żeby za tobą poszli.

„Wielkie plany roiłem, wyszło, że nieśmiałe!'

Bo ludzie najchętniej popadają w małość.

A przede mną teraz Kamień, nieporuszalny, stały... pamięć ma większą niż cały ten kontynent –

obok ja stoję – nie muszę już być świadkiem niczego, bo on jest! pamięcią i świadkiem! ja mogę być tylko świadkiem siebie sprzed chwili! by przetrwać do następnej.

Mężczyzna idzie niepewnym krokiem, zauważył mnie, udaje, że wzrokiem szpera między gałęziami drzew; chociaż to grudzień, gałęzie w śniegu

– pan grzybów szuka? uśmiecham się;

pewnie nikt w domu nie chciał go słuchać, przyszedł posłuchać sam tego tu;

– a ja tylko tak, na spacer wyszedłem!

podchodzi Mężczyzna do Kłody koło Kamienia; przed chwilą nie miał zamiaru i zatrzymywać się, wtrącać w tutejszy bieg zdarzeń,

‚zająłbym miejsce w czyichś myślach, planach!' pewnie jest nieśmiały, usprawiedliwia się przed sobą, że tak się oderwał od własnych spraw; a w domu ambitna żonka, chcąca szybko awansować, już i produkcją narkotyków zajęła się, on kaszel ma od tego, tu patrzy na Kłodę, Kamień, i lżej oddycha; ‚niczego z zastanych rzeczy tu nie naruszę!'usprawiedliwia się; a po chwili

‚Chyba tu już zostanę!'

Bo nie potrafi człowiek odczytać swojego początku, początku skały prędzej, a przyszedł tutaj, by myślą dotknąć okresu, gdy Skała była jeszcze może w stanie płynnym, żywa jak on, nim w obecny kształt się wrodziła;

‚jeśli ona nie potrafiła przeniknąć w głąb siebie, to czemu zaraz ja?...'

samotny, niezauważony żył dotąd, ‚a tu przecież istnieję, tam niszczono to, co robiłem, a tutaj jestem!!'

idzie człowiek do Kłody... albo w Góry bo... a kto tam lub tu się znalazł, nie przyszedł bez powodu, i nie odejdzie szybko!

tam zostawia wybudowany przez siebie dom, podług własnego projektu nawet, gustownie urządzony! aż odchodzi – ku czemu?

...gdzie możliwy jest dalszy ciąg, jak to w Przyrodzie bywa, no, w jakimś tam... rozwoju niby!

przychodzi człowiek do Kłody... idzie w Góry bo –

a po kwadransiku nie czuje i zmęczenia!

spostrzeżenia ustaliły się w nim

‚to nie ja jeden przychodzę do Kłody!',

‚niczego odtąd nie będę już zostawiać za sobą obojętnie!', decyduje się, ‚odchodząc, za każdym razem odbierałbym cząstkę sensu czemuś... temu, co zrobiłem!'

‚niechaj już lepiej będzie jak tu jest!'

‚bo w zamian – nie miałbym od jakiego punktu zacząć, no bo i jak rozpoczynać tę, no odbudowę świata?!'

I niech tam rozszalałe Fale w twierdzę Skały biją i grzmią, niech pusto ryczy Morze,

on się nie ruszy, zostaje!

a ja –

5

– spowiadam się tobie, Listku zmurszały, i tobie Pniu, Łodygo, że u mnie to jest, no, jak nigdy dotąd nie było, nie najlepiej!

że już nikogo prosić ani pytać nie warto! że wszystkie słowa przemłócone są, przyrzeczenia były puste, bo liczy się to, co wisi w powietrzu, w co wierzy lud konsumujący miast i wsi, księgowi bogobojni, którzy wszystko wszystkim dokładnie policzą, a potem obwieszczą co i jak? albo nie;

bo każdy naród Wybranym chce być,

i każdy za bluźnierstwo ukarany być musi!

A przyjaciele, bliscy, sojusznicy gdzie?

byli, się zmyli, pozałatwiali swoje sprawy dawno już; teraz są dumni, obojętni, na swoim.

Szczęściem mam jeszcze prawo do tego Strumyka, bo odległy; sam blisko siebie tu jestem, więc przybiegłem! i z większym zadowoleniem – ja, taki naiwniak... a szukam wiedzy do rekonstrukcji świata!

jak Tamten, co na bazie czterech nutek umiał zbudować Całość, i to w 64 wariacjach!

tak i moja naiwna Wyobraźnia nałożyłaby się na to jeszcze, po raz 65., nawet i bez uderzenia w kotły!

by obraz mój, podobny do obowiązku powrotu do...

do istot prostych, prymitywnych nawet, by im się przyjrzeć, a potem porozmawiać!

kto wie, a może i ośmielić?

o, jakeście mi bliskie, Gwiazdy dalekie, wierne!

2007, 2013

Młoda dama, starszy pan

1

Nie, nie wszystko, co występuje odrębnie, jest całością; wśród ludzi za całość pospolicie uważa się dwie jednostki na przykład; dopasowane, długo nieświadome swych braków, nawet i nieczujące niepokoju; że poza nimi gdzieś pędzi świat, oni nic o tym i nie wiedzą;

bo kto do spółki zaliczony, spodziewa się, że i życie nigdy nie będzie mu doskwierać; jest do rozwiązań ostatecznych nieprzygotowany, od decyzji umyka, bo i niezbyt wiele żąda od życia.

A ja tu w swej niezależności mam staż długi, jeśli zaś rolę staruszka mam zagrać, to niech będzie już i zasuszonego, wydatki energii niech utrzymają na poziomie spodziewań, to mniej kosztuje! Byle nie naruszyć proporcji równowagi, tu i mdły duch czasem spotyka rozlazłe ciało!

....a obok widzę dwa fotele wolne, jeden pewnie zajmie ta, co kiedyś dała mi do zrozumienia, że owszem, przestawać z mężczyzną może, choćby i przystojnym, lecz bez wyraźnej różnicy wieku!

a gdy w następny wieczór przywiodła sobie trzydziestaka, ten, nie powiem, ładne buciki miał, ale i przez cały wieczór na nie tylko spoglądał!

‚no to pa, żegnaj mi, nieukochana!' pomyślałem sobie i już na nią nie zerkam; dziś na szczęście wolne miejsce jest między nią a mną, kto przyjdzie?

I niespodzianka nie każe na siebie długo czekać – patrzcie, ach spoglądajcie, jakim zdecydowanym krokiem zmierza ku mnie nie byle ktoś, a prawdziwa ktosina!

ubrana na czarno, powaga! w dodatku młódka! one lubią kontrast, by nim jak ostrzem w oczy ciąć i zdumieć!

a lotna jest jak chmurne niebo! obcasikami podkuta stuka, na to nie ma rady, ponad horyzontem spojrzeń licznych przemyka gładko, no, chmurka! i cień mi robi od świateł ze sceny, ach, *parademarch*!

równiutko już przy mnie jest!

– czy to miejsce wolne?

– owszem, na panią czeka tylko!

nim siadła, na kolana mi się zsunęła z całą tą suknią kotarą, zakryła całe moje nogi!

specjalistka od zaskoczeń? tak akurat wypadło?

suknię w każdym razie mocno zaczepną ma, mimo że uchyliłem kolan na czas – nie uniknąłem jej ciężaru! środek ciężkości zawiesił się, czy w przewidzianym? punkcie – bym poczuł nad sobą władzę jej (ob)ciążenia!

aż i materia sukni ode mnie oderwać się nie może! przyleganie jej silniejsze niż moje odpychanie;

‚zostanie tak przez cały koncert?'

a ten może się zacząć tuż tuż,

a ja chciałbym choć trochę rozbroić tę bombę wełnozaczepną, rozbroić jej nie umiem; już może i pogodziłbym się z tą kanonadą spojrzeń, jaka na mnie spada, niechby przynajmniej ci z orkiestry tak zaczęli grać, a przestali się cieszyć samo się wgapianiem! bo już się domyślili, że to stan wyjątkowy, chociaż koncertu aż z tak ważnego powodu się nie odwołuje!

spora część widowni niby to siedzi równo, ukosem tylko patrzy na nas, lecz tej przylegliwości spojrzeń jak praw fizyki odwołać się nie da, spojrzeń choćby i zawistnych, to przecie obok ich zainteresowania sztuką!

Ona się nie rusza, ja nadal siedzę, sam nie udźwignę jej i tej sukni, w ogóle w tej sprawie nic nie da się i zrobić! nawet gdy zaczną grać, hałas orkiestry nami aż tak nie wstrząśnie; zresztą sąsiedzi, choćby i do końca koncertu będą gapić się tutaj, to dla nich tak zrozumiałe! bardziej niż muzyka.

A jako wtór do wciąż spodziewanej muzyki – może już przyszło im na myśl zaskarżenie mnie o naruszenie praw człowieka i obywatela? z powodu... czego?

aż tak skutecznego klapnięcia na!

ale to jej, nie mojego!

Gdybyż to choć raz poskoczyła w górę z wybiciem się! może i coś by się udać mogło!

ale między nami jakby takie nieme porozumienie zapadło, pominąwszy pretensje o brak ruszalności, że...

paluszkami palców po bokach znów swą kotarę ujęła – i szarpnięciem ostrym oderwała znaczną jej część od mych kolan! choć to rozwiązanie niby dość ryzykowne, bo resztą siedziała nadal ni na kolanach, ale próba była! a przy powtórzeniu... jednak to stary, znany prababkom sposób, musi się udać! więc i przyszło jej na myśl już to i moje i prababek wyjście, bo młódka dość pomysłowa okazała się, jako i dość inteligentnie zbuntowana, więc z tradycji naszej wspólnej czerpie, ciągłej! a tu powiedzmy, że własnym geniuszem odgadła, że suknię się nosi nie tylko na sobie, lecz również w garści! i za którymś tam razem, z furią oczywiście, szarpnęła tak, że udało się!

i wypadło lepiej niż na pokazie mody!

na co dyrygent machnął patykiem tak nagle, że jedynie sekcja smyczków, choć zagapiona na nas, się nie spóźniła.

Nie wiem, jak zdałem egzamin ja w roli bohatersko biernego świadka (dziś wszyscy bohaterowie są bierni, nie zasłużeni w niczym!) – jednak to ja wytrwałem krzynkę dłużej, by *spectaculum* się wypełniło; i dumny się stałem jako wybraniec, losu? przypadku? jej samej?

w każdym razie rozpoznałem w czas, kiedy waga nade mną zawisła, a potem i z wytrzymaniem wszelkich prób odwisła,

choć zazdrościło mi z pół widowni!

Gdy orkiestra zaczęła grać, sąsiadka natychmiast wyładowała obok moich kolan torbę z medykamentami, okazało się, że ma katar, kaszel, a może i coś gorszego! toteż wygrzebywała coraz więcej tych przedmiotów na, a chusteczki nijak, gdy z jej rzężących płuc bogactwo się wysiąkało;

zniosłem cierpliwie te okoliczności, jedynie strzegąc gorliwie swej wstromionej w butonierkę śnieżnobiałej, pozostałem przecież tu w roli obserwatora, i to niechcący; a mimo że ta rozkaszlała się kilkakrotnie, koncertu nie przerwano; zapobiegawczo zdążyłem szepnąć

– to może być grypa?!

– nie jest zaraźliwa, pan nie myśli!

odparła gorliwie, więc i obawy moje wzrosły;

dla bezpieczeństwa postanowiłem już nie otwierać ust, niech i ona sobie pożyje dłużej, a moje dobre myśli może ją uspokoją!

Zaczęły się brawa, ta część koncertu dobiegła końca; na widowni zaczął się gwar,

– ...skąd pani wie, że nie grypa? lekarz powiedział?

spojrzeniem ofuknęła mnie, poparła siąknięciem nosa, mokrą chusteczką go przytarła, i nic.

Kiedy orkiestra znów zaczęła grać, pomyślałem skruszony, ‚więc nie ja! niech choć ta muzyka ją uspokoi! będę niemo myśli wspomagające jej słał!'

a orkiestra nabierała werwy, na przejętej sali zapanowała cisza, ludzie lubią tak się oddać bez reszty czemuś Większemu, Lepszemu, uleganie Muzyce jest szlachetne na tyle, by już z innymi za wiele nie współ-czuć!

A tymczasem Ta zaczęła gorączkowo przewracać kartki programu, na dowód, że się włącza, że też jej się podoba! gorliwość wielką ma – tylko konkretnie dowiedzieć się chce, co to? i dlaczego ją wzrusza? bo wiedzieć to musi!

nim zdążyła wyczytać, znów nastąpiła przerwa; a Ta zaczęła się rozglądać, w oczach sąsiadów szukając podpowiedzi, bo nie znalazła jej w programie;

który bezbronnie spoczywał na jej kolanach,

– czy mógłbym?

zrobiła minę, jakbym ją w ucho albo i w nos jednocześnie ugryzł;

– chciałem tylko sprawdzić, kiedy to zostało napisane! ...no, to czego pani tak pilnie, choć przez krótki moment, słuchała!

– ależ ja tu nie jestem dla pana!

– i pewnie! ale czy pani... ma coś lepszego do roboty teraz? oprócz siąkania powiedzmy, chociaż i to woli pani robić podczas koncertu! a jeśli to uczuleniowe na muzykę? mam nadzieję...

‚czemu starsi faceci są tak marudni!' odczytałem tę delikatną myśl z jej oczu, w ogóle z dziwnie wykrzywionej twarzy;

– ...bo jeśli ja panią uczulam, to gotów jestem opuścić to miejsce! uniosłem się podwójnie, bo i trochę fizycznie przy tym; Ta tymczasem zajrzała, z własnej woli, do programu i

– ...w 57!

odpowiedziała na dowód przełomu w sobie;

‚jednak żyje w niej prawdziwy duch! może i artystyczny! ach, jak ludzie bywają uczynni przypadkiem!'

‚lecz niech już sama przetrawi swe myśli podczas długiego milczenia! ja skupię się na muzyce!'

i wyciągnąłem z kieszeni karteczkę, zacząłem coś kreślić drobniuteńko;

zauważyłem, że mi zerka;

ja nie zerkam na nią wcale – a ona na mnie! potem oburzona będzie, że ja na nią nie zerkam, za brak wzajemności!

drobiłem słowa jeszcze bardziej, nic z tego w końcu i sam nie będę mógł odczytać! lecz jeśli ją to tak interesuje – to proszę, oto pomoc! jestem obok... aby nie zmarnowało się nic w głowie, z powodu nie(do)rozwinięcia w formie niezapisanej lub niedomówionej;

a choćby i niedoczytanej!

i dla równowagi zanotowałem coś czytelnie;

– jest pan krytykiem? szepnęła, gdy skończyli grać, a ja pisać;

więc już nie stary, nie marudny, bo krytyk!

– w moim wieku – krytyk? dawno już przestałem nim być! notuję ot, co mi do głowy strzeli! czasem się to przydaje, wie pani?

nie wiedziała, zmilkła, znów słucha;

i nie było już napięcia między nami;

– a o czym pan pisał, jeśli...

– ależ tak! jest trochę spraw, o których człowiek rozmyśla czasem; rozważam wie pani, zapisuję, takie ot, przyczynki do losów świata; i ludzi, którzy należeli do całości, jak naród, ludzkość, albo i coś więcej! nieraz to muzyka obejmuje wszystko! i myślę, wie pani, o takich frajerach, co ryzykowali życiem, przez Karpaty szli, przez Alpy potem, tysiącami przedzierali się, choć wcale im nie za ciasno było u siebie! szli by dołączyć do innych! coś udowodnić! przedzierali się, by walczyć, za siebie, i za tę swoją całość!

– to wszystko z muzyki tak panu... do głowy strzeliło?

– tak! ale pisałem tu i o żabach, i ptaszkach, z dzieciństwa mi się przypominały;

– usłyszał pan w tym, co grali, również żaby?!

– a czemuż by nie!

– pan widać przyrodę lubi! ale ja też! i muzykę, bardzo!

– nie zauważyłem tego po słuchaniu!

psssyknęła jak kotka;

i poprawiła się, głęboko w fotel zapadając, głowa jej gdzieś zleciała, poniżej włosów, ramion, cała się skryła w tym oburzeniu może, i woalu włosów! wyglądało, że jej całość dobrze utrzymuje się w tej pozycji;

i ja miałbym ją z siebie... ze środka tak wygodnej pozycji wyciągać?

– ...ależ i owszem, siedziała pani dłuższą chwilę cicho, to potwierdzam!

‚czegoś więcej chyba się po mnie spodziewa!'

Po kolejnym utworze, wśród przedłużających się braw

– czemu pan nie bije brawa?

– a już biłem, nie słychać było?

– taki oszczędny!

– biłem mocno i wyraziście, nie musi być długo! pani tak nie umie?

– a... co pan pomyślał o mnie... na początku?

– ja nic... chyba – że jest pani że jest paniusią! no i zacząłem sprawdzać, czy rozmawiać pani umie;

– a co to jest paniusia? czy paniusizm?

– to takie uperfumowane myślenie, z przewagą rzecz jasna perfum... no i domieszką antymonium zazwyczaj...

– ależ ja nie...

– myślę, że nie! ale to takie starsze słowo; w moim pokoleniu mówiło się raczej lalunia!

– a lalunia to niby...

– może jak wasze dzisiejsze, też na la... wstydzę się powiedzieć! dla mnie to bardzo brzydkie słowo, część ciała, męska!

– ach to!

– a skoro tak sobie mówimy – to może napomknę, że owszem, podoba mi się pani! w następny piątek też mógłbym przytrzymać sobą to miejsce!

roześmiała się – już zdrowa, bez uczuleń!

– no, ale na początku myślałem, że pani jest paniusia!!

2

Salwy trzaskających krzeseł, byle zerwać się w bieg do szatni; przeżycia artystyczne publiczność wyraża nogami.

Wskazałem Tej drogę między rzędami pustych krzeseł, przesuwaliśmy się wolno, choć znacznie szybciej niż samoblokujący się tłum;

dopiero idąc już za nią – ,ach, kogo ja tu prowadzę!' doceniłem bardzo, omal się nie zakrztusiłem, widząc Tę przed sobą!

,to moje też najsilniejsze dziś wrażenie... melomana!'

z tą figurą, długimi plecami, całość prezentuje się wyśmienicie! wśród tysiąca kobiet tu obecnych żadna nie równa jest Tej! a przed chwilą jeszcze o tym nie wiedziałem!

...i nie anorektyczka, żadna tam chudzina!

...bez śladu otyłości przy tym!

...matka Natura rzeczywiście wywiązała się z zadania! och, gdybym bardziej wierzącym był, choćby i katolikiem, zaraz tu, na Całe Niebo ryknąłbym:

„Ta jest postanowiona odrębnym aktem stwórczym!"

ale Nieba tu nie ma, jest sklepienie sali; nie ryknąłem, a Ta, o proporcji zachowanej, przekonywała mnie wciąż, ach, bardzo! i nie tylko mnie;

odwróciwszy się, zaczęła niby się usprawiedliwiać

– niech pan nie patrzy, mam na sobie kapok, nie zdążyłam się przebrać, prosto z biura – –

– kapok? to się raczej zakłada w górach!

– na nartach w Szczyrku byłam, a pan myślał, że co?

– brawo! to i przeziębienie się złapało? a ja od początku myślałem, że pani jest paniusią! kapok mi się podoba, pasuje... i do wypełnienia!

– zgryźliwiec! nie wie pan, co naprawdę znaczy kapok?

– no, teraz trochę widzę, że to do nart!

i by za myślą zdążyć,

,ach, umiałbym ja cię docenić, jak nikt z tej sali! i w inną całość poprowadziłbym cię! byś zrozumiała, że ty i ja mamy prawo mówić o całości! nie jak najbardziej dobrana para, ale!'

ale na głos, rozsądnie,

– pani to sobie myśli, że za młoda dla mnie! a wszystko jest... no tak sobie! bo w życiu, widzi pani, ważne jest nie to, co się wie, że ważne! lecz bardziej to, co bywa ważniejsze! a tego się dowiedzieć można, spoglądając w przyszłość! jak stamtąd będzie kiedyś coś wyglądać! bo jeśli kobieta zrozumie mężczyznę...

– pan myśli...

– cóż ja? kobiety wiele mają zainteresowań, nie muszę się pani podobać... ale i bywa, że coś przechodzi w inne coś! tak jak w muzyce powiedzmy! bo ja... chcę pani dać uspokojenie na koncertach!

– a co będzie pan robić teraz?

– ja? jadę na Ursynów... podwieźć panią?

– tam właśnie mieszkam! ale muszę tu jeszcze wpaść, gdzieś po drodze!

– to pewnie i ważne bardzo, wpadanie po drodze!...

‚dziwne przyciąganie i odrzucanie, z obu stron! och, średnią to mielibyśmy...!'

– wie pani? ludzie wspinają się na szczyty, bo się natrudzić muszą! ale co beznadziejne na początku, to potem –

gwar tłumu ucichł, głosy zamarły,
tłum zniknął;
podniosłem oczy –
nie byłem już jako uczestnik czegokolwiek,
byłem sam,
a Ta – *gdzieś tam po drodze wpada*!
lecz jakbym i poczuł się częścią, to czegoś więcej...

przede mną smukła stała, chłodna z grupy Jońskich; patrzyłem w milczeniu, a ta, zwykła kolumna, cedzi mi lecz dosłyszalnie

– pod Termopilami tam, czy pod Solominą, nasi bohaterowie w bitwach ginęli, było ich wielu! a ty tu widzę, że kończysz walkę na stojąco, mój Drogi, uznanie!... będą i przed tobą *aporia* liczne, bezdroża wśród groźnych zjaw... masz chwilkę?

‚wiem, z tobą to może trwać i wiecznie!'

luty 2011

Rozpalc oraz chłopiec imieniem Deg

To co jest ale nie znalazło wyrazu,
niewypowiedziana myśl lub uczucie
hamuje dalszy rozwój umysłowy jak i uczuciowy –
ciąży nad tym, co się jeszcze nie narodziło.
Henryk Elzenberg

1

Obnażony do pasa idzie, boso, nie śpieszy mu się; ostrożnie, bo rozgrzany piasek parzy; aż tu ktoś w buciorach naprzeciw staje, niby właściciel drogi, pewnie myta chce! a zadowolony z siebie jak!

– grzybów nie uzbierał nic, ani trochi? tak tylko łazi?

Obnażonemu do szczęścia nic już nie było trzeba, bo idzie, przesuwa się, a przesuwaniu ręką sobie wtóruje; ręka z rozcapierzonymi palcami łowi wiatr, nałowił go tyle, że i dla każdego natręta by starczyło!

a ten z rozdziawioną gębą naprzeciw staje, dumny, że nie zszedł z drogi, i do ostrzejszej zaczepki gotów!

zaś Obnaż-Rozpalc nie po to tu sobie stóp ledwie nie sparzył, by go zatrzymać byle kto mógł, i to jeszcze taki jakiś, lebiega! wolałby już na Rozstaju, przy Brzozie pobyć sobie, ją spytać, o czym tak szumi?

– to i co, uzbierał czy tylko tak łazi sobie?

– chodzi a nie łazi! wycedził przez zęby łowca powiewów, nie zaś upalnego zaduchu jak tu, na postoju, gdzie wietrzyk gości rzadziej niż fatamorgana;

– ...a jakby na ten przykład przy samej drodze grzyb siedział, to co – nie weźmie jego?!

– a weźmie, tylko wpierw sprawdzi, co za grzyb!

– chi, a żeby sprawdzić, to i wyrwać wpierw musi, jaki tam on? obaczyć!

– wyrywać nie wyrwie, jedno okulary na nos włoży!

– ot, jakiż to!!

Niby już zachwycił się Nieznajomym ten byle jaki, Stojak, tamten własne sposoby ma, i nie dla niego one! bo i co z nosa zdejmie, jak okularów ni ma! trochi i zawstydził się niechcący, że temat mu się zbyt szybko skończył, do bydła, do pojenia wracać trzeba! a Rozpalc już jakby zadowolony, że natręt go wreszcie odstąpi...

ale i Byle nie myśli tak wcale, tylko nogami w ziemię mocniej się wparł, szeroko rozstawionymi; on tu na swoim, w przybysza gapić się będzie długo jak zechce, na swojej ziemi!

‚No to niech i stoi, ja idę!' myśli sobie Rozp,

– przede mną kawał drogi!

i niby coś zamruczał pod nosem, nagłym skokiem w prawo wyminął Stuja; tamten aż się zdziwił takiej szybkości! chciał mu podstawić nogę, nie zdążył, i jak jaszczurka po urwaniu ogona żyć będzie, Rozek ledwie trącony uszedł, niedosięgalny teraz i dla torpedy,

bo do Niewiadomego Świata mknie;

a kierunek ma wedle zasady ‚Nie zostawaj dłużej nigdzie więcej niż musisz, bo przed jeszcze jest cel!'

i była to godna każdego pędziwiatra reguła, miejsca zastane bowiem służą jedynie temu, by nie czekając iść dalej!

tak za swym pięknym złudzeniem RozcPal podąża, choć czasem może i wolałby na polanie gdzieś zostać, poddać się usypiającemu działaniu rozpasanych tam widoków;

lecz wszystko już niech tam zostanie jak chce, samo z siebie!

Kiedy drogą zmęczony już był nieco, odsapnąć chciał gdzieś albo się zdrzemnąć,

jednego nie wymyślił jeszcze:

jak przesuwać się przez ten świat, kiedy już nogi posługi odmówią –

linearnie przeć dalej?

siłą woli jedynie?!

Znużenie normalna rzecz; dopada cię nie wiadomo skąd i kiedy, jak to na skraju drogi gdzie, gdy las kusi, nagroda za wytrwałość się należy, to i w nim by został!

wierzyło mu się jeszcze, że jakaś go nagroda czeka! gdy ty nie zważając na nic musisz wciąż iść i zwalczać tę grawitację ziemską;

a choćby i na góry wysokie wspiąć się udało, choćby i pomniejsze znieść przeszkody –

RozcPal ani myślał grzęznąć za długo w piasku; wiele już takich scen widział, gdy jacyś, niby na chwilę, na poboczu drogi się zatrzymują, aż w ospałość wpadną, może i wieczną!

on ze swym złudzeniem, przecież pięknym, już tyle naobnosił się, że sobie zastygnąć w czasie brońboże nie da! czas teraźniejszy albo przeszły – nie za bardzo dobrane to towarzystwo, żeby w nim zostać;

on wielu już i pułapek uniknął; idzie tam gdzie się patrzy, krok za krokiem jakby wrastając w drogę, trzeba go jedynie wyrwać z gorąca piasku wreszcie i przeć, przeć póki starcza sił!

inaczej wrośniesz w przypadkowy pejzaż,

a cokolwiek wskazałbyś tam innym bywalcom drogi, będziesz dla nich i tak tym z pobocza, co zostają; a tobie samemu trzeba zobaczyć, jaka to być może dziwota skrywa się na końcu tej marszruty!

na to ma cię stać jeszcze, by o odmienności, dla której wyruszyłeś, nie zapomnieć!

co gdzie zastałeś, poznaj i idź dalej, wspomnienie jedynie zostawiając w tym miejscu; choć to nie ono zdecydowało o tym, gdzie jesteś, i jaki jesteś –

a dopóki się idzie, każda polana leśna, każda przestrzeń bezdomna cię słucha, nawet i te i najdalsze dotąd stają się przychylne; więc już tam każdy odcinek drogi może być gotów, chce cię do swoich tajemnic dopuścić, odsłonić je przed tobą.

Lecz ty nie zamierzasz tam zostać!

inaczej mogłaby ci umknąć sposobność zajść jeszcze tam, gdzie inny świat zechce ci ze swoim czymś ważnym się objawić!

dziś może i piasek parzył mu stopy, Rozcpal grzązł w nim – ale bo piasek to materia do iścia, najpewniejsza w świecie!

A kiedy zmęczył się już Rozcap Pal na dobre, pomyślał, że warto być może i na inne czasy rolę stworzyć sobie, na te, które nadejdą albo i już są;

‚jeśli tylko dotrzesz tam, gdzie nie dotarł nikt, pomocy tam od nikogo nie zaznasz!'

także i stąd, poza granicami widzialności świat zdaje się zapraszać w gościnę, ba, może sam skądś do ciebie przyjdzie, choć nie jego to rola na co dzień, lecz może tam być jakaś wydzielina z reszty bytu! ona się odzywa się i wychodzi do ciebie!

i nie zapyta bynajmniej

– a grzybów nic nie uzbierał!

– po co tak daleko szedł?

lecz może zapytają ludzie,

– a czemu zapasów ze sobą nie zabrał?

– dla siebie tylko ma?!

– a czy stronników żadnych po drodze nie zebrał, tu nie przyprowadził, czemu?!

2

Szedł, aż zużył wszystkie siły.

Niby wysuszona grudka gliny teraz jest,

drogi powrotu nie pamięta;

zresztą i po co gdzie miałby jeszcze wracać?

i żadnych słów-zaklęć na-coś-tam nie wypowie, a dla aktualności wszelakiej zwykła pamięć to jedynie powój do zaistnienia w naoczności, niczemu innemu nie chce służyć.

Rozcp miał wątły domysł jedynie, wątły domysł zdania –

‚żeby coś wziąć, choćby z najlżejszego zachcenia...'

to było przykazanie woli, przyswoił je sobie kiedyś,

‚stwarzaj obraz upragniony, być może z powierzchni zjawisk wyłoni się kiedyś, sam, jako najważniejszy, a inni go uznają!'

za sobą jakiś szept słyszy;

– ...a którędy tu droga, żeby iść dalej?

grupa ludzi stoi, chciał odpowiedzieć im, lecz on i dla siebie już zapomniał...!

sam z podobnego miejsca wyszedł kiedyś – a oni w tym kierunku poszli!

spojrzał w inną stronę – Górę widzi, dość stromą;

‚jej tu nie było kiedyś! specjalnie jakby przede mną wyrosła – w taki upał! lepiej wpadnę tu zimą!'

‚wierzyłem w możliwości miejsc, wyjątkowych chwil, nowych ról dla siebie! a teraz – mimo nowych miejsc, już bez wrażeń, jak w ciemności błądzę!'

W oddali zobaczył dom: chciał tam iść, lecz okazało się, był sam już na skraju niemocy, a nawyk iścia, szczęśliwy traf już nie zadziałał... prędzej by go powalił w tym miejscu.

Ściemniało się. Niebo chyliło ku gęstniejącej nocy;

nieopodal zauważył Chłopca, który podobnie jak on, stał w ziemię wryty; ruszyć się nie mógł, do tyłu ani do przodu, jakby skądś na odpowiedź czekał pilną;

może od gwiazd, które tu za chwilę się pojawią? już-już wyraźniały na niebie;

albo od czarniejszych z minuty na minutę chwil, które z niemym dźwiękiem przysuwały się coraz dokładniej rysując Przestrzeń niewidoczną –

w tło wtopieni, szarzejący z wieczorem, od znieruchomienia prawie już niewidzialni, stali jeden i drugi

Chłopiec, dopiero projekt człowieka, mógłby być choćby na jotę bardziej nieustępliwy niż on!

trwał, jakby się spodziewał, że za chwilę i jemu świat objawi się pełniej, a wtedy on całym sobą odpowie – tej Nieosłoniętej Reszcie!

kiedy Rozcpl się zbliżył, ujrzał, że Chłopiec ma bajecznie piękny sweter na sobie; z kolorowym napisem DEG; Rozcpl i nie potrafił wyobrazić sobie, że ktoś na świecie może nosić tak szykowny strój!

podszedł całkiem blisko, Nieruch zdziwiony aż drgnął,

– czego potrzebujesz?

Rozc jak starego znajomka się spytał,

wtedy Chłopiec z napisem Deg wyraził natychmiast swoje pytanie –

gdzie też on radzi mu iść?

Rozcp zdziwiony... przecież i tamten piechurem jest, piechur może iść wszędzie!!

na to Deg dopowiada, że z nim chciałby iść!

prosi go, a nawet żąda, by go poprowadził!

– po co ci? już zapada noc, iść o takiej porze... zostań lepiej tu, na pięknym brzegu zjawisk! gdzie i zabudowania widać!

– ...tak samo pięknym, jak twój wyborny sweter, Deg!

– och, chcę, by mnie pan poprowadził! odpowiada Chł!

– bo ja już tu zostać muszę, nie mam sił!... a ty, jeśli musisz, nawet o tej porze... idź! pójdziesz własną drogą!

Dega przerażenie ogarnia, drętwieje,

– ależ ja... sam nie wychodziłem nigdy z domu!

– a z kim wychodziłeś? ile masz lat?!

– z Matką! siedemnaście mam, a ona wyjechała...

– więc i twojego świata nie ma jeszcze!... nie pierwszy to raz... nadopiekuńczość... tam w drodze coś ciekawego zawsze znajdziesz! nawet teraz! nocą!

Chłopiec wierzyć nie chce, ani odejść;

– widzisz, ja zawsze chodziłem sam... daleko też nie zaszedłem... ale ja świat znam! już kończę swą drogę; a ty – zajść możesz daleko, jak najdalej!! zawsze coś się zdarzy!... życie nie może być więzieniem!... idź! a jak wyruszysz, to najpiękniejsze Drzewa pójdą za tobą! i kwiaty! tylko że teraz jest noc! a jak zostaniesz, to i tu nie zapuścisz korzeni, idź!

Deg przemowy nie słucha –

– ja ci rozkazuję, Deg! zrób parę kroków sam, upewnij się, ty potrafisz!

Chłopiec zaczyna trząść się, nerwów opanować nie może;

„... ja ci nie mogę tu dać nic, ni tego, czego nie mam sam!"

miał go już odstąpić RozcapPal, aż poczuł jego przerażenie;

– musisz się stać jako Strumyk szemrzący, jako Rzeka, gościnna dla wszystkich! która coraz to nową przestrzeń zagarnia, jak Morze, do którego one wszystkie dążą! idź, poznasz ich siłę, swój cel!

...idź, każdego ranka będziesz mógł wymyślić coraz to inny cel! idź, swój lęk przemienisz w trudne powołanie!

marzec 1988, 2006

W ZAGIĘTEJ PRZESTRZENI

1

Ten dzień jak się wyłoni, to nie z okolic ciemnych nocy, lecz dla kontrastu z chłodnego ranka, a potem upał bierze sakramencki. Także i ty, zanim wpadniesz w sam środek wydarzeń, pod działanie sił – jako bierny obserwator, i nie masz wiedzy żadnej...

miałem wtedy nie więcej niż trzy lata; na podwórzu widziałem egzekucję na jeńcu wojennym, Bogu ducha winnym Sowiecie; kazali mu biec i zanim w las umknął – padł od strzału;

więc mam żołnierzem być, żeby strzelać? lepiej poetą, lotnym jak motylek, on strzelać nie musi, a i w niego samego trafić trudno.

Poetą jednak nie zostałem z powodu nadwagi; a i niebawem zrozumiałem, że są w życiu pilniejsze sprawy. Nieraz przypadek urządza człowiekowi życie.

Gdy pierwszy raz znalazłem się w górach, wdrapałem się na szczyt, nie najwyższy w okolicy, lecz pomyślałem odrazu, że i dalej iść chcę, ba! może i frunąć! rezygnowałem w ten sposób z miażdżącego wysiłku – lecz nie ze zdobycia Góry! doświadczenie podyktowało mi swoistą logikę odpowiedzi na warunki, w których się znalazłem.

A świat otwiera ci się, człowieku, sam – gdy w zachwycie stajesz, bezradny!

albo też butny, i liczysz, że więcej już nie będziesz musiał spodziewać się pomocy od reszty świata;

kiedy poznasz kogoś, i pragniesz, żeby się otworzył albo i zawrzeszczał z radości na twój widok, niby dziecko za pierwszym odwinięciem z pieluch, które znienacka łyknęło taki natłok Przestrzeni, że dziwi się, iż komuś chce się nowe strony świata otwierać! –

cel życia odkrywa się czasem przez zagięcie – jeszcze dotąd niczyjej sfery.

2

Ostatnio coraz częściej czuję, że otaczająca nas przestrzeń tak zwiera się konsekwentnie, że aż dławi.

Dwoje ludzi, niemłodych już, Zelma i ja, kuśtykamy po parku, co drugi krok zatrzymujemy się, odpoczywamy, potem ruszamy dalej;

– a to drzewo to malował mój ojciec! powiada Z.

– a ty go jeszcze nie?

ona tylko Słoje pnia maluje, nierozpoznawalne nawet jako drzewo; taka jest ta Zet;

– a sztuka rozwija się, idzie naprzód – a ty? dogaduję Zet. I wciąż zastanawiam się, czy by ona nie powinna za innym przeznaczeniem pójść? mogłaby coś przecież i z siebie wykrztusić, i podarować ludzkości! niech zostawi te słoje;

– nie będę się rozpraszać! odpowiada zawsze; i gdy coś mówię do niej, jest zwykle tak, jakbym już i nie mówił;

– ...a gdyby jednak twój ojciec nie był malarzem – to kim ty byłabyś dzisiaj?

tak się niby jej czepiam, ona o abstrakcji myśleć woli. Wyobraźnię niby to na słoje przenosi, one stają się pod jej ręką – już coraz bardziej abstrakcyjne!

i tak każde z nas maluje inny obraz; ja Zelmę, a ona to, co ja chciałbym namalować dla niej –

kuśtykamy, tylko nam Wylizus mignął z daleka, on sąsiaduje z nami i z bliska, na obiadach; jest na antypodzie do Zelmy, wszystkim by tylko zazdrościł władzy, i z tego powodu przeciw światu się zbuntował, bo ani sam nad sobą, ani nad światem władzy nie ma!

‚oni tylko udają, że są lepsi ode mnie!', myśli sobie, kiedy nie udaje, że myśli;

a gdy milczy, to jest jakby i myślał cokolwiek, to pewne.

Swój gruchot, ot, szczyt gruchoctwa, czyli swoją pordzewiałą skodę postawił dzisiaj przed pałacem – niech ją inni obejrzą, niech pomyślą „ach czyjaż to, czyjaż?!" a on w tym czasie obiad zacznie sobie jeść spokojnie, czyli żreć, siedząc naprzeciw Z. i mnie, i strasznie musi się przy tym jedzeniu nasiorbać; gdy w jego ogromnym mieszku wszystko się kisi, zdobyczy w nim tyle, że i dla całej kolonii mrówek byłoby zadość na rok; a jaką to on twarz ma! że też i Zelma nie zrobi mu portretu, to cud! ja na jej miejscu... byłby to pożytek, uprzedzający ludzkość przed nim! bo on i wygląda cały, jako okaz przeciw ludzkości! z workami jak sto pudów pod oczami! z tłumem niewygaszonych emocji w oczach i wzgórkami pryszczy na tej niby-twarzy! on przecie i do wolności zbudził się już i chce istnieć! z samej tęsknoty do nowego stanu ledwie nie uschnie! od piątej rano po to tylko dokucza sąsiadom, żeby się dowiedzieli, jak żyje on! już niby to w słuchawkę krzyczy, „wstawajcie, bo ja już nie śpię!"; po klatce biega, a i śpiewać po drodze lubi sobie – bo słuchu przecie nie ma za nic! ale to dla ludzi robi wszystko, wszystkiego dla nich pragnie!

na ulicy każdemu swe przewagi wykrzyczeć zdąży, i wiekopomną krzywdę, że ominął go wybór do rady zakładowej najpierw, a teraz na posła albo i na prezydenta!

i w dowód tego naprzeciw Zelmy do obiadu siada, siorbie, aż się naciamka, na końcu talerz do białego wyliże! i któżby ośmielił się go krytykować? nadwrażliwa Zelma? kto powie, że taki naturalny cham z tu artystką, damą bądź co bądź, nie pasuje ani się nie uzupełnia; w jednej przestrzeni się mieszczą, a są! w zagiętej!

3

Jako świadek ośmielam się mimo wszystko chcieć przedłużyć tu swoje trwanie; dzwonię do możnych tego świata i ludzkiego losu, powiadam, że chciałbym wyłożyć wszystkim swój własny, zarodkowy plan – no, w ogóle Ideału, do którego zmierzam!

a ten Ideał uzdrowi ten Przypadkowy świat, wyszykuje go do naprawy generalnej! a skoro ja, to i inni mogliby... i odwołuję się do Ludzkości, choć to w dobrym tonie nie jest; nikt nie chce słyszeć próśb, gróźb czy spodziewań złych wieści;

ludzie głuchną natychmiast! za wszystko już im wystarczy i szczekanie własnego psa;

więc nisko spadłem ja w tej próbie naprawy ludzkości, wczoraj nie miałem gdzie zanocować;

i pomyślałem o Zelmie, ma trzy pokoje z kuchnią, mieszka sama; a ta zamiast odpowiedzi tylko zadzwoniła pierwsza do mnie, pyta się – czy aby ten piesek co o nim w moim opowiadanku wyczytała, to ma się dobrze? jak takiej odpowiadać!!

albo czy ta rosochata sosna – to tam stoi gdzie stała? bo rosnąć jej już chyba się nie chce?

a kiedy napomknąłem...

– zadzwoń do Hotelu Bristol, tam chętnie cię przyjmą! jesteś artystą przecież, artysta póki żyje, sam wiesz, rachunków nie płaci, jedynie poprzez wieczność rozlicza się! albo po prostu wieczność sama za niego! tam, jak im powiesz, dodaj jeszcze, że co jak co, ale że i poniżać artysty nie wolno!

‚ludzkości też zresztą!'

a przecież to się robi od początku świata.

Zadzwoniła i inna z bukietu moich cennych przyjaciółek, Zośka; ona mieszka daleko, jest doskonale zabezpieczona przede mną; zwykle dzwoni by mnie pocieszyć;

– a ty się nie martw, powiada, człowiek jak ty, czy nawet jak ja, to dawno już jest wrakiem, i nie powinien się martwić czymś dodatkowo!... my wszyscy dziś jesteśmy już wraki! poprawiła się.

Ona mnie pociesza, bo mądrości swojej nie ma z kim przećwiczyć, korzysta ze mnie znacznie więcej niż ja; a że delikatności jej brak, to jest jak ta konstrukcja nośna, z której by można się dowiedzieć, kiedy budynek się zawali! i tak, bez wywyższania się, ona tylko z psami dobrze rozumie się, każde zwierzę u niej stoi wyżej niż człowiek, choć przecież nauczone jest patrzeć z dołu w górę – ona wtedy i nie patrzy z góry ku ziemi!

i przede wszystkim Zośka nie lubi się wysilać, i lubi nie musieć; wszystko, co uważa za swoje, karmi, poi, sama upodabnia się do nich chętnie, już to intonacją głosu choćby, a i ma coraz bardziej chrapliwy tembr.

Tak w ogóle to ludzie poglądy wobec innych zawsze słuszne mają, wystarczy im tylko, kiedy uda się w niczym nikomu nie pomóc, jedynie sobie, to i z ludzkością mają kwita!

– Myślę, że to ja za dużo sama się staram! powiada Zo; a każdy tylko powiada, czym zapełnił świat cały!

4

Jeszcze dziś nie pójdę na Dworzec Centralny; wyobraźnię mam wciąż przy ludziach przyczajoną i psach, i nie wiem naprawdę, w jakim świecie bardziej warto się zadomowić; silny niepokój gniecie mnie jednak, jakbym tylko ja ciągle coś naprawiać musiał; pewien filozof nazywał bojaźnią bożą, uważał, że bez niej nie byłoby ludzi:

na to zgoda! lecz ja uważam, że ten głód muszę kiedyś nakarmić.

Wychodzę, na trawkę popatrzeć muszę, posprawdzać, czy w środku dnia, gdy Słońce dość wiernie służy ludzkości, tak samo o zachodzie, jak i gdzieś nad morzem powiedzmy, czy ludziom bardziej zasłużonym, czy mniej;

na trawniku spojrzenie swe rozpościeram, aż tu i motor obok pędzi, huczy, już i po trawnikach widać im wolno! a na motorze Dziewczyna siedzi – podoba mi się jednak, bokserka w typie, przestrzeń zdobywać lubi!

a ja się patrzę, rozjedzie mnie czy nie?

i myślą z nią jestem, ona taka dzielna!

i uśmiecham się do niej od ucha do ucha –

nie przejechała mnie, ale i nie odwzerknęła!

czy teraz to już tylko takie będą jeździły po świecie?!

świat rozwojowy jest, a sprawiedliwość powiadają, że mierzalna, a uchwycić się jej trudno przez to, że ona sama się udziela dość niesprawiedliwie;

a może w świecie jest gdzieś bardziej... w jakimś odległym spełnieniu?

5

Namalowała w nowym typie. „Przyślę ci twój obraz, portret! zatytułuję to *Wołanie o pomoc*", telefonuje mi;

tyle że portrety jej są zawsze bez twarzy!

bo nie zdążyła mi się przyjrzeć! jednak obraz jest z pewnością o mnie, bo Zel jak coś maluje, to wie o czym?

Od wczoraj jakoś nie idzie nam ze sobą iść...

ogólnie, jak się tak pomyśli, to by się i szło;

ale tak tylko drzewiej chodziło się! a nieraz i jeździło! a potem znów, kiedy iść przychodziło – to maluje się dziś drzewa! drzewiznę!

więc teraz już i iść nie idzie się –

ot, poleżałoby się raczej!

Ale jak tak rozleżeć się na dłużej, choćby i na gościnnej łączce, to już i nie powinno – ze wstawaniem potem kłopot!

I co robić ma na ten przykład ktoś, kto żądzy władzy ulegać nie chce?!

ni abstrakcyjnej sztuce?!

ani psom, tym swoim lub cudzym, co wprost do ucha szczekają, aż pan ich, szczególnie pani Zel, do cna ogłuchnie! bo z Zelmą akurat tak się stało.

6

Jest taka odpowiedź warta wszystkich cudów świata!

Grunt, że się wlazło tu i jest!! –

i jest sporo Kamieni, Mchu trochę, byle Jaszczurka strącić to może każdemu na Łeb;

a ja jestem najwyżej, na wszystkie jestem możliwości otwarty!... no, z Kosmosu!

i najpierw Góra mnie uczy – wielkości swojej i pokory; a wtedy ja znam granice swego bezpieczeństwa!

tam tylko w dole przestróg ważnych się nie słucha; tam nie odważa się nikt nawet sprostować zwichniętej myśli!

a tu myśl lata wysoko! przestrzeń wnika we wszystkie strony miarowo, otwarta jest i zagięta, najpierw biegnie wprost, a potem to już – aż ku zatraceniu!

tu Obowiązek swój odrazu widzisz, człeku,

i wobec Góry,

wobec nawet i jej przeciwieństwa!

i wiesz, że każdą myśl trzeba wpierw długo prostować, aż przejaśnieje –

piętnem Nieskończoności zaznaczona jest Góra, nad otchłanią stoi, więcej już w nic nie wnika!

i ty w nią wnikasz, i otwierasz się.

Wokół takich gór świątynie budowano kiedyś,

najpierw skrycie, przeciw zakazom.

– Oto i Przestrzeń! zawołał, dlaczego by w nią nie wstąpić?!

to ja zawołałem był tak – aż wstyd się przyznać, dawno już kiedyś, i wdrapałem się wysoko pierwszy raz!

a mógł tak zawołać i Zoroaster,

czyż nie pomyślał wtedy, przeżywając wzlot ducha, co się z nim potem stanie? a niebawem i Prorokiem uznany został; od niego narodziła się religia Boga Światła i Dobra, zmienić miała losy świata.

Bo ludzie chcieli dobro czynić;

nawet i człowiek Pojedynczy, gdy stanie naprzeciw wieczności, zawsze będzie pragnął równać się, z Górą przynajmniej, i spotężnieć jak ona!

Inne religie brały przykład z Zoroastra; człowiek, który zdobywa światło, chce dobro czynić;

rodzą się ideały, jakże tragicznie puste bez nich byłoby życie!

a tam w dole zostały, w labiryncie pustych spełnień tracąc wiarę, ludzie, choć czasem i odważni, i swe życie poświęcają dla godnego zamiaru –

potem już innych takich coraz mniej; i mało już kto próbuje prostować choćby swoje zwichnięte myśli!

oni tam pojazdy naprawiać wolą, nie cel podróży!

7

– ... zrobię to, zrobię to! zawarkotał młodziak, i wdarł się na Górę,

dalej popędził, aż wpadł w przepaść wypełnioną mgłami; to zerojedynkowiec!

w abstrakcyjny zamiar swój uwierzył...

zobaczyłem go sam, patrząc z Góry.

...a gdzie Myśl, jedyna władza – co zauważa, porównuje i plan układa... co jej udało się spełnić?!

Oto i Przestrzeń, logiczne przeciwieństwo Drogi przebytej!

jeśli za bardzo skupiasz się na jednym, emigrancie z Ziemi – wstyd byłoby Kosmos zarazić swą głupotą!

że negatyw jest kopią pozytywu, więc i pozytyw poprawić trzeba!

a mnie czas wracać; właśnie przypomniałem sobie o pewnej Fryzjerce, która tam w dole nie ma z kim porozmawiać; siedzi samotnie, Nietzschego czyta; a toż to prawdziwa Sarmatka!

Ob. maj 2008

Rozmowa autora z wydawcą

1

Podnosi się wiatr, choć go nie słychać; a jak się podniesie i wzmocni, na oślep pomknie w świat.

Z człowiekiem inaczej, on ma oczy, coś więcej niby.

A ze sztuką jak?

Słucham pierwszego koncertu fortepianowego Prokofiewa, ach, jaki tam porządek! moim natchnieniem stał się! Po pierwszym wykonaniu, sto lat temu, krytyka ten koncert nazwała taplaniem się w błocie.

Poczucie piękna jest stanem łaski! zauważa Jan Lebenstein. Którego mroczne, sugestywne prace stanowią najwyższy wyraz nachalnego, też i głęboko skrywanego pożądania.

„Naśladownictwo napawa mnie przerażeniem!", powiedział Prokofiew i wierny swej intuicji został do końca życia; a po śmierci i gazety mu nekrologu poskąpiły; bo zdechł był akurat tego samego dnia satrapa; cały limit nekrologów zużyto.

Zaś ty, co żyjesz, z własnych nadziei twórz, i wyobrażeń, tak by świat zbudować nowy. Przyjęcie pozy nie wystarczy.

Chodziłem ja po linie, takiej co ją splatać osobno trzeba, na każdy następny krok; lina ma być mocna, długa, no i niezwykle spójna! spodziewałem się, że inni braciszkowie moi też do podobnych zmagań staną; wszak dziesięć milionów solidarnych nie tak dawno podobna lina już łączyła.

Teraz znów mówi się, „człowiek nowej formacji jeszcze się nie narodził; że „literatura na talenty czeka"!

I literatura znów dworską się stała; byle najbliżej władzy, prze na oślep! a dworów wciąż przybywa, *homo sovieticus* do kapitalizmu już dotarł, to i rozum czemu innemu służy.

Nad książką dziś już nikt nie przysypia, harlequiny dziejową misję swą wykonały, wyjałowił się gust. No i obywateli brak, tłumnie nacierają konsumenci.

A smak! gdzież twa potęga?

po schodeczkach uznania wodzą się media, na siebie jazgoczą; zaś na ulicy, prastare obrazki ujrzysz, żebracze!

dla co wrażliwszych dziś i okaleczyć się warto; GUS naliczył 3 miliony emigrujących za pracą, więc w kraju zostają kaleki oraz osierocone dzieciaki – tysiąc trzysta tych ostatnich przybywa co roku;

a co to jest wrażliwość? nie mieć rodziców, nawet wyrodnych.

I tak „poprawność polityczna" górą!

talentów, indywidualności brak – używa się głównie obrazów klasycznych do dekompozycji;

a krytycy grupowych interesów strzegą, fantazmaty o „immanentnym złu" plotą, i o wampirzycach byle co pichcą! są niezależni, od meritum.

A *Homo sapiens sapiens*?

dziś pewnie najlepiej – żeby na haju poczęty był!

i w objęciach wampirzycy przetrwał.

I tak żeby coś – o odnawialność elit pisarskich? wolne żarty! chyba przedstawicielem ostatnim był Wilhelm Mach, zmarł w 1965; i jakim się tu „nowości potrząsa kwiatem"!

„Literatura prawdziwa jednego musi się domagać – by jej nie trywializowano!", to Gombrowicz w 1956 napisał; jemu też kleci się wciąż pomnik – prześmiewcy! ale postawić nie postawią.

A naród – każdy swą historię ma,

wielką, małą, czasem bywa, że podłą;

znośną przyszłość sobie zapewnić może tylko ten, kto Górę usiłuje przeskoczyć, za Górą ukryć garb własny!

A kto pomniejsza innych, małość wybiera – sam podłym się staje.

Oryginalność to twój garb, braciszku! i lepiej byś go miał! przydać się może i grubiaństwa nieco, byś miał coś do sublimacji!

tak dziwny i tajemny sens sztuki bywa; byle poczwarkę w bóstwo potrafi zamienić; i na odwyrtkę.

Zaś dla mnie pogoda dziś – cóż, nie do zniesienia.

W nastroju świetnym być muszę, by dzwonić po prośbie; wyczuć humor delikwenta i jego samopoczucie w mig poprawić. Bo wolność tu panuje nam, żadnego obowiązku względem innych nijak wykrzesać się nie da.

2

– ...pan takie tam zdanie napisał, niezrozumiałe dla mnie... to i nie czytałem dalej! tłumaczy mi naczelny redaktor, motywując odrzucenie;

– a dlaczego to u nas chce pan drukować? teksty są krótkie, a my wolimy długie!

– oj, warszawskich autorów to nie publikujemy!

od postludowców słyszę: ... a młodzież dziś ucieka ze wsi, do Londynu czy na Baleary, o naszych sprawach czytać nikt nie chce; chyba że jak co do śmiechu –

– w krakowskim którymś: pan wie, my wydajemy książki bez względu na poglądy autora... ale za bardzo nowocześni też nie jesteśmy, coś lepiej, by tradycyjnie!

– od tych co byli z nurtu chłopskiego, potem niby to z robotniczego wyłącznie, zasię teraz pracują dla klasy panującej dziś – odpowiedzi wcale nie było;

– zaś w polskojęzycznym francuskim *creme de creme*: – mimo najlepszych chęci nie mamy ochoty! odpowiedzieli;

– w moim dawnym, prawie rodzinnym już, niegdyś czołowym... słyszę, że teraz w innym są nurcie!

– w niemieckopolskim: – tylko uznanych przez naszych kiedyś raz – ale nowych nie uznajemy!

i tak się robi, jak się przysposobi.

Komu na piękno wrażliwości brak – nie jest stanie łaski! i tacy już są – bezustannie bezstanni!

3

Podobno kiedyś mieliśmy potęgi smaku! gdzież ich dywizje? jeden żołnierzyk choćby!

...złą pogodę przeczekać, pożyć tydzień dłużej i skupić siły – uderzyć!

ze trzy tygodnie, dwa miesiące pochodzić po polach, dniem i nocą najlepiej, dla zrównoważenia osobistego klimatu, z dążeniem do Gwiazd! a kiedy klimat się psuje, znieść zaburzenia pogody – być jak amfibia, co zaczyna pełznąć po błocie, a gdy już w powietrzu zawiśnie, pofrunie!

I przypomniałem sobie pana Redaktora Henryka Korotyńskiego; za poprzedniego reżymu uchodził za najbardziej sprawdzonego wytrwalca na kierowniczym stanowisku,wieloletni naczelny „Życia Warszawy"...

I cóż on takiego miał – czego inni nie mają?

a na przykład dzwonił do mnie, o wpół do pierwszej w nocy, gdy ledwie zdążyłem przekroczyć próg swej kawalerki;

– postanowiłem zadryndać do pana, panie kolego, dzwoniłem co pół godziny, a pana nie było, to znaczy, że z polowania he-he! na Dziewczyny jeszcze nie wrócił, ale i nie śpi; a tu przed jutrzejszym zebraniem jeszcze nie ustaliliśmy recenzentów do „Kroniki Warszawy"!

– ja strasznie źle myślę na głodno! właśnie smażę jajecznicę!

– to proszę sobie nie przerywać, a ja przez ten czas jako że z wieku i urzędu mi się należy, będę mówił pierwszy, he-he!...

i w nocnej ciszy nagaworzyliśmy się dość, ja sycąc przy tym fizyczny głód, a i poczucie obowiązku;

niektórzy zarzucali Naczelnemu zbytnią ustępliwość wobec władz – a ja pamiętam, jak kazał sekretarce kiedyś połączyć się równocześnie, przy rozmowie ze mną – z dyrektorem cenzury, i byłem świadkiem, jak ostro się wykłócał o jakąś tam zatrzymaną recenzyjkę do „Kroniki..."

Redaktor potrafił też i zachwycać się na przykład twórczością Iwaszkiewicza, „on ma taki piękny charakter pisma, proszę pana!..."

Sam na stanowisku Naczelnego utrzymał się przez 21 lat, bo o kulturze nie zapominał nigdy, przecież i reżim najostrzejszy nigdy nie może przeważyć człowieka w człowieku!

A dziś? drogi garnitur, sztywny krok – już z parobasa masz dżentelmena! a dla takiego człowiek w polu widzenia nie znaczy nic, żadnego zobowiązania doń nie czuje! dziś miałkość jedynie – gubi życie społeczne, z nią nie ma też prawa zaistnieć res publica.

Zamiast dumnego ongiś Lechistanu – w kraiku umysłowych liliputów żyjemy; gdzie poważna literatura nie ma prawa istnieć i już nie istnieje; wysokie pensje biorą różni szkodnicy na posadach, gęgeryści, ci od pifu, ufu, twufu, z nominacji minkultu –

i gdzie tu możliwa rozmowa autora z wydawcą?

Kiedy chciałem wydać pierwszą powieść, że zaniosłem ją do PIW-u, niektórzy uznali za świętokradztwo; lecz tam Redaktor Naczelny znalazł dla mnie czas i przez godzinkę gawędziliśmy sobie o Chmurach, on też jak i ja okazał się chmurologiem;

– no pięknie, przerwałem w końcu, to może przejdźmy do moich baranów!

– a nie musi się pan martwić! przeczytałem pański tekst, nie mam pretensji! są najwyżej jakieś szczegóły!

Gdy książka wyszła, choć przeciw systemowi była, *Franciszek Schubert idzie do czubków*, sprzedała się w trzy dni, w jednym kiosku na Foksal..

Lecz kto dziś potrafi myśleć o Chmurach? W pierwsze dziesięć lat poniekąd wolnej Polski usilnie pracowano nad wpojeniem społeczeństwu, że pisarze to takie same świnie jak inni, tylko że muszą jeszcze nauczyć się robić szmal! bo i – wystawiają perły przed wieprze! Żaden z następców redaktora Kabaty nie zdążył (pewnie i do dziś) dowiedzieć się, co to Literatura. Zbiorowym sumptem doprowadzili do upadku firmy. Pomimo sutych dotacji! Do dziś biorą pensje, są dyrektorami w stanie upadku (tak oficjalnie!), oni bo specjaliści! I czyż nie nazywa się to szkodnictwo kulturalne? że się znów czepnę minkultu.

To o to panu chodziło, panie Jak Mu Tam?

Och, ileż godności w sobie ma Gospodyni, co sprzedaje pietruszkę!

23 maja 2008, 20013

Góry też same przychodzą do nas
szkic do topografii nieobecnego miasta

Dźwigam bagaże, mdleję, a dyrektorzy z parobczańskim rodowodem, gnuśne niemyślaki, podkpiwają z tego, śmieją się. Niechaj kto fruwał jak motyl nauczy się być tragarzem! Kim oni byli?

Do Warszawy przybywa się robić karierę. Z Wybrzeża, ze Śląska, z porządnej wielkopolskiej rodziny, z Małopolski, Kresów już nie naszych, a choćby znikąd; człowiek jak mrówka pchnie się ku górze! bo tam są ci, którzy byli przed nami;

stamtąd i do nas przychodzą ci, których już nie ma.

1

Ja swoją Warszawę zaczynałem budować z grudki ziemi, wprost wiochy. Żeby istnieć, piędź ziemi wystarczy!

A jeśli ktoś sobie zostawi nadmiar czegoś – musi ponieść konsekwencje, w roli tragarza, na pewno nie motylka!

I do tego dodam: jeśliś nie miał prawdziwej wiochy w życiorysie, pól i łąk, krajobrazu – nie bierz się bratku i za sztukę.

Miałem ja własną równinę, nie za wielką, lecz z pagórkami; sam byłem dość mały wtedy, więc i błąkałem się, jakbym był znikąd; wokół przewalały się fronty, była wojna, na wojnie wszędzie jest gotowych ról nadmiar!

i za Górą tęskniłem, na tyle wielką, by za nią można było się schować!

do żadnej bójki nie rwałem się, bo za mały! a jak i podrosłem, też nie było ze mnie nic wielkiego. Myślałem tylko, czy ten krajobraz piękny, mglisty jest dla mnie? czy okaże się pomocą do przetrwania; z daleka dziś to inaczej wygląda, każde miejsce wydaje się nienaruszalne – ale na wojnie inna sprawiedliwość, tam zarówno ludzie, przedmioty, jak i miejsca podlegają trwałym nieraz okaleczeniom; ważne może się okazać i co chwilowe, gdy do ukojenia zmysłów się nada.

Pomiędzy liniami frontów trzeba było przesuwać się szybko zręcznie, biegać jak po tłuczonym szkle, tam wszystkim się śpieszy, musisz decydować sam; jeśli tylko przebiegłeś sprytnie stąd tam – toś zuch! los cię obdarzył na chwilę istnieniem niezależnym –

A tam był i las z łąką, to znaczy Serwitut; na wiosnę pachniał czeremchą i bzem, na jesieni czymś delikatniejszym jeszcze, wrzosem; już mogłeś postopniować sobie zmysł węchu na skali i czekać następnej jesieni.

Na ten Serwitut co wieczór wpadał oczywiście Księżyc, czerwony niemowlak, ot, burak już od młodości. Ale za to na krańcach ryto wciąż nowe okopy, nowe w starych, albo i nowe w nowych, by odróżnić wyraźnie front dojścia „naszego" i strzału; tam ludzie układali się pokotem, żywi, potem i martwi; coś się zaczynało i moja okolica śliczna zamieniała się w piekło!

Pokotem leżały i pokaleczone drzewa; ludzie wciąż nowi przesuwali się, czasem aż na skraj dalekiego Pola; i tam przenosiła się rubież nasza, także i moja, do następnego ataku.

Tam frontów głównych mieliśmy wiele, aż do wyczerpania zapasów; najpierw był polsko-niemiecki; z drugiej strony sowiecki się wdarł; potem niemiecko-sowiecki ustalił się, aż z trzaskiem pękł, uzbrojenia po lasach zostało co niemiara; partyzanci też mieli co zbierać; w naszym Domu, dopóki on jeszcze był, stacjonowali przedstawiciele wszystkich formacji kolejno; jak którzy odeszli, to partyzanci nasi zagnieżdżali się na dłużej; ja im stawiałem muzykę z płyt, nie moich własnych zresztą, bo byli tu na początku ci *aus Wien,* im puszczałem jakiś „Parituaj" najczęściej, taki marsz niemiecki, żeby szybciej szli na Moskwę; ale i *Donau so blau*" tam było, co lubiłem sam, nagrane pod Willim Boscowskim, płyty już jak się rzekło zdobyczne były; Austriacy zastrzelili nam kurę, to ja im zarekwirowałem płyty i skrzynkę do grania; a już musieli ruszyć w inną stronę, *nach Stalingrad,* to ja im zagrałem „Parituaj", ale raz tylko, resztę na miejscu już mieli, ruskie śpiewy jak *Rascwitali uszy u Katiuszy,* Ruskie im tego nie pożałują; ja jeszcze *Raskinułos morje sziroko* zaśpiewałem, lecz przyjęli to za austryjackie gadanie, nie śpiew;

swoim pięknym głosikiem śpiewałem, ale nie zrozumieli, na diabła tam poszło! a Ruskie to mi mówili: *choroszo!* słuch miałem świetny jeszcze wtedy, absolutny!

– *daj wołny buszujut w dali,* ciągnąłem, *towariszcz my jediem daljoko, podalsze ot naszoj ziemli*! i tyle było tej mojej mimowolnej pracy ideologicznej za tamtych, lecz ci nie zrozumieli; bo ja do nikogo uprzedzony nie byłem, do żadnej narodowości – póki mi za skórę nie zalazł *bojec* jeden, co się mną przed samolotem niemieckim na Ganku naszym zastawiał jak tarczą. Bo tak to jest, jak jest podług ich porządku! nie naszego; Polak musi zawsze umieć poradzić sobie sam. Ale i niebawem, w 44. trzeba było się zdecydować przejść na ich stronę. *bojca* właśnie.

2

Gdy w drugą stronę przekraczaliśmy front ze Starszą siostrą, to ja poniekąd już jak nieśmiertelny się czułem, i to na mojej rubieży, gdzie dla odmiany Niemcy urządzili linię obrony – idziemy o szarówce na nocleg do Sowietów, a tu

– *Hendehoch! spionen, banditen!* jak nie krzykną; zatrzymali nas i pod bagnetem doprowadzają, wołają tłumacza

– a gdzie ta idzieta?! mówi tłumacz

– *keine banditen!* tłumaczy się Starsza, tu za parę godzin nic nie zostanie! do Iwana na noc idziemy!

przełożono to feldfeblowi, zaszwargotał, cisza zapadła groźna, potem aż usypiająca; jednak widzielismy ich wszystkie linie! od początku zdawałem sobie sprawę, że nic nas gorszego nie mogło spotkać, jak ta wpadka!

– ...to ja już mogę być za tarczę! wpadam na genialny pomysł – dla was jeszcze nie byłem!... tamten nawet nie przetłumaczył, ale feldfelcio spojrzał na mnie, jakby zrozumiał, spojrzał i na tamtych, cisza znów, śmiertelna! kto wie, czy i Sowietom zechce się rozpoznać swoją już raz sprawdzoną tarczę?...

– *he-he! gut polaken, he-he, sehr gut!!* topsze, topsze!

pierwszy on, a potem wszyscy zarżeli jak na komendę, jak konie u nas w stajni nawet nie przedrzeźniały siebie nigdy;

i nie puszczają! tłumacz odszedł, ale wrócił i podał Starszej coś, wskazując na mnie, a była to, się okazało, tabliczka czekolady! podziękowaliśmy i w nogi!

'kto mniejszy, ten czasem może być i ważniejszy!' pomyślałem wtedy; i była to chyba pierwsza moja złota myśl, dzięki której potem mogłem sobie już spokojnie rosnąć w górę; rosłem i rosłem!

a ten co tłumaczył, chyba Ślązak jakiś, przymusowo wcielony, był już duży; i pomyślałem jeszcze, że chciałbym mieć kogoś i Większego za kumpla!

3

Z Siedliska na Serwitut, który stał się moim domem, a gdy życie tam się skończyło, udałem się na Kolonię... gdzie jak najswobodniej poznawać mogłem wszystko –

gdy Niemcy w 44. wpierw rozkopali te swoje rowy wszędzie, mieli na to czas, aż i tak odeszli – ja wróciłem na swojej miejsce i tam, na Kolonii, na wzgórzu kartoflanym też, osiadłem już na dobre; bo i gdzie indziej miałem wtrącać?

a stamtąd i do Miasta już bliżej było, czyli szkoły; Miasta też oczywiście nie było; jedynie to, co mogłem wyobrazić sobie, jak było przedtem;

i tyle tego wszystkiego potem miałem do przeniesienia do Warszawy;

z Kolonii o świcie, po spełnieniu obowiązków gospodarskich, udawałem się do szkoły, pod wieczór wracałem, a zazwyczaj w ciemną noc; i oczywiście przez cała drogę świecił mi Księżyc; w polu czekały worki kartofli, urobek dzienny kopalników; zwoziłem je parą koni na Siedlisko, piwnic nie było, do świeżo wykopanych jam; i *Au claire de la lune* śpiewało mi się siedząc na szczycie wyładowanej fury, ja i *mon ami Pierrot...* we dwójkę zawsze raźniej! tego wszystkiego zdążyłem nauczyć się na lekcjach, a najpierw pierwszym łacinistą w klasie zostałem, trzeba było coś robić z nudów i na lekcjach.

Wyszło z tego pożytku trochę, bo dawałem korepetycje, różni tam dyrektorzy, ojcowie synków przeze mnie uczonych, zapraszali na obiad czasem, bo głupio by im było, gdybym ja, „pan", czekał głodny; moi uczniowie byli z tej samej klasy co ja, do zajęć więc się nie przygotowywałem, tylko dodatkowo ważny się stałem;

po lekcjach, korepetycjach, i po obiedzie czasem, szedłem już sobie te pięć kilometrów przez las kalinowy, jak żołnierz borem lasem, i przysypiając czasem, i przez zostawione od wojny okopy przeskakując zręcznie, czyli znożnie, tak dochodziło się do siebie, czyli na Pole, ładowało te worki śparnie, bo dopiero wtedy człowiek wie, jak pięknie jest żyć, kiedy na niebie Księżyc itd. po przestworzach! a tu na ziemi ja jestem niby pan! i smutno się robiło, ale to tylko czasem i nie wiadomo czemu;

...potem po nocy zaraz i Słońce sobie wzeszło, tak miało być, a ty jeszcze leżysz i śpisz! zrywałem się i wychodziłem na te swoje ścieżki, coraz równiejsze! a wychyl się zza Drzew, sprawdź, czy ktoś obcy nie czyha na ciebie! no i czyż mogłem spodziewać się Czegoś Lepszego za zakrętem? już szykowałem się, że będę chodził aż do Warszawy.

I dziwne, coraz mniej i o Siedlisku myślałem!

Osuwał się w przeszłość Dom, w niebyt czasu, stamtąd tylko niepokój szedł ciągle;

no i ten żal, że nie pokażę się już na Serwitucie! tam wszystko znikło!

a wyobraźni w sobie tyle naotwierałem!

a mimo to czułem, że coś we mnie pustynnieje!

nie wróci nic, co wojną rozjechane.

To jedno pewne, że jakbym od samego początku nowego istnienia wiedział – ta wojna we mnie zostanie już na całe życie! nic ważniejszego od niej nie będzie!

a ja, żeby żyć, muszę uzbroić się przeciw niej wszystkimi środkami, dostępnymi, niedostępnymi. Tyle przecież miałem do przeniesienia stąd!

4

Z cegieł, z iłu, z kamieni, ze starych pni, tych okruchów zostawionych po puszczy, jak to na Serwitucie bywało, i tu na polu kartoflanym również,

niby na siedlisku kleciłem coś z czegoś;

z porośniętej gęsto dzikiej trawy, pól jeszcze nie orano wtedy, z dozbieranych kamieni,

zakładałem dom...

miejsce Najbardziej swoje.

Nasz Dom był kiedyś na Siedlisku,

ale i tutaj jest nasze Pole, cała ta ziemia okopami zryta, frontami przetrząśnięta, stawała się moja, a na niej się rodziła, jak to się gdzieś mówi... ojczyzna?

i miała nią być!

Wiedząc o tym i nie wiedząc,

mając oczy otwarte na rzeczy również niewidzialne –

wchodziłem na najlepszą drogę, by się przekonać, że tu będzie kiedyś moje dojście do stanu, no! stanie się...

coś było dopiero czynnością, założeniem, procesem!

jak czynnik trzeci! tak nazwany później przez profesorów, dziś już nieżyjących;

to on mi pozwalał uwierzyć, że istnieję!

5

Tak przyzwyczaiłem się coś robić,

choć to by mi znacznie lepiej poszło za dnia niż po ciemku,

zacząłem budować ot, Wyrwę w Ziemi, Skałę, z piasku i gliny, i tych łodyg kartoflanych; mój Ojciec przecież, i Dziad, i przed nimi wielu starało się już w tym Miejscu o coś; miałem i ja się o to martwić,

na wszelki wypadek, dla obrony własnej, urósł mi z tego Schron, wtopił się w ziemię; głęboko w ziemię pale miałem wbite, tym ufniej... tam zamieszkałem.

... co prawda stamtąd nie było ucieczki nigdzie, jak i na powierzchni także!

toteż z czasem zacząłem wpadać w klaustrofobię –

I zdecydowałem wtedy, zacząć podciągać się możliwie wysoko, dalej w górę pójść – w stronę Chmur! bo i niezależności ducha przecież broniłem! przeniesionej tu wiary dziecka – czyż to nie święta rzecz?

i teraz widoczność na okolicę mogłem mieć przez szczeliny, rozważać, co to jest rozległość! już jakbym mógł po niej wędrować!

a przede wszystkim ochronę mieć – przed wszystkimi, co z nagła napaść na mnie zechcą!

Tak z coraz większą uwagą wpatrywałem się w dal poziomą, spojrzenie wyćwiczyłem bystre, że bym intruzów zauważył zawsze pierwszy; a na zachód i wschód miałem otwory strzelnicze, mogłem na czas zdecydować, jakiej użyć broni! a nagromadziłem jej u siebie tyle! od sowieckiej katiuszy, która już w chwili próby raz nie odpaliła, po niemieckie empi, i amunicji do tego mnogo! z całym tym sprzętem chciałem iść na odsiecz, jak tylko wybuchło powstanie w Warszawie, ja, głupi, dziewięcioletni! i polskiego mauzera przedwojennego miałem, osobistą broń polskiego żołnierza w 39.; trzymałem pod poduszką, choć to niewygodne; ale w razie niebezpieczeństwa lepiej sprawdzonego coś mieć!

i choćby przez sen, mogłem wyruszać do ataku, na zachód czy na wschód, jak konieczność się nadarzy; a jeśliby w moje pole i Amerykanie zabłądzili, nasz największy wróg wtedy, to gotów byłem ich odeprzeć! wszystko w ramach walki o pokój oczywiście! jak przykazał towarzysz Stalin; bo przecież i ci gdzieś pod Ziemią, nie tylko Niemcy czy Sowieci zagrażali nam wtedy – świat cały!

O mojej strategii w szkole nie wiedziano wiele; jak coś ważnego się robi, o tym cicho-sza! a gdyby w jednej chwili wszyscy zechcieli napaść na ciebie – to Polakiem jesteś! musisz umieć się obronić!

Tak mój wielofunkcyjny Schron rozrósł się w Górę, trwał jak Korab Pancerny, co widać na obrazku, a dla szkoły musiał być tajemnicą! nie wiedziałby doprawdy, jak na taką górę się wspiąć! w każdym razie ja swój Dom, swój przetrwalnik miałem, gotowy na wszelkie okazje!

Raz, gdy już na znaczną wysokość się wdrapałem, tam lęku przestrzeni nabawiłem się! okazało się niestety, że wysokość, za którą tak tęskniłem, szkodzi mi...

lecz dzięki siermiężnej pracy, Góra mi się rozrosła, była coraz większa, ja tylko nie wychodziłem z niej dla podleczenia wyobraźni! a nogami w niej zaprzeć się mógł!

to po wewnętrznych schodach jedynie, lekkim kroczkiem ćwiczyłem chodzenie; z coraz już mniej skrytą chęcią, by wydostać się stamtąd – poleżeć sobie ot, jak kiedyś, na wygrzanej słońcem ścieżce do lasu –

tymczasem w szkole już i do ZMP mnie zapisali; pouczyli, jak szybko przyzwyczajać się do wszystkiego co nowego gdziekolwiek zobaczę! może i to mógłby być kiedyś mój początek świata?

Aż Satrapa zdechł,
mogłem i tę Górkę zacząć przerabiać tak,
by po nowemu zaczęła wyglądać jakoś.

Wtedy i zaczęła się tu u nas pokazywać, jakby tego nie nazwać, wolność; pomału, z nagła chyłkiem, ścichapęk tu i ówdzie wybuchała. Ale bo i czymże ona jest? Do dziś jej nikt nie rozpoznał w granicach godnych uszanowania. Wszyscy pamiętali aż nadto, jak żyć podług cudzego porządku! albo i własnego widzimisię.

Mój wychowawca, łacinnik, nie wytrzymał kontaktu z rzeczywistością nową i poszedł w zakonniki. Jego bratanek trafił do resortu zdrowia, zrobili go ministrem w Warszawie. Zaś pewien nieuk z klasy nie wytrzymał z życiem na długo; za to że go jakaś frajerka puściła kantem, śmiertelnie postrzelił się, i dopiero wtedy wyszło na jaw, że był kapitanem w UB.

Nie powyrzynali się zaś wrogowie więksi, silniejsi. Ale moja Przystań i tak bezużyteczną się stała.

6

Ze szczypty ziemi, co ją Wiatr przywiał kiedyś, została grudka piasku, w nią włożyłem moją przyszłość, na fundament: te niby nadzieje okazywały się coraz bardziej złudne! Mogłem wrócić co najwyżej do znanego mi wcześniej zajęcia: wprowadzać ład na pokiereszowanym śniegu.

– Także i teraz – tłumaczył mi Nauczyciel historii – ten plac będzie dla ciebie za duży!

– ...spójrz na mapę! wygrywa zawsze ten, kto większy, a ty nie wyrosłeś duży! może i nie powinieneś?!

– a dlaczegóż to nie? proszę pana!

– było już takie jedno, proszę ja ciebie, pole królewskie, ono nazywało się Grunwald, było i to wystarczy!

– prawda, Grunwald!... ale był też, proszę pana, chyba i Kłuszyn!

na to on głuchnie, nic nie przyjmuje do wiadomości;

– jak raz powiadam – był Grunwald, i słuszne to jest! a ty ze swoim Kłuszynem! może i był Kłuszyn – ale kiedy!

– dwieście lat później, proszę pana; i chyba znacznie więcej treści kryje to zwycięstwo, niż Grunwald! na całe państwo dwa takie zwycięstwa to nie za wiele!

– aż dwa się nie mieszczą... a zobacz, kto słyszał o Kłuszynie!

– dzisiaj to nikt, bo i siły, by żyć, nie ma tu nawet, co mówić zwyciężać!

– nu, jeśli kto świadom tego, że był Kłuszyn... ale dziś już nie jesteśmy tego w stanie i wyobrazić sobie... co ty tak dużo dziś pytasz?!

– już się nie pytam! a tylko rozpytywuję – ot tak, na logikę! bo czyż można wyobrazić sobie, żeby imć pan hetman, ten, no!

– Stanisław Żółkiewski do cholery!

– no, żeby ŻÓłkiewski, hetman potrafił przegrać bitwę taką?!!... żeby on coś przegapił, nie wygrał! nie bitwę, ale i wojnę choćby?! onże sześćkroć liczniejszą... a zna pan mowę Cycerona...

– mówi się sześciokroć!

– ...armię znacznie liczniejszą okrążył i nie odstąpił! aż wziął i zwyciężył był! mogę to samo powiedzieć i po łacinie, w mowie Cycerona!

– no tak... rzeczywiście... tak było pod Kłuszynem!

– w dodatku on, hetman z chorą nogą!... to popatrzymy i my teraz! kogo tu boli noga?

– ty się ze swoją nogą tu nie pchaj i nie równaj!

– ale jak kogoś boli noga, to znaczy, że musiał ją gdzieś zmachać na czymś, zanadto nadwyrężyć! a on ją schodził odnosząc zwycięstwa!... co ze mną to nie ma nic wspólnego, ale ja ją też zmachałem na czymś...

lecz ten już nie słuchał, oczywiście! belfrzydło!

zawsze tak jest, że jak ktoś zaczyna z sensem, to drugi musi to przerwać!

– ...ty młody! ty wszystkiego i tak nie zrozumiesz jeszcze!

więc jednak był i słuchał, ale i nie myślał! zawsze człowiek ma do wyboru, być mądrym alboli też głupim.

7

W Poczekalni, w tłumie, Starszy człowiek i ona; ten Starszy to akurat ja, odezwałbym się do niej pierwszy, ale nie mam przekonania;

ona widać też pierwszą chce być, na okazję czeka,

– dzisiaj jak kto mały, to i nigdzie nie dopcha się!

zwierzyła się, rzeczywiście; i jest taka mala że aż! to i patrzę na nią coraz śmielej –

– a jak kto duży, to odrazu zauważą, wtedy już nigdzie nie dojdzie!

wysiliłem się nieco, a już płyniemy oboje w jednym kierunku; bo ja... chętnie polubiłbym taką Małą!

– a najgorzej, jak kto przez uprzejmość drugiego przepuści – odrazu tym sygnał da, że jest słabszy, szans pośród innych nie ma!

na to ona;

– rzeczywiście, w konkurencji na nic taki liczyć nie może!

zbyt chętnie galopuje w tym złym myśleniu, a przecież kogo jak kogo, lecz ją osłaniałbym chętnie, jakby co! taka i miejsca niewiele zajmie, tu i tam!

milczenie zapadło jednak na długo,

– kto pierwszy, proszę... zza drzwi Pani doktor buzię samą wychyliła, resztę ciała schowała, pewnie niezgrabna;

– moja godzina, to i numerek mój chyba! ozwałem się

– a nazwisko to jakieś ma?!

– nie tylko jakieś! nawet i dobre nazwisko! historyczne można powiedzieć!

– to panią poproszę! pan nie powiedział nawet jakie.

Mala wchodzi, jest teraz jeszcze mniejsza w przemykaniu chybkim przez drzwi, bez oporu; mniej zauważalna, więc się przesunęła! i pewnie w głowie jej nie postanie, że mógłbym na nią poczekać!

‚taka to i pohałasować umie, za dwie!'

Myślałem kiedyś, że jak dojrzeję, będę dojrzalszy. Ale dziś wiekowy gość... musi coraz częściej na przykład odejść na stronę. I wraca, a na jego miejscu jest nowa.

– Widzę, że i pani tu czeka.

– A przyszłam właśnie przed chwilą.

Otworzyły się drzwi, nikt nie wchodzi, ja wchodzę; to ona na mnie

– byłam tu pierwsza!

– ale nie zdecydowała się pani wejść, choć drzwi były otwarte!

– ale że pan jest starszy, to powinien dać przykład!

– starszy? o te 50 zaledwie?!

– poza tym jestem też i kobietą!

pani doktor zza drzwi z podwójną już satysfakcją zerka na mnie:

– kiedyś to przynajmniej bykowe płacili, za osobność!

szybka jest ta nasza SZ, sądzi biegle i kwita.

8

Zimę niczegowatą mamy latoś.
I siedzimy tu sobie we dwoje, ja z Górą.
Góra – to prosta rzecz, można się z nią porównać.
Człowiek i Góra.
Gadamy sobie, czasami, milczkiem. Ja się zwierzam.
Kiedy byłem dzieckiem, bardzo chciałem mieć brata. Bo dziewczynka to zaraz ma inny układ chromosomów! z bratem człowiek prędzej dogadać się może! życie zaplanować; przez całe życie szukałem brata.

A Góra – ona... też swoje wie. Ale nic nie mówi. Kto czegoś chciałby dowiedzieć się, niech powspina się do szczytu, i tematów po drodze nie zabraknie!

...a no bo jak nie... to po cholerę wszystko!

mądry powiedział tak kiedyś, chyba pan Profesor Doroszewski, on wielkim uczonym był, a człowiekiem nadspodziewanie łagodnym; nie klął, nie palił, zaklęcie, ale drobne, posłyszałem od niego raz tylko; a zwykle prowokował człowieka do jakiegoś odkrycia, lingwistycznego rzecz jasna, bo w jego towarzystwie lenić się, oho! nie wypada;

a ludziom dziś już *hamulce* ich tak stępiały, że na naszych oczach, błyskawicznie, sami chętnie stają się *chamulcami*. A wtedy to człowiek niekoniecznie chce być człowiekiem, wolałby na przykład zostać mrówką; tak jest coraz częściej! mrówka ot, sama belkę przeniesie z jednej strony lasu w drugą, a las wielki! w nieograniczonej przestrzeni wędruje sobie! zaraz druga przyczłapie i tę belkę przeniesie w inne miejsce, poprawi; jest wolność wśród mrówek, a w Przyrodzie całej to znów ewolucja! tam innego sposobu na życie nie ma!

Człowiek sposobu szuka. I zastanawia się, jakby tu drugiego człowiek zrobić w konia; ale w mrówkę nie! dziś już nikt nie pyta, po co ci się tam w górę szło? albo czyś wierności dochował tym, którym warto było? Jestem dzieckiem wojny, nie miałem aż takich wyborów; do dziś po nocach przeżywam tylko jedno, to wyrastanie z przerażenia.

I jakby mój porządek był ważny, buduję w nim Równowagę! tak samo chwiejną jak i każda inna. Lecz staram się utrzymać ją jak najdłużej.

I wcześnie domyśliłem się, że muszę budować własną Górę. Dopóki się coś buduje, dopóty ty istniejesz! Tak jest moja i recepta na tę Równowagę.

9

...no bo inaczej... to po cholerę to wszystko!!

Ludzi, którzy dobrą wskazówkę dają, powinno się cenić przede wszystkim!

Słuchałem w radiu, jak wymieniano ludzi zasłużonych dla PIW-u, bardzo znanej firmy po wojnie i nie tylko, sam czytałem pierwsze wydane tam książki; w tej audycji wyliczano i stażystów, księgowych wieloletnich, także pewnego zbrodniarza co przetrwał tam na stanowisku dyrektora lata swojej „odstawki do kultury"; no i pracownicy ciekawi byli

„on taki mocny! tyle ludzi namordował, i to zza biurka tylko!"

w tym półgodzinnym programie nie padło jednak ani razu nazwisko Redaktora, który zmieniał profil wydawnictwa, jak już ta wolność właśnie puknęła do drzwi... Michała Kabaty;

a powiedział mi ktoś kiedyś,

– jeśli już on cię zauważy, to znaczy, że jesteś kimś naprawdę! pewien ważny Profesor tak się wyraził;

kto nie lubi być zauważanym! postanowiłem poddać się próbie; skończyło się na tym, ze wydałem tam książkę.

I zagadnąłem w rozmowie jeszcze wstępnej Redaktora Kabatę, z mało skrywanym zarzutem w głosie, dlaczego wydał książkę M. Gorbaczowowi? było to na rok czy dwa przed naszym przewrotem w 1989,

– Gorbaczowa o pierestrojce? to książka z ważną tezą! bardzo nam wszystkim potrzebna! Niech kropla drążyć kamień...

Nie wiem, czy tego akurat nie chciano darować Dyrektorowi Kabacie, bo po przełomie musiał odejść; bardzo ciężko to odchorował. Odtąd PIW ma chyba najdłuższy w kraju staż firmy upadającej. Bez dyrektora Kabaty...

to chyba jak Rzym bez...

Pewien znów Aktor, najwybitniejszy w Polsce powojennej, przed wyjściem na scenę usłyszał od swego przełożonego, dyrektora,

– i ty Tadziu, tak chcesz to zagrać?!

– odpier... się! usłyszał uwagowicz odpowiedź, bardzo merytoryczną rzecz jasna. W mistrzowskiej formie.

Ja, może i nie wiedząc kiedyś jeszcze, studentem będąc, co to forma mistrzowska, gdy rozchorowałem się ostro i nie mogąc znieść bólu poszedłem do lekarza; a lekarz nie pofatygował się mnie przyjąć;

to ja przynajmniej zapisałem to, jak mogłem, ten swój ból. Okazało się, że był to pierwszy mój tekst prozatorski. O czym nie widziałem sam. Bo dla mnie był to zwyczajnie świadek, żaden Bóg, nikt nie chciał mnie wysłuchać.

Ale za podpuszczeniem kolegów z akademika zaniosłem ów tekścik do Redakcji pewnej, do bardzo ważnego Krytyka. Przyjął mnie pan Wilhelm Mach i kazał przyjść za tydzień. To i przyszedłem, a wtedy Krytyk, posadził mnie naprzeciw siebie i mówił szybko jak cekaem, dosyć długo. ‚Czy on i do innych tyle mówi?!' wywnioskowałem, że musi to być wybitny krytyk. Myśli chyba też z szybkością kilku machów na sekundę! a we mnie zauważył coś... no, więcej niż ten lekarz!

i dał mi dowód na to, coś zapisane drobnym maczkiem na kancelaryjnym papierze o dyspozycjach pisarskich.

– Pan i tak wszystkiego nie spamięta, a tu jest.

W dziesięć lat później – równo! – kiedy już opanowałem i ja mistrzowską formę, ale w podrywaniu dziewczyn, zachodzę do Hybryd, dziewczyny tam wolnej akurat nie było żadnej, wchodzę do innej sali, z okrągłym stołem, szwedzkim, patrzę, a na drugim końcu siedzi mężczyzna jakby podobny do... już chciałem się wycofać, ale i on mnie zauważył,

– a pan się nazywa tak i tak! powiada;

na to ja

– pan jest pan Wilhelm Mach, człowiek znany, ale żeby mnie kto pamiętał? o mnie nie wie nikt nic!

i słowo po słowie, poszliśmy na wódkę niedaleko, w towarzystwie poderwanej przeze mnie pary, a było to nad kinem Luna.

Myślę, że dziś, gdy literatura tak się kryguje, stara, by jak najsprytniej pominąć w człowieku człowieka, tego nieśmialca, który siedzi w każdym z nas –

Mach znał remedium na wszystko! on sam był tym remedium, bo czuł się samotny i coś o tym wiedział...

– ...jeździsz konno? spytał

– a jeżdżę, oczywiście!

– więc kiedy skaczesz i nad przeszkodą koń ci uśnie, to co zrobisz wtedy?

– natychmiast go poderwę, bo trzeba skok poprawić! jeszcze raz skoczyć!

– widzisz, a ja co prawda wciąż jeszcze jestem jak koń! ale dziś nie ten; a rady, jak poprawić ten skok, nie znam! a sam sobie poradzić nie potrafię!

Zmarł młodo, w dwa dni akurat po tym spotkaniu. I nie zdążył wychować apologetów. I Dziś go nikt nie wspomni, z tych zwłaszcza, co często są przy głosie, których on odkrył, zbudził do skoku.

Co robi wielki Aktor, który na dyrektora trafi dość mądrego, jak ów, co go wspomniałem, ale nie mistrza?...

a kiedy trafi na znacznie bardzo gorszego od siebie?! bo i mu żadnej roli nie dał?

... emigruje ze stolicy... za pracą!!

Akurat dzwoniłem tego dnia do Mistrza, który Arturem Ui już nie był, i nie Bogusławskim, nie Maestro... mieliśmy moją *Klaustrofobię* robić na scenę; dzwonię, a on

– ... od jutra już nie pracuję w teatrze! wylano mnie z Dramatycznego! nie mam gdzie iść!... to jak mamy teraz mówić o czymkolwiek! czy ja muszę odchodzić z teatru dlatego, że nie jestem stąd? pochodzę z Podhajec, no i co z tego?!

podczas czwartego zawału, na wygnaniu zmarł, jako Król Lear *in statu nascendi.*

W *stolycy* nikt się za nim nie upomniał. Tzw. opinia środowiskowa Bez oburzenia przyjęła ten fakt.

A Zygmunt Hubner, któremu w najgorszym czasie udawało się Havla wystawiać w Powszechnym – bywałem tam nieraz, widziałem, ile go to kosztowało; musiał umrzeć na zawał?

Czy żyć mają tylko ci głośnomówiący o...

legendarni!... do nocnej Kameralnej przecież chodzili! „tam wejść, to jak podpisać listę obecności, musiało się, he-he! i wszyscy wchodzili na jeden krawat!", wyczyn!

10

– o czym mógł myśleć, dla odmiany, imć pan hetman Żółkiewski, w obozie oblężniczym tam, z chorą nogą przez dziewięć lat gnijąc? a może on przypadkiem był poetą? do takiej bitwy trzeba fantazji!

o czym innym – jak nie o ataku następnym!...

obcy pies gdy zabłądzi, przychodzi, czeka z zawieszonym spojrzeniem na tobie, pyta się, aż dopyta, czyś go zauważył, czy nie zechcesz w końcu z nim się przywitać?

on wie, w człowieku jest coś takiego, jak zmysł uwagi!

a człowiek człowieka już nie zauważy?!

‚gdy pan spojrzy na to... z punktu widzenia swojej dzisiejszej dojrzałości...' powiadał pan Kabata...

kierunek podać!

kto nas jeszcze dziś tak podrywa?

instytucje o świetnych epizodach w przeszłości, formatu nie trzymają, marnieją; a jednostki...

Koszmarny rok 1953. Akurat Broniewski miał spotkanie ze studentami na Krakowskim Przedmieściu, w Domu ZSP. Były dwie panie w towarzystwie; odprowadzałem ich na ulicy,

– a pan jest student? skąd pan przyjechał?

– z Białegostoku i okolic... był pan w Białymstoku?

– tak! mruknął chrapliwie, znam to miasto

‚jak można znać miasto tylko z ruin?!' pomyślałem.

A dziś w recenzji książki o Broniewskim czytam:

„Znani twórcy próbują dociec, jak on z oficera legionów Piłsudskiego... został komunistą?! co go skłoniło do napisania wiersza o Stalinie?"

„ a przecież on również i... „młodym Ryszardem Kapuścińskim się zachwycił! jednak w życiu codziennym bywał apodyktyczny, trudny!"

jego format im przez gardło przejść nie chce! nie mieści się w głowach.

Rok 1920 miał dla wielu specjalne znaczenie. Mnie jeszcze nie było, ale niejaki Konstanty Pankiewicz ps. Grabo", członek komendantury POW w Białymstoku, wraca ze Szpitala Św. Ducha w Warszawie, przy Elektoralnej 12, gdzie dokonano mu trepanacji czaszki, po urazie skroni, jaki odniósł był w akcji; w budynku tym mieści się dziś... ojciec wraca do Białegostoku, a tam 28 lipca wkraczają oddziały Armii Czerwonej, by zakładać nową Republikę Rad.

Jednak rankiem 28 sierpnia od południa podszedł pod miasto 1 Pułk Piechoty Legionów. Do godz. 7 Polacy opanowali miasto; w następnej godzinie od wschodu nadciągnęły znów „masy prawie całej 16. i części 3. armii sowieckich. Na odcinku 1 batalionu stanęły olbrzymie kolumny nieprzyjacielskie i rozwinęły się do natarcia... wdarli się więc!..."

Kolejne przeciwnatarcie polskie nastąpiło ok. godz. 18. „...Niepewny sytuacji byłem tylko godzinę – później zwycięstwo nasze było już jasne. Jeńcy prowadzeni setkami, zdobycz, konie... Czteroma baonami rozbiliśmy pięć dywizji bolszewickich! które jednak częściowo przedarły się przez miasto. Uległy jednak takim stratom i zdemoralizowaniu, że nie spodziewałem się. Daliśmy Sowietom takiego łupnia wtedy! „(Władysław Broniewski, *Pamiętnik 1918-22*, Warszawa 1987).

Polaków zginęło 30, Sowietów oszacowano na 600 zabitych i rannych (wg A. Dobroński, *Białystok, dzieje miasta*) – i czyż to nie był znów Kłuszyn?

22-letni kapitan Broniewski „Orlik", dowódca pociągu pancernego na linii Białystok – Kuriany, obronił wschodnie rubieże Białegostoku, i sam Białystok!

i moich przyszłych grudek parę.

W ćwierć wieku później, z okładem, aspirant na wieszcza, M. Hłasko, bywalec nocnej Kameralnej, co według opinii świadków „potrafił w gębę dać, jak kto spojrzał na niego krzywo!",

zazdrościł Broniewskiemu nie charakteru, jedynie... willi; bo człowiek ma zawsze do wyboru – czy zazdrościć!

To jaki byłby wynik Bitwy Warszawskiej, ja się pytam, gdyby dorzucić Sowietom te brakujące pięć dywizji?!

Przychodzi M. Hłasko do nocnej Restaurant „Striełka" *na ulice Wagzał*, zamawia grzecznie – *Adnu wodku i wzgljan na mietieżnicu praszu!*

gdyby nie Broniewski.

... i na tę Górkę spójrzcie, onaż stroma! góry też same przychodzą do nas, póki na świecie są tacy ludzie.

Bielany, luty 2012

Kundalini

Bądź, jakby ten świat lepszy był
– w ten sposób go tworzysz!
pamięci Profesora Witolda Doroszewskiego,
z którym to było możliwe.

1

Ta panienka w windzie nie pasowała mi nawet do pogody. Ale od czegóż jest dialog, to sposób na życie,

– zanosi się na upał, pani tak w bluzce na czarno?

– wcale się nie zanosi! odparła, zadowolona, że już z rana może się z kimś nie zgodzić; och, gdybym to ja był młodszy trochę, powiedzmy o te 50, zmieniłbym ją natychmiast na lepszą! a przy dzisiejszej pogodzie – nic!

Tu mamy płot z siatki, a za płotem bliźniak z ogródkiem; między bliźniakiem a blokiem szczeka pies, bo na łańcuchu, biega i gorliwie każdego oszczekuje; wie, że miłość do pana to nienawiść do innych, psom zawsze jak ludziom myśli się!

zaś ludzie? myślą o sobie bez wzajemności;

tylko jak zabolą zęby, zatęskni niejeden, bo chciałby je wymienić szybko na kły; i chlubić się potem, że choć podniebienie ma się być może nie czarne, za to życie wokół, och, kolorowe jest!

tam, wyżej od nas, fruwają ptaki,

ludzie po ziemi chodzą; takoż i pies nie rzuci się na ptaka, aż tak nie podskoczy – a człowiekowi rzucić się na psa nie wypada, a na człowieka psu?

pies to może sobie i łeb zadrzeć wysoko, tam ptakom pozazdrościć dowoli, jest jakiś w tym sens!

a kto do ziemi przywiązany, to choćby i nie miał na szyi łańcucha, trzyma łeb jako pies.

Mnie za to wszystko chciałoby się jeszcze też gdzieś skoczyć, w młodość choćby! kiedy to marzyło się, żeby pofruwać! choć jednak, jak się było młodym, to nawet i zdolnym być, żeby „poświęcić się czemuś" chciało się, no i żyć w powadze! ale na to za wiele trzeba było pracować.

Ja za długo po studiach byłem bezrobotny. Bo zakuty łeb Szajub, kierownik KD, ubzdurał sobie, żem „klasowo niesłuszny", no i podwładnym zapowiedział, że komu jak komu, ale mnie pracy dawać nie wolno!

nie mogłem już wrócić do zawodu, w którym i przed studiami byłem niezły; nasz ustrój przez ten czas tak się rozwinął, że by pracować, trzeba było mieć glejt KD. A Szujbas, najmniej zdolny ze wszystkich chłopaków, za to, że chodzić musiał ostatni w rządku podczas rannych wypraw do kina, a na początku byłem ja! to teraz odgrywa się „z klasowego punktu widzenia"; i jest jakby miał rację.

Więc zatrudniać się musiałem a to w magazynie chemikaliów, pomocnik do przenoszenia, na Głównym, przy wyładowywaniu wagonów, i jako nauczyciel w podstawówce; a tam panuje na korytarzach tak straszny hałas, że nie lubię. I do swojego zawodu wrócić nie mogłem bez bumagi.

Po dwóch latach tego, i pięciu innych jeszcze, dostałem wreszcie fuksem pracę w poważnym wydawnictwie; ucieszyłem się, jak ten pies bez łańcucha u szyi!

tam się co prawda niczego nie drukuje pod swoim nazwiskiem, tylko cudze teksty szlifuje, ale za to jakie! profesorskie! więc masz i żyj jak u pana Boga za piecem.

2

Ale na Szefową trafiłem jak spod najciemniejszej gwiazdy; udawała wciąż, że jest spod nieco jaśniejszej. Długo nie dawała mi nic do roboty, bym się zdenerwował. Niby że chciała mi się przyjrzeć, takie niby zaloty! I przyglądałaby mi się do śmierci nierychliwej, zwłaszcza dla mnie, bo byłem od niej młodszy jakieś 50, ale to ona się więcej uśmiechała, choć ironicznie.

Poprosiłem wreszcie o jakiś, choćby najtrudniejszy maszynopis do opracowania; i wtedy, jakby tylko na to czekała, dała mi tekst – no, bardzo głośnego Profesora, znanego z apodyktyczności; i było jasne! ja przy nim oczywiście, muszę się wyłożyć!

Na studiach to nawet i nie ośmielałem się do niego podejść po zaliczenie, podawałem indeks przez kolegów; za to teraz z zapałem przeczytałem pierwszych dwadzieścia jeden stron maszynopisu, chciałem się przekonać, czy go właściwie rozumiem, zadzwoniłem i poprosiłem o rozmowę. Słysząc to Redakcja aż piszczała po kątach, że będzie afera!

Przed rozmową opanowałem oczywiście i alfabet grecki, bo tam były cytaty w oryginale z Sokratesa, *Poznaj samego siebie!* ta sentencja; no a też i bezbronny nie szedłem, bo zauważyłem sprzeczność w dwu różnych eksplikacjach tego samego źródła.

Gdy przedstawiłem to Profesorowi, ten aż poczerwieniał, jakbym to ja na egzaminie, aż zatrząsł się; dopiero teraz się domyśliłem, że rację mieli koledzy z Redakcji, przewidujący, że kto jak kto, ale akurat nie ja będę miał w tym sporze rację; a przecież chciałem dobrego! no i „poznać samego siebie"!

Na stole profesorskim herbatki dwie, aż przezroczyste, ostygły, ta pana Profesora nie była wcale i zaczęta, a moja trochę nadpita, a my obaj aż się gotujemy! znaczy się ja coraz bardziej stygnę raczej z zapału dowiedzenia swoich racji, już szukam pomysłu jak by tu czmychnąć, szybko wynieść się stąd, gdzie by się tylko dało, natychmiast!

bo choćby kto i zająca w jego własnym leżu spłoszył, temu nawet i zając nie daruje! a tu Profesor, prawdziwy autorytet siedział przede mną!

– nie jestem recenzentem żadnym... to taka tylko wątpliwość skromna... zapewne pan Profesor ma rację!

– zapewne!! ma być tak, jak tu napisane!

– i możemy to w tym stanie zostawić?

– a jeśliby był jakiś błąd, to dopiero wtedy! ale u Sokratesa jest dobrze, to i u mnie tak samo!

– ależ... jest tak jak pan Profesor mówi! ja tylko nie wiem, czy tak ma być?!

– to niech pan powie, do cholery, czego pan chce! no, proszę!

i wciska mi maszynopis i ołówek do ręki,

więc ja nie biorę!

i dalsze gorszące sceny zaczęłyby się dziać raczej!

– ja skromny czytelnik! a pan Profesor jest...

zaraz i powietrze w nos zaczęlibyśmy wciskać sobie wzajem, wachlując się tym maszynopisem –

– ... a ja do toalety muszę! pisnąłem wreszcie;

,genialne wyjście!!' ucieszyłem się;

gdy wróciłem, Profesor coś tam wyszrajbował, podsuwa mi pod nos, biorę, czytam...

– może być tak?!

– sprzeczności nie widzę! wydaje się, że już!

tedy i spokojnie ot, mam wynieść się stąd natychmiast! niech nie myśli, że kto nawet i zającem nie jest, choć myśliwym zamierzał zostać!... albo i co gorsza – z myśliwego może kiedyś i na prezydenta awansować, ale nie tak odrazu!

3

Kto od polowania już odstąpił, to choćby kimś więcej niż zającem już był, jest w stanie niebezpiecznym – niech nie myśli tedy, że go nagroda czeka za to!

Nawet i nie wiedząc o tym, bom jeszcze smarkacz, ale już marzyłem tylko, żeby choć mnie przestała boleć noga!

ale cóż, gdy się ma naturę wrażliwą, to choćby tylko o jednej stopie, ale przed wilkiem dzygać jak na obu łapkach się musi! i nie sapać jak zając...

Nie wiedziałem jeszcze, jak mam teraz przekonać do siebie tamtego Niezająca?!

i pewności siebie mi brak! oj zanadto mało!

a przecież muszę go do siebie przekonać!

jeśli tam raz bezpiecznie udało mi się wyjść...

Trudność mojego położenia zapewne wyczuł odrazu on sam, pan Profesor, bo niezadługo zadzwonił pytając, kiedy to się u niego pojawię z następną partią tekstu, a?

a mnie tu boli noga!

na wszelki wypadek zastosowałem metodę niewymienianą w żadnym podręczniku metodyki stosowanej, w moich odczuciach tylko nazbyt nachalną,

to jest przez zaniechanie!

nie całkowite ale

nie iść tam, lecz przesyłać kolejne partie materiału, z uwagami na marginesie, zaznaczonymi delikatnie, ołówkiem ledwo, czasem żeby ich i nie zauważył, albo co! i tak łatwymi do starcia, że nawet ja sam, przy kontrolnym czytaniu, potem odcyfrować już nie mogłem –

ja – ale nie pan Profesor!

jakby uprzedzając moją precedensową kolejną niedoczytalność, pan Profesor wszystkie zaznaczone miejsca rozczytał i pozmieniał podług domniemanego mojego życzenia; czasem aż za niepotrzebnie!

bo kto pierwszy rów przeskoczył, a nad drugim nie zawisnął,

ten niekoniecznie zdolny myśliwy jest, ale zuch!

I mogłem już odstąpić od niepewności mojej,

tylko niech nie myśli zając, że mu od byle czego zaraz i noga przestanie boleć!

bolała ciągle i to jak cholera!

Ale niejakiego Achillesa też bolała, a on zwyciężał wszak, tyle ile chciał!

– Bardzo dobrze mi się z panem rozmawia! powiedział wreszcie pan Profesor kiedyś, spotkawszy się ze mną;

– i mnie też miło, że Pan Profesor tak się liczy z moją skromną opinią!

– bo pan taki jest, że jak na coś popatrzy, to jest tak jakbym i ja na to patrzył, czyli że z mojego punktu widzenia pan też ...

– jeszcze ja nie dotarłem aż do takiego punktu, ot, gramolę się wciąż, w tym tu – ale co tam!... a bo ja żyć chciałbym z perspektywą jakąś, nadzieją, że tam będę! jeśliby ona starczyła mi na długo!... bo ja tu nie chciałbym niczego... sfajturzyć!

prof z lekka aż się uśmiechnął,

– no, podoba mi się ten pański, hm... racjonalizm! sfajturzyć! czyli wysiłek, żeby spojrzeć na coś z punktu widzenia tego, co będzie!

– nie! wręcz odwrotnie!...

– ale widać, że się pan nie leni! bo wiele jest dróg do pospolitości; a główna jest ta, żeby ze sobą nic nie robić!

tedy uśmiechnęliśmy się obaj, już dość leniwie;

– pan jakby wierzył we wszystko, co rozum podaje, ale nie do końca!

– zawsze tam coś jeszcze zostaje i poza rozumem...
– skąd pan to wie?
– przy panu nie śmiem wiedzieć! ale domyślam się!
I do przyszłości mogłem już sobie wrócić, i westchnąć.

4

I wszystko chyba odtąd pięknie byłoby gdyby. Nie to, że nie patrzyłem na to, co czai się gdzieś tam ukryte. Zło zwykle za plecami naszymi siedzi, a niektórzy znów mówią, że w czarnej dziurze, której nikt nigdy nie oglądał! i nagle odwracamy się, a tu...

muszę tu zrobić wykład historyczny; był kiedyś taki czas, że kobiety nasze dzielne były; co prawda nie aż do tego stopnia, jak bywają dzielni leniwi i tchórzliwi mężczyźni zwykle, gdy z przeświadczenia, że „tak ogólnie, to już nic się nie da zrobić!" wyciągają dla siebie tylko słuszny wniosek „a może jednak?!", i prą na łeb na szyję naprzód, i zwyciężają przeważające siły wroga;

zaś kobiety to naprawdę dzielne były kiedyś, nie bździurzyły im się po głowach żadne tam obcasy wysokie, jak dziś! miały wtedy po głowach zdecydowanie inne sobie fju-bździu!

i zdarzyło się raz, że na pewnym zebraniu załogi kobiety postanowiły, że jak się nie da nic zrobić, to one właśnie coś zrobią i przygniatającą większością głosów zdecydowały się wybrać mnie, żebym bronił ich praw w firmie; ich czci przy tym, bezpieczeństwa nawet – myślicie, że to jakiś zawodowy dżentelmen tak się nazywa, ale wcale nie tak...

i to ja zostałem wybrany SIP-em, czyli społecznym inspektorem pracy – dla załogi liczącej 2 tysięcy ludzi!! i było też siedmiu inspektorów oddziałowych do pomocy, ale żadnego z nich nazwiska ani imienia nie dało się zapamiętać!

I moja sytuacja w Redakcji też zmieniła się natychmiast! na gorsze rzecz jasna, bo wszyscy koledzy (a zwłaszcza koleżanki, które nie głosowały na mnie) zaczęli donosić – gdzie kto mógł!

jest to wszak dla każdego świetna droga do awansu!

I był wśród nich jedyny kandydujący do roli kierownika Redakcji, niby-mężczyzna Pińdzioch, który natychmiast założył mi zeszycik nieobecności, to jest wyjść z Redakcji, jego zdaniem nieusprawiedliwionych, Pińdź wszak chciał wygryźć Szefową szybko, jak najszybciej, dzięki swoim zasługom.

Z drugiej znów strony, choć niby te wybory związkowe były w pełni legalne – cała faktyczna władza odrazu wiedziała, że już ma w kogo bić jak w worek treningowy! bo ktoś jest wybrańcem, nie losu przecież, a tylko załogi, i na swój los zasłużył!

– ...to i jak, towarzysze! to po to my tu jesteśmy władzą? dyrekcja, egzekutywa i cała organizacja partyjna, żeby za nami jeszcze ktoś stał i mówił, jak mamy rządzić! i żeby nam tu ktoś rył jak kret! nie po to my tu jesteśmy w imieniu klasy robotniczej!

a na zebraniu Egzekutywy usłyszałem

– no gdybym ja wtedy, towarzysze, miał go przed sobą, jak tu teraz, to bym go o ścianę, ot tak wiecie! odrazu rozpłaszczył!... – i wymachiwał mi pięścią przed nosem, choć to dyrektor administracyjny ledwie, no i w dodatku konus! no, komar naprzeciw mnie!

Jednak wtedy to już i ja sam, z wrodzonej uczciwości, postanowiłem powiadomić pana Profesora, jak źle ze mną jest; i z naszą już książką rzecz jasna; żem w jak najgorszy front sam się wpakował!

Paradoks polegał i na tym, że ja się tak wcale do takich dodatkowych zajęć nie rwałem; prywatnie cóż, wolałem w wolnym czasie pokontemplować życie choć trochę! a tu – z samego powodu, że istniejesz...

i do tego jeszcze – wybrańcem zostałeś!

Bo u każdego mężczyzny to jest już taki wrodzony nawyk podrywacza – nie odmawiaj kobiecie, kiedy prosi, a gdy już prosi cię jakaś liczba mnoga, to tym bardziej! ona z nadzieją spojrzy na cię, a ty aż się palisz, by stanąć przed jak największym zadaniem! i jak tu nie sprostać obowiązkom!

Fakt, że oficjalnie zostałem tym SIP-em, no i jestem;

odtąd będę musiał uśmiechać się tym ostrożniej, i nie do każdej! a indywidualnie istnieć tak prawie, jakby się i nie istniało nigdy, nie uśmiechać się wcale!

do wszystkich tak, owszem, poza tym do żadnej!

sobą znacznie oszczędniej gospodarować!

A że w Redakcji przydałem się, bo każdy już miał na kogo donosić?

niech tam już i najniższemu podszefowi pionu będzie wiadome, i kierownikowi administracji także, i podnaczelnemu byle sekcji – że ja czasem nic, tylko labuję!

a już sam naczelny naczelny to rzadko bywał w gabinecie; on szykował się do skoku na ministerialne stanowisko, i musiał tu często nie być –

zaś ja – teraz przynajmniej będę mógł dowiedzieć się, jak to ta władza od środka wygląda!

skoro postanowiłem otrzeć się o nią, to niech już będzie z pozycji, dość początkującego co prawda, ale przeciwnika.

5

I przeszkolono nas, wszystkich takich świeżo wybranych amatorów kwaśnych jabłek jak ja, SIP-ów z całej Polski, na dwutygodniowym spędzie; z prawa pracy;

i uprzedzono uczciwie

– zapamiętajcie sobie, panowie i panie, że zwalczać was będą wszyscy: dyrekcja, Egzekutywa i Rada Zakładowa, jako konkurencja każdemu będziecie solą w oku; faktycznie żadnej władzy nie macie, lecz dla nich będziecie realnym zagrożeniem, że ich skompromitujecie; a dla dyrektora naczelnego szczególnie, bo to tylko jego osobiście będziecie mogli ukarać grzywną za niewykonanie waszych zaleceń.

Wróciwszy, przekonałem się, że to prawda. Jednak moim największym wrogiem okazał się ambicjoner: przewodniczący Rady Zakładowej, bo on dostał mniej głosów w wyborach, a teraz sam nie miał prawa nikogo ukarać za nic!

i z tą motywacją szedł już na stałe na pasku władz.

Zorganizowałem przegląd stanowisk pracy; Mój sąsiad Pździąk każde wyjście w tym celu skrzętnie zanotował, ale jakoś kierownikiem za to nie został, wiec przycichł. Pokazywał tylko każdemu swój grafik „Nieobecności SIP-a w pracy" kto patrzyć chciał i nie chciał.

Do pracy nad maszynopisami zostawałem po godzinach, ale konkurencję i w tych zajęciach robiła mi Egzekutywa, która wzywała mnie co drugi dzień na 7-godzinne posiedzenia, „dla oceny słuszności ideowo-politycznej", czyli przypiekania aż do zaskwierczenia w trakcie procesu przypalania. „No bo jak to, towarzysze!..."

dziw, że dopiero po półtora roku tego procesu rozchorowałem się; zbuntowała się pierwsza nie skóra przyrumieniona nadto od przypalania, ale kręgosłup;

sparaliżowało go w zgięciu pod kątem prostym, więc i chodziło mi się z trudnością;

‚ale ducha jednak mi nie złamano!' mogłem sobie mruczeć.

Z wielkim hukiem, odbyło się jednak, przebadanie korektorek, gdyż u jednej z nich odkryto odklejenie się siatkówki, to wskutek mojego przeglądu stanowisk pracy – i wymusiłem przyznanie tej pani odszkodowania oraz przeniesienie na inne stanowisko.

No i wyszła też wreszcie książka pana Profesora, mimo że w Dziale Produkcji Pijździoch intensywnie się starał o zablokowanie jej druku.

Był jubel. Zebranie Towarzystwa Wydawców. Przyczłapałem do Sali Kolumnowej, a wtedy Naczelny, zwany ogólnie Groźnym, musiał wszem wobec wydukać z pamięci dość trudny do zapamiętania tytuł książki, i że „Profesor za nią Wam dziękuje!"

było to pierwsze, publiczne jakby co, uznanie, że ja jeszcze istnieję, a może nawet i potrącenie struny mojej niewinności; bo w ogóle Groźny to był uczciwy chłop; a może i nie zapominał o groźbie sztrafu dla siebie za nieprzestrzeganie moich zaleceń pokontrolnych; zalecenia takie oczywiście pisałem, ale nie wnioski o ukaranie (zobacz moja teoria o twórczym wystarczająco skutecznym aspekcie każdego przerażenia!) i tak zadziałały;

mimo to zarabiałem nadal czymś tam na zarzuty o hunwejbinizm i inne takie na posiedzeniach Egzekutywy; „odchylenia chińskie" były akurat w modzie; Groźny czasami osobiście sam je odkręcał.

Ale poszedł w końcu na wiceministra, jak marzył, i po pół roku zaszczytnego pełnienia funkcji niestety zmarł.

... mnie mimo to nagrodził pośrednio premier Piotr Jaroszewicz. Bo uznał mój wniosek „O POPRAWĘ WARUNKÓW PRACY KOREKTOREK, a w tym i opracowanie optymalnego oświetlenia dla wzorcowych stanowisk" za słuszny; dostaliśmy na to 7 milionów złotych, on sam to podpisał. Bo chciało mu się! To ten sam premier, którego później, po zmianie reżymu na demokratyczny, zamordowali bandyci. Wstyd z tego dla policji, bo sprawcy nie zostali wykryci.

Takoż i ja, jakby tylko ocierając o ścianę poważnych publicznych wydarzeń, stawałem się poniekąd i autorem samego siebie;

byle jeszcze miał kto dokończyć dzieło, które zacząłem;

bo mnie do tego trzeba by jeszcze paru lepszych kostek w nodze i wyprostowania kręgosłupa.

Ale ból podobno przyśpiesza przebudzenie.

W szpitalu na Oczki pani Neurolożka nie chciała mi odpowiedzieć na pytanie dość bezczelne, zadane wprost, „czy ja z tego wyjdę?" by nie robić próżnych nadziei.

Jej asystent za to, też zdecydowanie, odmówił mi pomocy w założeniu buta;

był to dawny mój rywal od podrywania dziewcząt i nie chciał uwierzyć, że nie udaję;

– ty, stary, przestań wygłupiać się!

bo i cóż to za podrywacz bez buta!

jedyny optymistyczny akcent tej wizyty to było pół roku zwolnienia lekarskiego.

6

W kręgach stołecznych w literaturoznawstwie czynny był wówczas, jakoś i modny, pewien profesor, Wacław Ponowny; powiedziałem „czynny" na wyrost, bo on też głównie siedział w domu, jako że był po operacji odklejenia siatkówki właśnie i nie mógł się schylać;

ja zaś, na stałe schylony, nie mogłem się wyprostować;

i pomyślałem sobie, że co nas różni zasadniczo, to może i łączy!

‚i co tam mamy się nudzić osobno? nie lepiej znaleźć powód do nudzenia się razem?!'

przypomniałem sobie, że w redakcyjnej szafie leży, od lat nie tknięty, maszynopis księgi o teorii literatury pewnych dwóch autorów amerykańskich; kiedyś połamali sobie na niej zęby nasi tłumacze –

‚to ja namówię Ponownego – myślę sobie – i byśmy razem zajęli się tym ponownie! akurat właśnie z Profesorem Ponownym!'

I – nie jak dawniej – pchać się do pracy w Wydawnictwie, pokuśtykałem do niego, do mieszkania, a tam w domu była do pomocy i jego żona, plastyczka;

i Ona też poznała się na mnie nieco, bo układała mnie na boczku w rynnie ściany, bym sobie tam półleżał i półredagował, jak prawdziwy pełnointelektualista!

a drugie pół wykonywał pan Profesor Ponowny, on donosił mi co trzeba, a to encyklopedie, leksykony, słowniki, inne takie, i razem mogliśmy sprawdzić słuszność amerykańskiej tej czy innej hipotezy, definicji!

i trzeba nam przyznać, że popracowaliśmy raczej dzielnie, lustrując dzieło przy okazji tych dwóch Amerykanów, my, dwaj Polacy, zuzsamen do kupy!

i to wszystko skleiliśmy w naszym pięknym polskim języku jako poemat mądrości niejako, że aż błyszczało!

tak po pół roku mojego tam zachodzenia, i chętnego co tu ukrywać, wylegiwania się na boczku w ścianie, u Pani Żony, malarki zresztą, ona przynosiła mi co trzeba, a to kocyk, a to herbatki może jeszcze? i po takiej harówie i wylegiwaniu się

dość słusznie znielubiłem samotność i starokawalerskie opuszczenie,

i z literaturą światową zrobiliśmy co trzeba!

I teraz tylko pytanie, kto ten nowy, sprawdzony przez nas merytorycznie, a nawet i artystycznie wyszlifowany, maszynopis zaniesie do Redakcji i odda tej, Co Wszystkim Podawała się Za Jaśniejszą spod Gwiazdy niż Jest!

Pan profesor nie, bo z domu nie wychodzi,

ja też nie, bom niby tak chory, że nie chodzę, co częściowo jest prawdą; tak jak kazała pani Neurolożka; a i myśleć na zwolnieniu za wiele nie miałem prawa!

i jakby się wszystko wydało, byłaby sprawa!

Więc zaniosła, jak to z Niezastępowalnymi Kobietami bywa, pani Żona! onaż Artystka – to i wszystko odpowiednio Tamtej Ciemnej Podającej Się za Jasną uargumentować potrafi.

Zaniosła i zostało przyjęte.

To zaraz i prof. Po. napisał do tego list, że niby to gdzieś w Szpitalu robił ze mną; i do tego wszystkiego dodał, jaki to ja jestem redaktor świetny, a przy tym i naukowiec jakby – własnoręcznym podpisem to poświadczył.

No i ja, pokurcz, nie wytrzymałem! i rychło też się pokazałem w Redakcji – może i zbyt ośmielony wszystkim –

a tam zrobił się szum wielki – lecz nie z przykrego zaskoczenia, że żyję!!

... a zaraz i na Egzekutywę ponownie mnie wezwano.

Bo już na miejsce Groźnego przyszedł do nas tam Kubuś Puchatek; on szedł z KW i tam na wstępie zażyczył sobie wyczyszczenia tu pola z wszelkich wrogich elementów, bo on jest łagodny, nie będzie rąk sobie plamił!

i pprzyszedł do firmy prykaz, by przede wszystkim mnie ostatecznie załatwić.

A jak się pan prof. Pe o tym dowiedział, to nic, tylko przyszedł do mnie i mówi ,

– panie kolego, taka zagwostka powstała, co?! przykre zdarzenie!... to ja w tej sytuacji miałbym prośbę... żeby pan, przy najbliższej okazji, jak pan tam będzie, żeby zechciał pan wycofać ten mój liścik pochwalny, który ja lekkomyślnie niedawno dla pana napisałem... panu to już nic nie pomoże – ale dla mnie!!

Taki był z niego i autorytet młodzieży! Modny.

7

Ale jakoś i zadzwonił do mnie też pan Profesor, mój Profesor!

powiada, że chce, bym robił jego nową książkę, tym razem po angielsku!

– bo ja redaktorów mogę mieć i piętnastu ze znajomością języka prefekt! ale mnie chodzi o to, że pan zrobi to dobrze! bo mam do pana zaufanie!

no dobrze.

Wierzę w to, co robię, i co mam do zrobienia! więc i zrobię. Wierzący ateista jestem. A pan Profesor mnie szukał!

Tylko że... kto pomoże teraz? jak mi pomóc trzeba?!

...Ale to pan Profesor uświadomił mi, że mogę być mistrzem! i skłonił do cenienia własnej pracy!

a czy na mistrza to już sposobu nie ma? Jest!!

...to niech ci teraz Bóg dopomoże, chłopcze! ten wierzących!

...jak sobie poradzę, wtedy i Bóg mi dopomoże!

...bo i w co ja wierzę? wierzę w kwiatki, które od zeszłego roku wzeszły ponownie, teraz jaśnieją blaskiem własnym –

wierzę w to, co robię, i co mam do zrobienia!

A teraz właśnie, tu gdzie piszę, to jest 35 stopni, a niejaki Paul Lewis, najnowszy zdolniacha, gra w radiu *V Koncert* Beethovena; czyni to wysiłkiem jak najmniejszym, jakby na nartach pędził gdzieś w iskrzącym śniegu po grani, lekko, bezpiecznie, a droga przepaściście przed nim mknie, a on ani pół stopki w tę, ani wewtę nie zboczy! ach, najlżejszy dotyk! stąd i upału już nie ma u mnie, o to i Dance pomyślę sobie, ona wszakże też i czuły dotyk!

tu lekko zefirek hula, jemu zdawałoby się nic nie dorówna! po szczytach ach, się piąć Danka też umiała! jak i ten pan!

kiedy mężczyzna się, choćby jak pan Lewis, klawiszy tknie, och, jak wiele może! bo i pan Lewis, bo i Danka są mistrze! w życiu tak wszystko należałoby umieć przenieść w idealną krainę możliwości! A wtedy i ten świat lepszy by był! Kiedy i ty go tworzysz! –

czy mi uwierzysz, drogi Czytaczu, że już miałem szansę znać takiego kogoś; co wśród najgorszych z możliwych okoliczności trwał!

Gdy już mój los wisiał na włosku, i to przyczepiony byle jak, i nie wiadomo do czego –

gdy mimo że podzdrowiałem – prawie potrafiłem chodzić już, ale i siadać musiałem co 20 metrów na trawniku, dla odpoczynku, i iść samodzielnie dalej i posuwać się, wzdłuż krawężnika –

8

Było to chyba 15 maja 1972, tego dnia, kiedy to szczęśliwie zdarzyło się, że odwiedził nas w Warszawie pan Prezydent Ameryki, Lyndon Johnson; przyjechał na rekonesans bo...

zresztą i dzień przedtem coś ważnego zdarzyło się; otóż pan Marian Z., ten bezręki wiecie, co to niedawno u nas nowym Przewodniczącym został RZ; on ciągle jeszcze był II Sekretarzem, ale nie był to szycha żaden, zaczadzeniec, ale człowiek na tyle ważny, że życiowo był dość doświadczony –

i kiedy przyszli do niego, spodziewając się, że już prawie na pewno, przecież on kaleka, i posłuszny będzie, i zrobi, co zechcą –

to on wtedy, pan Marian, człowiek życiowo doświadczony, a wiem to z pewnego źródła, jak się zachował, pan Marian, który cierpliwie i bez prawej ręki umiał żyć, i już się nikt nie spodziewał –

to pan Marian, to nie żeby odrazu jakoś stwardnieć musiał, bo umiał się i wyprzeć nieraz, nawet siebie, w swym trwaniu – to jak przyszli, to on im powiedział nie!

– nasz SIP zawsze dostawał więcej głosów ode mnie! i od tej samej załogi! a teraz ja do tego ręki – i tu popatrzył na swój rzeczywisty brak, na miejsce po prawej – ja nie przyłożę! i wygłupiał się nie będę!

... a co by było, gdyby takich głupków jak on, no choćby i ten pan Marian nie było?!

to i naszej Polski by nie było!

roznieśliby ją te rotwajlery, rasowe psy, albo na działki rozchapali!

ale wróćmy tu jak należy, już do pana Prezydenta, bo przez niego dostali wtedy wszyscy wolne, i tam spacerujemy sobie, i ja też, bo może mi to wszystko przyschnie jakoś, wybaczą! a bo przecież on tam na nas czeka!

kuśtykam i ja; bo i dowiedziałem się akurat tego o Marianie, czego nie wiedziałem przedwczoraj, bo i nie rozmawialiśmy ze sobą nigdy, od lat!

więc jestem w tłumie, a Mr Johnson przed Europejskim zaczął przemawiać, i wskoczył na dach tej swojej pięknej limuzyny, i zaczął ją deptać, lakier rysuje, tym gorszy nas wszystkich, bo to taki piękny lakier! a przecież to i trud amerykańskiej klasy robotniczej...

ja, jak tylko dowiedziałem się o tym, to i odnalazłem go zaraz, podchodzę do Mariana, jakby po raz pierwszy w życiu, chcę witać się, podchodzę wyciągam prawą rękę, ale i cofam zaraz, żeby pasowała, i wyciągam lewą rękę, mówię mu,

– cześć Marian! jesteś taki no... jesteś mi brat!

a bo oni nie spodziewali się tam, barany, oporu... a on wyzwolił w sobie smoka, takiego co jak dzisiaj mówią kundalini! smoka, który siedzi w każdym z nas, pod ostatnim kręgiem, i wyzwala siłę, wielką siłę! i nie podpisał! odmówił.

Pod ostatnim kręgiem, nieporuszone ciągle, a tak władne, że uczynić może człowieka Siłaczem!

utrzymał mnie przy życiu można powiedzieć.

4 września 2011

PS Mój pan Profesor publicznie nie omieszkał i wygonić szpicla z uroczystego posiedzenia Towarzystwa Przyjaciół Języka Polskiego, i jeszcze potem mówił do mnie

– nie wpuszczę skurczysyna! wygonię za każdym razem poza bramę Uniwersytetu, jak tylko się zbliży!

A ten wyrzucony zdążył jeszcze kawalerkę sprzedać i dom pobudował i zaprowadził tam psa na łańcuchu, żeby na mnie szczekał; a sam zwariował; już bez pomocy niczyjej.

Łabędź z Tuoneli

1

Mnie zresztą nie ma!

czepiam się księżyca, byle kwiatka na łące; nocy, bo wtedy drogi mi nikt nie zagrodzi; noc za osłonę mieć! wyzbyty niecierpliwości świat rozleglejszy się staje, wspólny, zaprasza;

a kiedy nikłe światło się ukaże, idziesz! czujesz, jak pod stopami ziemia się układa równo, coraz równiej, w porządku drogi i na poziomach marszu;

drzewo, jako i ty żywy podmiot marszu, z tobą pośpiesza, wspólnikami stajecie się! skroś rozległości wszelkiej, między Niebem a Ziemią przesuwacie, nad wami coraz to inne światełko mroczy się,

już przystajecie, ale władcy sfer wypatrzyć się nie da!

tylko po niebie poświata sobie płynie, to jakby tam z góry drabinkę ktoś ci zrzucał, nieco od Chmur przybarwioną; a jeśli nad czubami drzew jaki podmiot nowy zatrzyma się, przysiądzie na którymś, będzie to syn Księcia Ziemi, Księżyc; przed momentem właśnie skosił komin fabryczny, to z podejrzenia, że mógłby przeszkodą być, i już nie będzie!

równowaga na niebie to rzecz święta; wszystko tam w ruchu ciągłym musi być, a jakby nic się nie działo! i jeśli komu zwichnięcie toru grozi – by się nie wykopyrtnął, Kosmos zatroszczy się jak o sąsiada, ot, na tym porządek na Niebie stoi.

Zaś zmiana rytmu przesuwania się groziłaby upadkiem, i Księżyc bęc – choćby w kopicę siana!

stąd i na Ziemię pozerkuje, do towarzystwa innych wędrowców wygląda. Pozwolić sobie może, na niespodziane mgnienie chwili, i by w jeziorną toń dać nura, łąkę z sąsiedztwa dla niepoznaki oblać smugą bladego światła; albo i w szuwary wejść dla wytchnienia; lec, zdrzemnąć się, a toć to noc przecie.

Tak i myśliwy zwykł czynić, kiedy brodzeniem w polu znuży się, i w nie wiadomo czyją okolicę wpadnie.

A on tu władca nocy, pożywać sobie może wiele! z ziemskich pokus też coś przyswoić, bo to swawolny gość, w szczelinę zastanego porządku wejrzeć, smugę światła tam wpuścić, aż ludziom się wyda, że to ozdrowieńcza kropla z Nieba oczy im życzliwie zaślepia.

Patrzcie, teraz w miejscu stoi, niby to się leniąc, a on rozważa, czy Ogromniastą Chmurę na pół przeciąć, czy na ćwiartki! żadnej ze swych krawędzi przy tym nie raczy uszczerbić! on ciemnej nocy król, najlepiej wie, co to i wielopostaciowość sfer!

A patrzącemu z Ziemi oczy się i zaszklą, nogi od stania zdrętwieją, gdy tam się wgapi; i kto mały, jak ja, to i na wzgórze by wybiegł, krzyczeć z radości, że ponad poziomy wybił się!

i każde chwilowe Zachcenie jest najsilniejsze, na coraz większą Wysokość cię wniesie!

ty, człeku, możesz dla swej Wyobraźni i coraz więcej uwagi zużyć; bo wszędzie tam, dokąd idziesz, może być twoje!

A Księżyc – to już przecież artysta!

on – im dłuższa droga między tym a tamtym – tym pewniej swój zamiar spełnia i każde twe wyobrażenie za towarzystwo weźmie, każdy zamiar za prawdziwego wędrownika! i wtedy ty im dłużej idziesz, tym szerszy świat trzymasz w garści!

a tu, w rejonie Wzrostu, Mknięcia oraz Przenikania, jako to już Na Górze, wszystko możliwe!

bo ludzie coraz chętniej poddają się działaniu zjaw, przywidzeń, obrazów, które dopadają ich jawnie – tam z końca Nieba, Krainy Postoju.

2

Wciąż, dzieckiem będąc, tak szedłem.

Aż się zjawiłem w Strefie Pojawień, Sosnę na wszelki wypadek mając na widoku, w połowie jeszcze zazielenioną, w połowie bez igliwia, zeschła już; a obok niej wiśnie wyrosły, i życie wciąż wydawało mi się nowe, i że tak będzie wiecznie.

Właściwie to powinienem był zaufać tamtemu Miejscu, z wdzięczności choćby, że mnie wspierało na Początku,

„...bo jeśli odwrócisz się ode mnie, człeczku, to kim będziesz?'

tak, powinienem zaufać tamtemu Miejscu, zdolności stowarzyszania się ze zjawami Wyobraźni, choć bez pamięci...

lecz bomby padały! wciąż i tam

od Sosny, Wisien, od Klonów i Lip uczyłem się więc języka szeptu, mowy, którą zamierzałem zapowiedzieć nie tylko byle duszyczce płochej, ale i każdemu, kto stamtąd umykał;

nie głusząc myśli cudzej, ani obrazu rodzącego się, czekając, aż on przemówi, a myśl ukryta się wysłowi, dopóki ta cisza trwa, Noc przed wschodem Słońca, za jeszcze wiecznej władzy Księżyca –

nie pchałem się ja do rozmowy dorosłych, leniwych i sennych, tam nie przebijesz się nigdy; już wiedziałem, że myśl dziecka, gibka, wiotka i lotna łatwo wyprzedzi ględźby starców ociężałe!

a zdarzeń niedostałych, obrazów, wahań nie pchałem gdzieś na stałe, niby do szkatuły świata! w mojej altance z bzu rodziły się jednak ogólnoświatowe projekty!

i tam rozpoznałem po raz pierwszy zdolność do pojawień, bo gdy Miejsce znika, możesz je uznać za niebyłe, ale projekt czegoś – w tobie jest!

i wyobrażałem sobie, że co dzień świat się rodzi na nowo, może i w coraz szerszej skali!

A dziś mam tu z okna na ósmym piętrze widzialność słabą, spojrzeniem z trudem wdzieram się na daleki dźwig, który w ramieniem pustą Przestrzeń sięga; z nim niby wchodzę w tamtą dawną ciemnię ciemń, rozległą krainę nocy, wspominam!

Po łące na Zabłociu ku Olszynom krocząc, przez wojenny czas! gdzie z Ojcem ocaleni, wyruszaliśmy potem osobno, każdy na front własny –

„... zwycięstwo będzie nasze! tak jest sprawiedliwie!' obiecywał Ojciec;

i ja wiele sobie obiecywałem po dorosłości.

A potem cudzym gwałtom gwałtu nie potrafiłem zadać! myślałem, że choć kobierzec Łąki mi zostanie; bo ja, gospodarz tych ziem, uczynić mogę wszystko! i lądowisko na Wodzie, Księżyc będzie mi świadkiem! przez swoją zdolność bycia wszędzie-i-nigdzie, on własnym odbiciem choćby podwoi mi świat;

tam pragnąłem otworzyć Teatr Szeptu, na Łące i Stawie; by po zawieszonej wojence wreszcie usłyszeć ciszę:

‚niechaj każdy dobrze pozna swoją myśl, świat powinien zmieścić wszystkich!'

‚tu będzie Teatr Szeptu, ciszy będziemy próbować!'

i ja, bezsłownie recytujący aktor, Wyobrażone podniosę do –

bez ukrywania się, w samotności, pełen skruchy, i z własności ziemi użytek chciałem uczynić największy! a tam jeszcze wokół grały katiusze, lecz nowa świadomość –

lecz wiadomość nadeszła!

– przyleciał do nas, ach, prosto z Tuoneli!

– co zechcesz, to on odgadnie!

– Łabędź, co dla każdego ma wiadomość!!

– on przecież jest mściciel na wrogów, groźny! zaś bardzo łagodny dla swoich!

– dla nas wszystkich pożądany!...

tak brzegiem wody szedł szmer; bo Łabędź przyleciał rzeczywiście; i wszyscy wstają! każdy sobą już świadczyć by chciał, że On przybył! światło wątłe by ożywić się mogło!

a pierwsza widownia... ta moja Łąka, ufną była!

w myślach już wyrzekamy się gwałtu wszyscy...

– Łabędź z nami zostaje! cała Polska to zobaczy, usłyszy!

– dość już trwania w malignie starych form! gdy nowy obyczaj się rodzi!'

– jasne! wszystko ma być urządzone od nowa, ludzką ręką!

Ale i kto by na to przystał? choćby tam, już w wolnej Polsce? jaka partia czy rząd – dał takiemu porządzić wtedy?! –

przecież to jest właśnie do zmiany!

Lecz kogo i kiedy będzie stać na tyle swobody i woli, by w nową przestrzeń wyruszyć dla samej wyobraźni?

1944 i nn.

Cofnięte powołanie

1

To mógłby być początek wiosny. Zaczęły się roztopy. Na chodniku śniegu coraz mniej; nic – tylko zaczynać nowy świat! *Piąta Symfonia* pana B. przychodzi na myśl! przed pięknym budynkiem spacerujemy osobno, ja i ta dziwnie ubrana pani, pewnie na imprezę czeka, ma jeszcze kilka minut; mógłbym ją o coś zapytać, z nią zostać; kto nie pyta, nie otwiera możliwości sobie i reszcie świata, a przecież czasem nazywa się to powołaniem!

Zbliżyłem się, gniewnie spojrzała na mnie –

a impreza zakończyła się późno, słuchacze zmęczeni; rozważaniem tematów z teorii, ocenianiem zachowań, „bo autor zastosował ryzykowną bardzo, dosyć dziwną metodę, ale przyznać muszę, że chyba mu się to udało!" – oceniła mnie ta pani, mniej dziwnie ubrana po zdjęciu płaszcza;

ja nawet i zmieszany byłem, bo kiedy kobiety chwalą, to coś nie w porządku! i trudno się zachować, tym bardziej, że jakby i nie chwaliły...

– pan nietypowy talent ma, oceniła inna pani, choć właściwie co to jest talent?

mężczyźni siedzieli cicho, bo zwykle ambitni są nadto, by się choćby i w odwecie narazić na krytykę;

– ...nie spodziewałabym się, że pana na to stać... plotła jeszcze tamta, jakbyśmy mieli za dużo czasu.

– A dlaczego to tak źle się kończy?! spytała i masażystka moja (za zabiegi płacę jej regularnie, a tu pretensje!) –

dołączył się jednak i mężny krytyk z sali, zaostrzył zarzut i wypalił mi prosto w nos

– ... przecież dziś wszystko ku dobremu idzie! a pan przyjemność musi mieć z samego pisania, gładko to panu idzie!...

jednak pochwała wyszła, choć w burkotliwym opakowaniu; no i czy wolno krytykowi chwalić autora?

Stałem na schodach już, wahając się, czy ulec posądzeniom o wielkość i trwać w rozdygotaniu, gdy wzloty moje wynikłe z podglądania rzeczywistości skazywałyby na ułudę zawiśnięcia gdzieś w próżni, gdzie wszystko zdarza się w odmierzonej miarce, i trwa!... może i zmieniła już o mnie zdanie ta, co z publicznego obowiązku raz już wykonała salto pochwalne? teraz przyobleka napowrót swój dziwny płaszcz?...

a nie lepiej po prostu zbiec, zapomnieć o wszystkim, niech życie toczy się, jak nadal niemoje!

Znienacka, z tyłu, podszedł gość, którego na sali nie widziałem, chyba w ostatniej chwili doszedł; twarz porysowana, blada, „Stary, ściapnij no tu dyszkę na jednego!" czy nie alkoholik?

– bardzo przepraszam, ale pan to przypadkiem autor chiba, co?... i sam to wszystko tak napisał, przypadkiem?

– a pomagała mi przypadkiem maszynistka!

– pan tam o wsi mówi znaczy się, że to niby z jakiej on wsi jest, bo z Sobolewa to pewnie nie...

– Sobolewo? ach oczywiście, że pamiętam! za Białymstokiem, dwa kilometry od Grabówki!

– nie, proszę pana, to Grabówka naprzeciw Sobolewa leży!

– a niekoniecznie! jak pójdzie się od szosy w prawo, to i do Sobolewa się trafi, ale tak parę kilometrów będzie!

– no, może i pan stamtąd! ale ja... ja panu i tak nie wierzę!

– a czemuż to niby?

– bo jeśli jest stamtąd... to chiba nazwiska jakieś zna? powie z jedno?

wymieniłem kilka, w dodatku z Sobolewa; słuchał i rzeczywiście, ten mi najbardziej uważnym słuchaczem był z całego wieczoru dzisiaj!!

– a ja tak myślał, że to wymyślone, bo aktor tak dziwnie czytał!... i że on kłamie! a może i pan... pan znaczyc sie nie dostał się tutaj tak ot... na własnych nogach przyszed?!

– no, tylko! a także i na kolanach!...

bo tam gdzie my... no, gdzie się niebo w górę wysuwa jak najdalej, to i pogoda inna jest, tam nic nie zmienia się od samego trafu, a tu?!

...tam i pod gryzącym Słońcem zimą trudno było wytrwać, śnieg pod stopami skrzypi... a hen, w horyzont wcina się las siny! w kopnym śniegu iść niełatwo!...

dokończyłem to, jakby i za niego; lecz odwróciłem się, i byłem już sam; przede mną lśniły puste schody! trzask drzwi na dole! i tyle po nim zostało!

Szkoda! jedyny prawdziwy wspólnik Miejsca na Ziemi znikł mi! a mógłby być i – towarzyszem drogi, odczytującym nasze wspólne powołanie, kto wie?

już nie popędzę za nim, nogi nie te; i wszystko oczywiście, co od szosy w prawo jest, tam dzisiaj dzieje się inaczej!

....ale jak się idzie do szkoły w Sobolewie! to był już świat nijak nieprzystający do świata pozorów! ale czasu teraźniejszego już zeń nie wydusisz.

2

U nas to 3/4 wiatrów wieje z północnego zachodu. A zaś na wschodzie Polski jak się jest, tam w przewadze wiatry z dalszego jeszcze Wschodu wieją! tam i za granicę łatwo zapędzonym być, przez przypadek, i już nie wrócić! *via* Sybir świat poznać można! i tam się zostaje! bo żyzna ziemia, pociągi dalekobieżne do niej jeszcze się nie dokopały;

a byli tacy, co z własnej woli wyjeżdżali, majątki tu zostawiali, z winy nieuwagi poniekąd; na raj licząc! a tam jak raj zastaną, to i *Ne osążdajte da ne osążdeni bądete!* już od tysiąca lat podług tej samej zasady żyjąc skromnie, bo *slaves* to są ci, którzy w posłuszeństwie długo ćwiczeni byli, i „zrób z nami co chcesz, Hospodynie, o nic złego cię nie posądzimy!"

Młodego A. wzięto do armii carskiej; odsłużył 20 lat, udało mu się wrócić; majątek po ojcu przejął, rodzinę założył, trzech synów się dochował; kiedy dorośli, wypędził ich w świat, by życie poznali lepiej; no i majątku było żeby nie dzielić – – a kiedy sam zmarł, w obce ręce wszystko poszło, w niczyje.

Jego brat, Władysław, też w ruskiej armii służył, ale on i na różne fantazje pozwalał sobie, bo wyobraźnię miał! i w drodze powrotnej brankę sobie, jak przykazał wieszcz, dobrał i przywiózł, piękną

Laryssę, tu na ojcowiznę; gdy tam szalała rewolucja, a on ją tu jako własną żonę osadził. Przykładnie prowadzili gospodarstwo swoje. Dopiero w 1944, gdy Sowieci po sąsiedzku znów odwiedzili Polskę, zamieszkał u nich lejtnant, i z miejsca zakochał się w córce W. i Laryssy, dziewczyna wszak półRosjanką była; i nowe znów otworzyły się przed nimi horyzonty;

– *A nuka Władisław, teper' radi lubwi, wierniomsia is familju w Rosiju, na rodinu!*

I cała rodzina już udała się w „drogę powrotną", na Ruś, z niej nie wrócić, pomimo usilnych starań o wyjazd. Szybko pomarli wszyscy.

Zaś jeszcze w 1941, siostry stryjeczne A. i W., cudem z transportu na Wschód ocalone, bo *towariszcz Gitler* zaatakował w pewną niedzielę *sojuznika* – i transport z Białegostoku nie odjechał, siostry przeżyły; a między nimi i ja; uważam się za szczęściarza, bo w sumie udało mi się i nie opuścić Miejsca.

Które jednakowoż nie bardzo nadawało się, by dać memu istnieniu ciągłość, lecz zaznaczyło tam coś niecoś na początku.

Ciągłość Miejsca to byłaby już prawie pamięć! Dopiero z nią istniejesz naprawdę. Lecz moje Miejsce było chwilowym opiekuństwem ledwie, bo nie rodziną, i kto wie, może i przeznaczeniem nawet nie. Matki dawno nie było już, ufność miałem do Rodziny pozostałej, no i przede wszystkim wobec Polski, której co prawda znów nie było; lecz w losach świata nigdy nie jest ostateczny rejestr.

Dobrze pamiętam, jak w dawnym jeszcze domu opowiadano, co było kiedyś, gdy *wybuchła Polska!* I skrycie zakładałem sobie, że gdyby jednak kiedy powstała, to już na pewno tym razem będzie! bo wróciła;

choć tam sąsiedzi

– Nu, waszej Polski *uże nie ma – i nie budzie!*

pouczali przy każdej okazji, i bez.

Podczas rewizji kiedyś u nas Niemcy na strychu odkryli rogatywkę z amarantowym otokiem. Należała Ułana, który u nas stacjonował, a pierwszego dnia wojny, w 39., poległ z rąk *susiedow.* I rogatywka to był Święty przedmiot dla mnie, chowałem ją jak relikwię; a teraz pod lufami rodzina stoi, może i nam rozstrzelanie;

– a to jest moja czapka, nie dam! ja zachowałem ją dla siebie!

‚nasi żołnierze przyjdą i pogonią was stąd!’, dodałem w duchu;

– *o, ja, ja, sehr gut!* odpowiedział najważniejszy z Niemiaszków, wcisnął mi czapkę głęboko na oczy, i odeszli.

Jeszcze podwładni parsknęli śmiechem, może i uratowałem życie Rodzinie.

‚Gdzieś oczywiście żyje ta Polska! skoro mnie chroni!’ A w życiu tak jak w historii – nie układa się po twojej myśli, czegoś próbujesz, wszystko ci zniszczą; a jeśli czegoś nie zniszczą, to i czapkę ci zostawią.

Później, gdy byłem już dziesięć lat starszy, popatrzyłem sobie na mapę w szkole; ‚och, jakaż to ona niewielka! oskubana ze Wschodu, z drugiej strony parę województw dodanych; a ilu tam naprawdę mieszka swoich?’...

3

Miałem już stawać się kimś, ale tak, żeby za każdym razem coraz to kim innym! no, bo w ogóle trzeba być! nieufność względem bytności w bycie, jaki mi ofiarowano, jakże podobna była i do niepewności istnienia!

kim to ja naprawdę jestem? kimś będę? a gdy zostanę kimś, to jak będę wiedział, że to już to, czas stanąć?!

moja nadzieja na powrót gdziekolwiek wydała się trochę realna.

I teraz tu, przy podchodzeniu pod tę Górkę klnę, wciąż klnę, ze przecież do niej dorastałem w dzieciństwie; a teraz gdzież ona! w mróz przeciw wiatrowi gwiżdżąc, w upał poprzez leniwe falowanie fatamorgany się snując, i tak do szkoły, i ze szkoły. Niejeden furman biczem mnie zdzielił, bo podwieźć nie chciał! nie wiedział, że bardziej obciążony wóz lżej z górki się toczy, jak to niedouczony chłop!

Taka to moja pewność i teraz. Gdy w stanie wojennym wracam z Warszawy, bo tam wojna, a tu – tylko udawanie; gdzie niezasiane pola, zdziczały Ogród. A w nim przecież Drzewa, które sam sadziłem; miały być wsparciem na stare lata –

A teraz? w głęboki śnieg się wcinam, bo tam gdzieś był mój ślad; do domu mnie nikt nie zaprasza. Obcy człowiek od progu torbę mi egzaminuje. O chleb pyta. Bo na wsi chleba nie mają w domu!

Wejść, siadać nikt nie prosi. Zdrożonemu nawet szklanki wody –

niczego już więcej prócz tego nie będzie? i tej Polski, taki już koniec?!

A było w 1939 roku, takie zdarzonko utkwiło mi, wojna, na podwórzu rwetes, ułani jeszcze przy pojeniu koni, a chłopcy jak malowani, sprawdzają uprząż, a ja?

w pokrzywy lecę!

pod oparciem ławki przelatuję, pomyśleć nie zdążyłem nawet, jak ogniście parzą pokrzywy; a piastunka sobie gdzieś, „może tam i zaczepi mnie który?", do chłopców polazła...

i nie krzyczałem wniebogłosy, bo na wojnie jak na wojnie, ludzie przytępiony mają słuch, a najlepsze z wszystkiego muszą być nogi, i na bezpieczniejszą stronę ulicy wszyscy pędzą, każdy coś tam ma do roboty; ‚to i po co drzeć japę?'

nie potłukłem się za bardzo, oszczędziły mnie Kamienie! parę rzeczy wtedy musiałem pojąć naraz;

że lecenie w pokrzywy to jest nie dla mnie! chyba niesprawiedliwość jakaś! bo ja jestem raczej od wpadania w zachwyt!

lecz nade wszystko dojrzał we mnie pogląd, że na wojnie wiedza jest ważna, trzeba wiedzę ważyć wielce! i wybrać, gdzie lecieć!!

a że nikogo nie obchodzę nic?...

jeśli jakimś sposobem uda mi się wydostać z tego –

to fundamentem moich niech będzie...

no, coś, co już jest... to jest Przerażenie właśnie!

skoro chcę istnieć... muszę wszak od czegoś zacząć! na świecie widać tak jest, że od ciebie zależy najwięcej! od nikogo tak!

kto wie, może i wszystko od nas zależy?!

to ja odtąd zaczynam!

Przerażenie! niech da siłę mojemu istnieniu, zwłaszcza w chwili, gdy stoję na granicy niedoistnienia!

fundament, cóż... grząski i bez dna! z Przerażenia utkany?!

lecz jeśli... opanuję się teraz... następnym razem będę już mądrzejszy! może i prędzej poradzę sobie!

a Kamienie? od nich zrozumienia doznałem! nie poraniły mnie przecież!

i tak zaliczyłem pierwszą przewagę dla siebie;

a w beznadziejnych przypadkach już wiedziałem, że wzywać pomocy? to nonsens!! trzeba z siebie wykrzesać siłę!

i kiedy grzmią działa, świszczą kule, z nieba pikują samoloty, to może być gorzej! ludzie na bezpieczniejszą stronę ulicy biegną –

a ty, jeśli przeżyć chcesz, chłopciu, oprzyj się na czymś pewnym, co od ciebie zależy!

...albo w tobie już jest!

Wpadałem ja w różne stany potem, w nostalgię za czymś dalekim, nowym; chciałem coś zaczynać, coś zmieniać, choćby i samego siebie –

i w parę frontów tej wojny później, gdy ulicą przewalały się kolumny czołgów, tych niby gierojów, zwycięzców nad zwycięzcami naszych, w przeciwną stronę już szli – wybiegłem by zobaczyć, czy aby nie zsuną im się kolczugi z kół, zanim dotrą, gdzie dążą, do Berlina?

jeden czołg się zatrzymał, reszta za nim, wyskoczył *tankist* z dziury górą i biegnie ku mnie,

– *ty podożdi, malczyk!*

zaczekałem, pomyślałem, że spyta o drogę na ten Berlin, choć też nie wiem, ale cała kolumna za nim czeka, on zaś do kieszeni sięgnął, i nim spostrzegłem, scyzorykiem ciął mnie w ucho, dosyć głęboko, inni aż ryczą

– *ha-ha!* zarżeli, i nie zdążyłem się nawet przestraszyć, bo już miałem to w sobie; a oni byli szczęśliwi, że zwycięzcy!

ich... wolność w tym była!

ja Przerażenie miałem w sobie, trochę zdziwili mnie tylko.

Potem na Uniwersytecie gdy brałem pierwsze honorarium za słowa do *Tańców węgierskich* Brahmsa, kiedy przydało mi się i nawyrężone ucho! pustki wewnętrznej już nie czułem; bo coś tam wyraziłem przecież.

Już wiem, że moja północna nostalgia wcale nie jest mityczna, choć moje powołanie być może zostało cofnięte!

...Lecz trzeba tylko coś zrobić, by wytworzył się nowy splot ze starych okoliczności!

4

Rosłem ja w lesie. Za okupacji od lasu mogłem się wiele nauczyć; odpowiedzi trzeba szukać gdziekolwiek!

Takoż i teraz – jeszcze przedwczoraj nie mogłem odczytać, co zapisałem dzień wcześniej. Człowiek zmienia często charakter.

Po wojnie próbowałem nauczyć się czegoś na stałe; na przykład tańca! w tańcu można wszystko wyrazić! Przestrzeń swobodna, że aż dzika, jednak wymaga opanowania reguł, fizyka jest w tym!

I zanudzałem wszystkie panie, bo nikt mi nie chciał pokazać choćby podstawowe kroki. One odrazu oczarowane być chcą, od twojego pierwszego podejścia!

to zacząłem rozwijać się swobodnie sam. Na studenckich potańcówkach, w dzielnicowych mordowniach tańczyłem solo! Nie wszystkim to się podobało. Czasem dostałem po mordzie.

Aż pewnego razu, na wczasach to było, dwie krakowianki były, co to tylko ze mną tańczyły! i z nikim więcej!

I następnego dnia, już rankiem przyszły do mojego domku, by ostrzec,

– nasi chłopcy się na ciebie szykują! ale my przeprowadzimy cię!

ach, ci południowcy! dziewczyny nie chciały z nimi tańczyć, a oni – zamiast pójść na lekcje tańca?...

W tumanie kurzu szliśmy, one jako ochrona, za nami gromada tych, z pół setki ambitnych południowców; i odgrażali się, wymachiwali kijami; a ja cóż, bić się z dupkami nie chciałem. W końcu i tych kijów nie użyli, zgapili się; a przecież ja, śmiech powiedzieć, ze wszystkich tam najłagodniejszy byłem!

choć może i z krakowiankami mistrz, bo niekrakowiak!

A nogi to ja miałem rącze, jak lis, chociaż kto wie, może i jak kuropatwa! bo wyrastało się w lesie.

I wytrwałość w dążeniu miałem, takoż delikatność; krakowianki o tym wiedziały, jakby już na zapas! i zawczasu dorozumiały się, że powinny najpierw tylko ze mną tańczyć, a potem i odprowadzać na dworzec!

A są ludzie, z którymi nie warto wchodzić w żaden taniec.

5

Wielu myśli, że pisanie jest tym, że za kogoś rozwiązujesz jakiś problem, bo tamtemu się nie chce;

ja uważam, że pisanie służy tylko temu, by cię ośmielić, Podglądaczu! byś pomógł sobie sam.

A ja mam już jedno tylko do roboty: skracać czas, którego mi nie trzeba. Bo życie samo biegnie sobie, może i nazbyt mozolnie, wszystko w nim jakby niezmienne, a ty nikogo na nic nie namówiłeś; ludzie zaś chcą namówić ciebie na cokolwiek. O, patrz, jak tabun barbarzyńców ulicą pchnie się za władzą, do władzy podąża! by innych do czegoś zmusić.

I tym wyraźniej widzę, do jak odmiennego świata należę!

I moje życie cofnięte, i to cofnięte zostaje coraz głębiej! wszędzie słyszysz

– trata-tatam! w nabzdyczeniu trwam!

to dla nich stan idealny!

– zdarzyło się, że nie mogłem już chodzić; poprosiłem o pożyczkę kogoś, potem jeszcze kogoś. Wszyscy odmawiali z coraz bardziej wymyślnych powodów. Bliscy na ten przykład też. Nawet i gdy nic nie mówili, z ich oczu, ust czytałem:

– Nie jesteś nam potrzebny! kiedyś jeszcze byłeś... może i jakąś nadzieją! a już nie jesteś!

Nie uwierzę w ludzkość tych ludzi wcale,

lecz i nie miałem sił, by im to powiedzieć; zostawić dla siebie chciałem nieco świadomości; może ją przechowam –

lecz od nikogo już nie chcę nic. Przez całe życie tak było lecz...

w młodości myślałem jak Hamlet,

że jak już przyjdzie śmierć, to ona może być gwarantem ... mojej wolności; bo umrzeć można za coś! na pewno przyjdzie czas, że umrzeć będzie za coś warto!

I przeżyło się pół wieku – już nie ma za co!...

to jak ja mam porzucić to ważne życie?!

mojego powołania tu, pierwszego drugiego trzeciego – niby nikt nie cofnął! zostały jedynie anulowaniem przez tych, dla których nic nie znaczyły! wciąż tylko

– Trata-tatam! w nabzdyczeniu trwam!

a gdybym poczuł się lepiej, mógłbym niektóre rzeczy spełnić!...

bo i Bóg – już nieobecny wszędzie! piękno też martwieje! nie spodziewaj się niczego!

zbyt martwe życie stało się, żeby żyć!

choć z tym zwlekałem na wybór – nie było, bo sposobności brak...

Jakby cokolwiek ulżyło mi w bólu; zdobyłem się, by wyjść na spacer;

– i patrzę, starsza pani z bramką się zmaga, klucza nie znajduje, znów szuka, klucza jej brak!

– już już – otwieram! krzyczę

– oj, dobrze, że mi pan otworzy... Syneczku! przez mgnienie chwilki zawahała się nad słowem... czy aby nie za wielkie?

– a proszę, nie zawahałem się, Matuchno, otwarte!

starsza może była ode mnie, a może nie;

ale do człowieczeństwa miała talent jeszcze.

Poszedłem dalej, a tam zdarzenie; *Piątą Symfonię* pana B. policjanci dwaj grają –

to heroiczne dzieło wszyscy znacie, Melomani, zapewne! a oni za rogiem ulicy używają je do maltretowania kierowcy, bo ten jechał z szybkością 45;

i *tru-tu-tutuuu!*

tru-tu-tutuuu!

cały jego życiorys nicują, i części pojazdu, aż do ostatniej blaszki, bo TruTuTu-TUU! pan przekroczył!

Cóż, można użyć powołania, by pchnąć coś w górę lub w dół; cofnąć człowieka do bezludzkości, aż po wdeptywanie w ziemię, masz wybór, malkosiu!

Ale nie ja; mnie – cóż, skończyły się tańce, balowanie; różne już były w historii zaparcia się;

jeden był, co zmienił sobie imię; innemu je zmieniono;

lecz by wyrodzić się ze swego człowieczeństwa – cofnąć powołania nie można!

można tylko cofnąć cofnięcie!

...albo i nie.

9 maja 2012, 2013

CZŁOWIEK, KTÓRY TAŃCZYŁ Z KONIEM

Tylko sztuka potrafi zło w dobro zmienić.
Jerz Nowosielski

1

Najpierw się tuczy, a później uczy, jak nie grubieć ciągle; nie grubieć, nie głupieć! choć mądrości żadnej jeszcze się nie ma. Ale jak się zaczęło iść w tę stronę!

za oknem mgła, moje ciało popiskuje ranne, nadziei na zmianę nic a nic! a ciemno wciąż, o parapet deszcz zaczął podzwaniać jesienny!

mam wstać, zacząć choćby to golenie!

rytuał trzyma człowieka przy życiu!

ale można i nie wstać! pospać dłużej!

do żadnego doktora nie iść dzisiaj!

– na starość chcesz, żeby ci nogi odpuchły?!

tłumaczyła mi mądra Siostra wczoraj;

więc śpijmy, więc śpijmy! krążenie się uspokoi niech! a czego mi brakuje do życia, to już organizm wie sam!

brakuje mi równowagi – ze światem, którego i tak za nic przyjąć nie chcę!

Niech się autor tego bałaganu sam zgłosi, bym go ukarał! może wtedy dostanę i ja swoje 5 minut!

I dostałem, względnie znośny sen się trafił; z wdzięczności zerwałem się, ogoliłem, kontakt ze stanem równowagi łapię!

zaraz tu i do lekarza pobiegnie się!

choć bez niego człowiek czasem może i więcej; ale zawsze bez niego – już znacznie mniej!

„Niech tylko nie zachlapie mi biurka, pada deszcz! widać jak jest zmoczony! a może i oddech szkodliwy ma, to niech się odwróci!” – pan władca rozkaże.

Nie byłem ja pierwszy. Na korytarzu panie potrzebujące dwie; pogratulowaliśmy sobie, że żyjemy!

na co Ten Tam wybiegł

– Ja pracuję, a tutaj się gada!

lecz jakby nie do nas to krzyknął, do ściany gdzieś, w korytarza mrok; on może i delikatny być dziś!

okazało się, że tylko odwagę ćwiczył w sobie,

bo rano nikt nie jest siebie pewny! święta prawda, wiedziałem to już wcześniej.

– ... a tu nie bazar ani kolejka po mięso!

Nieźle rozłożone akcenty ma, odwagę rozłożył na raty!

– jak ludzie chorzy, to nie znaczy jeszcze, że tutaj bazar!

wtrąciłem się, z obowiązku niby względem tych pań, a może i wobec ludzkości!

– a pani nie dość, że chora, to jeszcze głucha!

znalazł winną, skoro aparat miała w uchu i mówi głośniej, ale teraz właśnie milczała. On ją przez drzwi widzi, albo jeszcze i w zeszłym życiu słyszał, po to i wybiegł! Choć to jeszcze nie do mnie; do mnie nic.

A gdy stanąłem w drzwiach gabinetu,

– Czego! syknął;

‚nie dość że kuleje, to i w drzwiach jeszcze staje!’, już chciałem go wyręczyć, lecz

– najpierw spokoju trochę, a potem mniej krzyku! odparłem jak najgodniej w świecie, do podłogi niby wpierw, a potem do sufitu, bo ludzi tam było tyle co nic, no i spokojnie siadłem;

wstał, zaczął raptem zwiedzać swój gabinet; widać go pierwszy raz w życiu zauważył; a i do żarcia coś wynalazł w szafie, kanapkę z szynką, nadgryzioną chyba przedwczoraj, za to i był tam jeszcze dziś z rana niedopity kubek kawy. Z domu wyszedł niedożywiony, to i zły!

– ma pan niezłe wyniki! usiadł, mruknął, jednak żujkę żując wciąż, ale oszczędnie; żeby starczyła i na resztę trudów dnia.

– I co, przyjęli pana tam tak szybko! – nawija do mnie – zapłacił pan?

– przyjęli ciepło i bez pieniędzy! bo dziś młode USG-odnictwo polskie pozytywnie nastawione jest do pacjentów!

odparłem; to go przytkało, a ja ciągnę dalej,

– to jest wielki dar, proszę pana doktora, móc tak mile czuć świat! a choćby i te swoje powinności względem innych!

Wyszło na to, że przytarłem go trochę. Jak go inni tak przytrą, to aż się zetrze!

– ostatnio byłem na ulicy... (‚co ja plotę?') i niech Pan Doktor sobie wyobrazi, że i automat nawet, kiedy wypłacałem sobie pieniądze, jak i pan sobie na przykład sobie pensję zresztą – to na koniec operacji powiedział on, żegnając mnie grzecznie, „Zapraszamy ponownie!"; no, nie głosem, ale tam tak wyświetla się! i co za fucha była dla mnie, grzeczność za darmo! A jak wynika z ostatnich badań nad gospodarką rynkową, no i kapitalizmem w ogóle, i z najwyższego Porotokółu Dociekań Zakładu Medycyny Sądowej o postępującej wnerwialności wśród wysoko kształconych kadr... to warto chodzić do lasu,

– gaduła gada w dodatku! że też ja pana przyjąłem!... i niech łyka, co mu zapisałem!

– łyknąłem już sporo, a nogi jak się raz nauczyły, to i ciągle puchną!

– jak tak lekceważyć wszystkiego nie przestanie!... ale przepływy są niezłe! żegnam!

– nim odejdę odrazu, to miałbym i ja swoją propozycję, dla pana! w dodatku gratis!... otóż do lasu radzę wstępować częściej, i to bez towarzystwa, w lesie przypadkiem wpadnie pan na ciszę, a z nią samemu... to i do hałasowania zapał przejdzie...

powiedziałem to ja panu Doktorowi w podzięce, czy nie powiedziałem, już nie pamiętam, ale przysługa za przysługę, przypadkiem...

– to na przyszłą wizytę proszę się zapisać na dole, według porządku, jaki panuje u nas – powiedzmy za rok! dzisiaj przyjąłem pana z łaski!

Jednak nie dał się zbić z pantałyku,

a ja i nie wyzdrowiałem.

‚... w lesie to już nie ma żadnej procedury! a za rok to i mnie pewnie nie będzie, będę ja pewnie nie żył już, proszę pana!'

ale to tylko pomyślałem; i sprawiło mi to ulgę wielką. Bo lepiej jest myśleć i żyć, niż nie żyć i nie myśleć.

„A może to lepiej było tak: żyć – i lepiej myśleć?!'

– to byle do wiosny! powiedziałem; – spotkajmy się w lesie! a tam dzieńdobry niech pierwszy powie ten, kto lepszy!

Skąd ja aż taki dzielny stałem się dzisiaj! no, skąd?
bo wyrównałem poziom... teraz mogę zatrzymać swe konie
...u płużyn ciemnego boru.
A w aptece
– co on panu tu dał... trochininę!
– strychi...?
– trochi...ninę! trochi tego i tamtego trochi! recepturka znana! że też jeszcze dzisiaj ludziom się chce to wszystko powtarzać!...
pani Magister ucięła swój wylew szczerości – i dysputę... z profanem.

2

W lesie, co zgodne jest ze światową tendencją do miniaturyzacji, królują kleszcze, które wciąż maleją, byś go nie zauważył na sobie, siadaczu ochotny, na pniu –

– ...to nie jest kleszcz, to nie kleszcz! rozkrzyczała się na mnie Pewna – a tutaj nie jest gabinet zabiegowy...

– może i nie gabinet, ale zabiegowy!

kiedy dobiegłem tam, dałem jej swoją rękę, a ona obejrzała, spsikała, aż i zamilkła na chwilę; a kiedy ja znów chciałem mówić do niej, to ona swoje

– ależ to nie kleszcz! czy ja w życiu nie widziałam kleszczy?!

– a ja jako mężczyzna pani mówię, że wiem, co złapałem dziś i kwita!

spodobała jej się widocznie moja Ręka,

– to nie jest kleszcz, to jeszcze nie kleszcz jest!

przyłożyła się, uwzięła i wyjęła;

a bo to dziś te kleszcze, zgodnie z ogólnoświatową tendencją do miniaturyzacji, maleją aż nazbyt ochotnie,

– a ja dziękuję pani, bo jest pani jak najzupełniej, teraz już po wszystkim, no – śliczna!

te kobiety są ach, niezastąpione; choć i mężczyźni czasem, jak bez kleszczy.

Otóż i był też bardzo dawno taki rok: 1953; to jakieś 5 lat przedtem, zanim narodził się ów mierny lekarz i marny dość człowiek;

a ja byłem wtedy już po pierwszym roku studiów. Już przesunęło się po mnie wiele przymiarek wojennych; i były nie do zniesienia!

więc je zniosłem.

Ale i w gimnazjum już nie mówiło się o takich rzeczach, jak tam rycie okopów, wyskakiwanie z nich, raz przed tymi, raz przed tamtymi; albo jak to się ze wszystkimi zwyciężało, były takie gadki. A ja to – dla mnie nawet i z Amerykanami walczyło się po nocach nieźle, ot, tak, dla duszy! i żeby się upewnić potem w braterstwie broni – ale przeciw nim – to po wojnie aż ogłuchłem był od tej od walki o pokój! Ale dziś to już oczywiście wszystko przeszłość, w nocy tylko wojna jest obecna we mnie wciąż!

...aha, i nauczyłem się na wszelki wypadek, by lekceważyć prześladowców moich – za karę żadnego z nich nie uznałem nigdy za zwycięzcę!

a w międzyczasie i te wyjazdy zagraniczne, transkontynentalne, oczywiście! tyle już miałem tego w głowie! że obrazy same się bratały z kim chciały; wojna żywiła się wczorajszym dniem, a dzisiejszy dzień nocą; i coraz to nowe porządki zdarzały się, także i tu, w lesie –

szczęśliwym trafem znalazłem się nad Morzem! mój pierwszy raz tu; i czułem się poniekąd jak w oazie!

byłem wychowawcą na kolonii, musiałem tej kupie rozkrzyczanych bachorów pokazać, jak żyć? przykład dawać, jak tworzy się porządek życia dla siebie i siebie dla świata!

I trochę smutno mi było, że z tym wszystkim pozostaję nadal sam, przecież to tylko dzieci!

ni do kogo gębę otworzyć!

Aż tu pewnego dnia, po obiedzie, gdy tych wisusów zapędziłem do drzemki, postanowiłem porozmawiać sam ze sobą poważnie, ległem w swoim pokoiku ja też, bardzo wąskim, ale wreszcie musiałem się zastanowić i przekonać, jak mi to życie smakuje?

na wszelki wypadek przekręciłem klucz, by mi nikt nie przerywał; i żadna wojna w ewentualnej drzemce mi nie przeszkodziła, ani ta cisza z zewnątrz –

przez sporą chwilę nie działo się nic,

choć pierwszą wredną robotę zaczęła wykonywać ta cisza właśnie!

...straciłem ja najpierw słuch,

a potem i czucie w rękach, od końca palców to szło,
już i węch przytęchł, żadnych donosów ze stołówki nie dopuszczał;
wszystko i we mnie coraz bardziej wyciszało się,
w końcu nie było już nic, co by moje zmysły podtrzymywały, gasłem jak przypalona na lampie ćma!
wreszcie i bach-bach!
serce spowolniało i jakby zamierzając kończyć służbę, szykowało się na ostatnie swoje dłuższe b-bach!!
wreszcie ono zdarzyło się
i mnie już nie było całego!
ani wyobraźni mojej, ani żadnej myśli, świadomość prysła, świat się odchylił ode mnie i przeszedł całkiem na drugą stronę;
odchylił się, odmyślił i odwidział już bezpowrotnie!
żaden zmysł nie odpowiadał. Aż wreszcie –
tylko ta świadomość dominująca
„Oj, już nie wedrę ja na skałę pięknej Kaliope//
Kędy dotąd nie było żadnej polskiej stopy!" –
i tyle!
tam było jasno, ale i pusto;
no i przekonanie miałem, zapamiętałem je, o jasnej treści, która odezwała się dla mnie, w jakimś prześwicie, w ciepłej smudze światła; ta negatywna właśnie!

bo i nie rozmawiałem tam z nikim, nikt do mnie nie przyszedł, tylko to uświadomione przypomnienie o Kochanowskim. Jako zsumowanie mojego życia, niemojego właściwie, bo przecież to, co ja zrobiłem dotąd, nie było dość ważne; wszystko to... jedynie jakiejś wyciski obcej, ale także i bliskiej przemocy, o czym przecież i wiedzieć nie chciałem;

więc jestem sam, nie muszę teraz nic, a jedynie to co niezaczęte, to kończone być może, ale i nie musi! ten z Czarnolasu spełnił swoje wszystko, ja z nim i nie zagadałem, z tego oddalenia, choć różnicy czasu nie czuję żadnej do dziś; co moje wszystko zostało zniszczone, nawet i nie ma czego żałować, nie za wiele z tego tu wyszło –

i potem – nie było już żadnego potem;

było tak, jak gdy nie dzieje się nic, bo i ostatecznie nic nie ma! cała ta moja młodość jurna i durna, mignęła mi jak trzask jakiś w ciszy.

z beztrwania, z pustki, z poczucia niemocy –
jakby coś!
gdzie odkleiło się to? nie wiem;
i wreszcie jakby Dzwon –
jedno wielkie B-buch!!
nie mam pamięci, ale to jest i wbrew!
realne pierwsze Puknięcie serca,
wbrew mojej tamtej niezgodzie na wszystko!
a i ewentualnej – jakiejś tam – zgodzie także!
bo przecież nie zgodziłem się na nic! nie miałem czym!
... aż się zaczęło uruchamiać powoli, jasno, co ma być
ze mną,
a może to i mną ma być!

Tak wieczność robiła sobie szopki ze mną, ona niby to odrywała coś skądś,

i ja – znów rodziłem się, tyle że w odwrotnej kolejności niż przedtem niknąłem; oto przygarniałem się już przed ową wiecznością, od umierania;

– to ja będę teraz... znów?! odezwało się coś jak moja własna świadomość!

nie odpowiedział jej nikt,

lecz widać to w moim ciele; ono mnie rozumie tam mnie wciąż lekceważą!

i już pierwszy ruch serca dał dowód, że nie rządzi mną teraz nicość!

Jest ze mnie coś!!

nie wiem co dalej? przecież to była świadomość tylko!

ale i myśli wracały! tyle ze mną się działo, i to było jakieś nowe!

I istnienie Miejsca poczułem, jakby gotowe, przygotowane było na mnie! ten sam ciasny pokoik!

aż zacząłem sam zgłaszać siebie do obecności;

kolejno poćwiczyłem nogą, czuciem aż do palców dochodząc – już ruszały się – to i za chwilę ja się poruszę!

‚mam żyć znowu?!' to myśl całkiem moja!

‚ale jak to z tym tak?'

wracało wszystko po kolei, tak jak zanikało, ale odwrotnie. Na zewnątrz nieobecności mojej nie zauważył oczywiście nikt.

Bachory hałasowały już za drzwiami w najlepsze.

3

Jeszcze tego popołudnia wybrałem się na spacer. Jak najszybciej! by sprawdzić, co i na świecie się zmieniło! Wszedłem do lasu; jaki tam będę, w tych nowych, innych miejscach – bo jeśli już jestem, to niech przynajmniej wiem, jaki teraz?

wypełniony czymś nowym – czy pusty?

Kupa roboty będzie chyba – z tym zapełnieniem się!

Tu nie zostanę już długo. Parę tygodni, jeśli wytrzymam do końca kolonii; jeśli wytrzymają i ze mną, czy mnie nie wyrzucą?

wrócę na studia?

akurat tam przed wyjazdem wywalono mnie z ZMP, za obcoklasowość, to jasne!

choć przecież i zdechł już wielki Satrapa!

ale spadkobiercy żyją długo!

– ... ty andrus jesteś! tak na zebraniu zwyzywała mnie przyjaciółka najbliższego mego przyjaciela, w dodatku Poety!

chyba musiała się upewnić, jak jest wciąż ważna!

zaś Poeta dostał zamówienie, więc ma i natchnienie nowe – przy okazji przestał być i przyjacielem!

– ja tam nie wierzę w żadne twoje samodoskonalenie! odciął się; i będzie nadal pisał satyry na kułaków; już mu przyjęli w dwu gazetach! do tego ma najładniejszą dziewczynę na roku, i czego mu jeszcze?

– chcą mnie drukować, rzucam te głupie studia! odtąd będę już tylko pisać wiersze!

w szczęśliwym przekonaniu o świetlanej przyszłości można żyć choćby wiecznie! żadna tam uważność, względem innych, niepotrzebna! duma wprost wypełza na twarz sama!

a że zmarł towarzysz Stalin –

ze zdechnięciem Satrapy jego porządek będzie trwał a trwał! tylko ja głupi odrazu uciekłem na te niby wczasy!

Zresztą i tu jak się dowiedzą, kogo mają, zwolnią mnie z chlubnego obowiązku kształtowania przyszłych pokoleń!

Pod wieczór upał zelżał, po lesie, już bez ścieżki, wlokłem się,
aż dotarłem do torów kolejowych,
parę kroków nimi postąpiłem, zawahałem się;
nawet i stąd kierunek iścia mam nieobrany!
bezkres szyn przyszłość na Wschód rysował przede mną,
przeszłość na Zachodzie i tak odcięta kolczastą granicą!
moje najbardziej własne zamiary, realne... były tak nierealne że...
z dziwnej Przestrzeni coś przyszło; z marszu niby? jak się potem dowiedziałem, *Lento con gran espressione* to nazywa się, kiedy mi wpadło do ucha, nie wiem; ale jest!
zaśpiewać tego się nie da!
a zagwizdać?
już lepiej! gwizdnąłem i wyszło jakoś! raz i drugi, i zawyłem! poryczałem się, wstyd powiedzieć, od dziwnej melodii!
wszystko co dobre, tak wciąż daleko ode mnie!
i co wybierać – nie mam tu nic, wcale!
– ale iść będę! zaparłem się heroicznie;
gdzie?
na Wschód, tam tory powiodą za daleko!
na Zachód, gdzie odrutowana granica!
czegoś się uczepię jednak...
ale uczynić tu nic się nie da!
Tak i do bachorów swoich wróciłem.

4

Był koń, jeszcze z UNRR-y. Taki duży, że żadne z nas, dzieci, nie dostawało mu i do karku. Oddaliśmy Konia kuzynowi. A ten też niebawem wezwany został na wojnę, z II Armią poszedł, Berlin zdobył, i w szarży kaprala wrócił. UB potem go jeszcze długo ciągało. Żeby nie odważył się być i tu tak odważny. Zniechęcił się do życia i w ogóle. Bo tam podobno najbitniejszy był. Tu i ze złości nazwał naszego konia „Zetempowcem". Mnie wtedy w gimnazjum akurat zapisano do ZMP, to mu i do głowy tak strzeliło. Niedawno właśnie, już na studiach, mnie z ZMP wyrzucili. Ale wtedy jeszcze nie; spędzałem sobie wakacje na wsi. W pole lubiłem pójść nieraz. Na żniwa szczególnie.

Akurat mieliśmy zwozić snopy. Chciał kuzyn zaprząc Konia, ale ten nachmulił się, a to zły znak! i nie dał sobie założyć chomąta na szyję, wywinął łeb, stanął dęba i pogalopował hen, w szkodę do cudzego zboża. A w takim stanie żaden koń złapać nie daje się łatwo, co dopiero tak wielki jak „Zetempowiec". Podobno nie lubił bardzo tego przezwiska, to i z tego.

– A jak ja pójdę i go wezmę?

– nie pójdziesz! ze złości jeszcze cię zatratuje! pół wsi go teraz nie weźmie!

A ten obrazek sobie wybrał piękny, no, wspaniały! Oczapiasta sosna obok, stanął przy niej, a na prawo łan dojrzałego żyta; stanął i pałaszuje sobie, ile wlezie! nawet się i nie rozgląda.

Kiedy dochodziłem, słyszałem, jak z zadowolenia aż lekko sobie pomrukiwał. Znaczy, zadowolony z życia jest!

– i co, uważasz, że będziesz tu tak wcinał sobie, a tam snopy już suche, aż gną się ze starości, niezwiezione!

– kmhm! zarżał

– to ja ci od dziś załatwię, że nie będą cię przezywać Zetempowcem; do ciebie to nie pasuje! to ja jestem zetempowcem, a zresztą – i niedługo już będę!... więc weź sobie parę chapnięć jeszcze, i pójdziemy; ale bez numerów!

obejrzał się na mnie, może tylko odganiał muchę.

Wysoki był jak ja i jeszcze pół tego. Żeby go wziąć, nie miałem nawet paska od spodni!

...i tylko machnął tym wielkim łbem w drugą stronę, dla równowagi.

muchy pracują dla mnie! pomyślałem, zaraz mu się i tego odechce!

podszedłem i obróciłem jego wielki łeb we właściwym kierunku, to jest do drogi. Nie skorygował.

Chwyciłem za grzywkę przy tej już posłusznej mi główce i poszliśmy. Stępa, a przed nami z pół kilometra. Lepiej byłoby na wierzch wsiąść, ale za duży. Much już z drugiej strony jakby nie było, bo nie odganiał; wymsknęłaby mi się grzywka z rąk i zerwała więź główna: mojej władzy nad nim i jego posłuszeństwa.

Na podwórzu dał sobie nałożyć chomąto i pojechaliśmy po zboże. Z tysiąc snopków na dziś mieliśmy do zwiezienia.

5

Poczuję się jeszcze kiedyś i ja ważny i wolny!

Ale akurat wywalili mnie z teatru wczoraj, po tym, jak uratowałem przestawienie. Teraz to już sobie na wycieczkę jadę – akurat autokarem z tego teatru.

,Tak po sprawiedliwości to mi się należy!' pomyślałem. A wszystko zaczęło się tak, że jak znowu nie poszedłem na te studia, to się zaangażowałem do prawdziwego dużego teatru, no, największego w stolicy, i za aktora. Oczywiście aktorem nie jestem, więc na początku nie chcieli mnie przyjąć;

ale ja tak długo wpatrywałem się nieśmiało w oczy Panu Reżyserowi, że powiedział w końcu

– brakuje nam tu jeszcze jednego porządnego studenta!

spojrzeli na mnie – i tak przyjąłem się!

a przedstawienie uratowałem trzy dni po premierze; jak świętej pamięci Reżyser już nie żył, za to jeden aktor, choć żywy, za kulisą padł, bo upał był duży, a on spił się i zdrzemnął, wtedy to pomyślałem sobie

,przecież to ja jestem prawdziwym Studentem, choć teraz na urlopie, a on tylko udaje, bo jest aktorem!'

i wyskoczyłem w odpowiednim czasie na scenę, wywołałem tam rewolucję, choć to w 16-wiecznej Florencji, ale i któż do tej roboty nadawałby się lepiej niż ja?!

a potem się ustawili w rządku wszyscy wielcy aktorzy za sceną, żeby mi gratulować – i podchodzili szurgając butami, ja stałem, a oni mówili

– dziękujemy! gratulujemy uratowania przedstawienia!

a gaży nie podnieśli! a ja tak chciałem!! to i powiedziałem im, *Praszczaj, wujaszek Wania*!

Za to teraz jadę sobie tym ich autokarem na gapę, ale i na wycieczkę do Żelazowej Woli; może to mi się należy, a może i nie, bo wszyscy tu prawdziwi aktorzy jadą; teraz udają że mnie nie znają, choć wczoraj jeszcze...

nie dali podwyżki, to i co miałem zrobić?! powiedziałem dość! dziś już niekoniecznie jestem jako student bezrobotny, ale zawsze jako ktoś!

i mnie nie zauważają.

Po mojej prawej siedzi też nie aktor żaden, tylko pan Profesor Szpi z 17-tką, czyli cywil z córką!

byłem ja kiedyś młody także, miałem 17 lat, a teraz to za stary pewnie dla takiej, onaż Siedemnastka, a mnie wybiło już równe 2O!

ale co siedemnastka to siedemnastka, tylko że z Ojcem... a ja choć nielegalnie, to też wolny człowiek! no i miejsce mam obok największego artysty w autobusie, przy Profesorze Sz siedzę! ale cichutko;

Profesor zaczął się zachwycać mazowieckim krajobrazem, bo piaski lubi, laski na kępkach, a ja też, choć człowiek z Północy, też bardzo to lubię, krajobraz mamy podobny, tylko że tu trochę nawet taki i bardziej wasz niż nasz; więc i dorzuciłem się do zachwytów jego – najpierw patrzeniem;

– a interesuje pana muzyka? spytnął Prof Sz podstępnie

– o... muzyka? na muzyki to ja mało uczęszczam! ale i byłem na recitalu kiedyś...

– na recitalu, proszę! a kogóż to?

– a to był chyba... pan Władysław Kędra; dawał u nas w Białymstoku nie powiem, recital nawet, ja tam zresztą robiłem maturę!

– ach tak!

– no, tak, owszem! to był mój pierwszy kontakt taki, choć... niebezpośredni! on rzeczywiście tak grał, a ja słuchałem! ale aż tak, że to rozsadzało łeb po prostu! i napisałem wiersz po tym, poemat! strasznie grafomański ale z sensem! mam go u siebie... w walizce na dnie głęboko schowany! on tam tak grał, że ja to musiałem zapisać! no bo i chciałem... wyrwać się z chaosu!

– co proszę?! toż to jak w Odzie do Św. Cecylii! słyszysz Klociu!

– mhm... no tak! muzyka – ona interesowała mnie od zawsze! z tym się urodziłem!

tak i podobnie ponawymądrzałem się nieco, zerknąłem raz i dwa na Siedemnaście w międzyczasie, a ona nic!

A na miejscu odbył się koncert pana Profesora, który też wielkim pianistą okazał się; koncert był na świeżym powietrzu, dośmierdzonym znacznie płynącą obok Utratą; i tuzy aktorstwa jej nie wytrzymali, natychmiast rozpierzchli się gdzieś, bo to kultura, a mnie i pana Profesora, no i Siedemnaście smrody nie przerażały, gdy tylko Mistrz zaczął –

już przy pierwszym utworze zauważyłem, że on wcale nie patrzy na klawisze, choć i na mnie często spogląda, w oczy znaczy się, sprawdza, jak to ja niby... no, biorę?!

przez i nie mogłem Siedemnastki podglądać, tylko trochę, niezbyt nachalnie, ale czujnie, nie jak pan Profesor Sz mnie, tylko wtedy, gdy pan Profesor bardziej rozpędzał się; aż wreszcie... i zagrał, co ja tam słyszałem w lesie, rozpoznałem to! co mi od morza niby szło... niezwykle interesująco to grał, moje *lento con gran*... a gdy zapytałem, jąkając się, odpowiedział, że to również *Nokturn* się nazywa.

I już teraz na pewno wiedziałem, że po to mnie wyrzucili z teatru tam wczoraj, żebym to dziś usłyszał, właśnie po to! o, już tam więcej rewolucji nie będę robił po kimś! choćby i jako aktor!... kiedy jeszcze raz zerknąłem na Siedemnastkę, ta – zainteresowania żadnego!

to jakbym był Klocią i miał tak sławnego i kochającego Ojca... to bym i co bardziej muzykalnych słuchaczy jego – też uważnie podglądał!

siedziała, jakby i nie musiała interesować się niczym!

– to ja już pięknie dziękuję panu Profesorowi! i państwu w ogóle! pobiegnę, bo muszę coś zapisać, zanim mi znów łeb rozwali, to co usłyszałem! może jakiś drugi poemat napiszę, choćby grafomański!

Po powrocie z wycieczki szrajbnąłem rzeczywiście, ten wzniosły i głupi wiersz, bo o niej!

...jest wyzwalaniem świata z chaosu! muzyka! dobre sobie! a poezja już nie?!

6

Opisałem już śmierć wstrzymaną, pozorną. A przecież i bez takich wstrząsów umiał żyć ktoś wtedy. Ja z bolączką, byłem ten smutny facet; a smutek to nie ratunek, więc i sąsiedztwo śmierci.

A tam obok? zawsze znaleźli się tacy obok, którzy wiedzieli, jak żyć! I do gotowych wzorców sięgać!

W epoce Caravaggia na przykład, byli tacy *dilettanti*, delektujących się sztuką jakiegoś mistrza... Caravaggia na przykład,

bo jeśli nawet ktoś naśladuje kogoś i stara się zostać tym kimś, i zrobiłby wszystko za to!...

a drugi nie przestaje być sobą – to kolosalna różnica!

A jak było tam obok mnie, na pryczy w 12-osobowym pokoju? do czego byli zdolni!

Wszyscy wiedzieli, trzeba żyć, o mecenasach słyszeli, trzeba z ich opieki mecenasów korzystać; ale żeby aż do zaprzaństwa?!...

to są przeważnie tacy, którzy sięgają po wszystko; i aż po zaprzaństwo, z ochotą! gdzie bliżej!

Żył przecież jeszcze ktoś, kto nadzwyczajną władzę miał, na skalę półglobu. Właściwie to on był już trup, lecz sęk w tym, że nie wiadomo od kiedy. Wielokrotny najeźdźca narodów, miliony ludzi wymordował! Ale ważny wciąż był, najważniejszy! Licznych strażników swojej racji wychował.

Mój sąsiad na wszelki wypadek napisał tren na cześć najważniejszego, i zatytułował go „Do spikera moskiewskiej radiostacji"; zostawić tego choćby na dzień w pokoju nie mógł, mogłoby to być poczytane jako knowanie – i zaniósł to do Redakcji „Expressu Wieczornego";

tam jego papier niech poczeka, aż zbliży się czas śmierci generalissimusa.

– To ja to zostawię na wypadek gdyby!

a dziennikarze wtedy to był narodek myślący jeszcze, bez czytania wzięli i odłożyli na stosik innych.

Nie musiało to długo czekać, nazajutrz już wydrukowali, a po nich „Nowa Kultura" na dowód że nowa i gotowa ze wszystkim na czas –

I świetny epizod się przydarzył mojemu sąsiadowi z pryczy! natychmiast go przyjęli do Związku Literatów, tam na zebrania z tetetką już zaczął chodzić; rozkładał ją i składał na oczach wszystkich, żeby wiedzieli, że ją ma i wie i umie; bo taki jest teraz czas i duch Przodujący;

a gdy się zdarzył potem przełom – to gość u jezuitów znów przetrwał, ochłonął; albo nawet umknął gdzieś w chmury, z nowymi trenami z nich spadł i znów był z przodu; jako że każdy cham swoją godność ma, to i on do żadnej apostazji przyznawać się nie myślał, a kto wie, co będzie? czasy są takie, że nie wiadomo!

A jeszcze i wczoraj słyszałem w Domu Pracy Twórczej wypowiedź, pewnego dyplomaty, bywszego wprawdzie, ale przez pół godziny perorował o zasługach Generalissimusa dla Polski: no bo przesunął granice na Zachód, unowocześnił (mhm!!) sposób myślenia!

– niech pan tylko popatrzy – dowodził – na czerwone dachy nowych polskich domów! toż w głowach ich właścicieli obecny ciągle jeszcze on, jemu oni zawierzyli!

Racja! bo i jakże by naród przetrwał bez swoich zaprzańców! i dziś, gdy trzy pokolenia minęły, stara metodyka rządzenia jak nowa:

psychiatrę pchnie się jak najchętniej na wojsko,

wojskowego na kulturę,

szacunek dla zwierzchnika ma być – przede wszystkim!

Bo każdemu należy się to, na czym się najmniej zna, będzie cicho siedział! I w „nowoczesnym sposobie myślenia!" Takie pomysły tylko w pożyczkowej głowie powstają, co mówię, we łbie! Gdy jak się dawniej mówiło, statysty brak, męża stanu. Tylko jeden się pyszni, a drugi w górę pnie!

Na nic innego szans nie ma; brak lultury niezależnej, sztuki, literatury!

Więc teraz pytanie: A co ma mieć w głowie poeta?

Niech w nim buszuje niezależne myślenie!

po przykład wszędzie, choćby i do Caravaggia sięgać!

mamy przykłady bliższe, do których nas przymuszali.

A tu tylko strażników mamy moc;

i dopuszcza się do-wolne wybory.

Faktów! A poezji, co z poezją?

Kiedyś – żeby lepiej zrozumieć poezję – zacząłem sam pisać wiersze. Teraz na co dzień poćwiczmy prozę.

muszę nauczyć się korzystać ze swoich doświadczeń. Przecie od dawna, już jako gówniarz wiedziałem to, co tu w litanii wyliczę

że na całym świecie jesteś sam!

a życie masz tylko jedno! w ograniczonym czasie musisz zdążyć ze wszystkim tym, czego sam bardzo pragniesz!

Więc sam to zrób – albo pędź do mecenasa!

sam? to i zbudować swoje powołanie wpierw trzeba!

od onieśmielenia zaczynając!

I uważność musisz mieć, chłopie! na wszystko na nos, by węchowina, którą wyczujesz, nie omamiła cię tak, że stałbyś się narzędziem byle myśleńki czyjejś, cudzej Grosse-ideologii.

Tyle już wiedziałem i wiem;

a jak sobie samotni radzili inni?

W 17. wieku żył pan Pasek, Jan Chryzostom, zaczynał też od pisania wierszy, ale że życie miał niezwykłe, to musiał umieć radzić sobie; a tu wszystkim rozdziawię gęby i oczy – bo Pasek to był przecież dokładnie rówieśnik Józefa Haydna; a stamtąd pach! to już prosto i do Schuberta, Franciszka atoli! to on, pan Haydn pisał w 1772 *Kwartety słoneczne* o tym, jak Słońce marudzi ma pagórkach za Rawą Mazowiecką i przychyla tam sobie listki drzew, pasemka traw; nigdzie w świecie nie przykłada się do okolicy tak jak tam! potwierdzam to, bo jeździłem sprawdzać; lubię ten leniwy rytm i zanikanie, żeby zaraz odrodzić się w byle powiewie! ja też rówieśnik obu tych panów jestem, post-trzystuletni, ale czasu tak naprawdę przecież nie ma!

Pan Pasek rycerzem był, zwycięską szablą Rzeczypospolitej, rębajłą w Europie biegłym, w swych *Pamiętnikach* wszystko, gdzie był i co robił, opisał; i wypracował w nich wzorzec prozy tak cenny, że od Sienkiewicza po Gombrowicza, o Żukrowskim nie zapominając, lista jego dłużnych ciągnie się; ja pracę roczną (referat) o nim pisałem na studiach, to coś wiem.

A dla porównania – w tymże wieku 17. czasy były jak dzisiaj! wszyscy walczyli ze wszystkimi, to i pan Pasek, rycerz-rębajło – ciągle dla nas cenny wzór!

w *Pamiętnikach* zostawił takie zdanko z myślą genialną zasię:

„A dalej to choć sił już nie było, to się jednak biło, bo bić było co!"

Tej perspektywy nikt z naśladowców jakby dotąd nie zauważył, a to przecież od następnej chwili należałoby już wszystko zacząć; poszukać jakichś innych sposobów na życie, umiał to pan Haydn, bo szablą całego świata nie przebijesz!

Dzisiaj znów świat i czasy są takie, że nie ma kogo i za co kochać, wszyscy raczej kochają walczyć ze sobą, bo inaczej jak? jeden generalissimus to wiedział i słusznie zdechł!

Jak inaczej? właśnie jest sposób!!

trzeba tylko sprawnych palców, no i uwaga – rozumu!

moja Fryzjerka ten sposób zna,

„Jak ja kocham, powiada – pięknieję właśnie wtedy!"

spodobać się sobie możesz, chłopie, albo i chłopko! a jak sobie, to i innym –

Wiedzy nam trzeba na gwałt! jak kochać za coś, kiedy nie ma za co?!

w lustro spojrzysz – dostajesz swoje odbicie!

a żeby tak – odwrócić się teraz od siebie? innym w oczy spojrzeć? spróbujcie państwo!

w żywym lustrze cudzych oczu – twój sprawdzian!

W takiej Ameryce na przykład już w dyliżansach, jak się to wszystko zaczynało, próbowali rozmawiać bandyta z bandytą, albo i z damą, o zgrozo! bo w dialogu wyćwiczyć się można i do kariery Prezydenta, jakżeby inaczej!

A u nas ,tramwaje ludzi jako śledzie wiezą, to i te, jako ryby, wciąż nieme!' – czy nie tak obmalował nas pan Pasek?

I dziś rodzima ziemia Mazurów miejsca mu odmawia. Burmistrz Rawy Mazowieckiej E. G. (r. 2004) nie wyraził zgody na pomnik, bo pan Jan Chryzostom „budzi wśród mieszkańców duże kontrowersje". Wielką ma śmiałość.

Tam widać estetów ciągle przymało. Ksiąg nie czytają.

Aż do zaprzaństwa dojrzeli. I trzysta lat minęło, a z szabel im się na żyletki zeszło. Rawa lux.

7

On stoi a ja jadę.

Wymachał mnie z przystanku taki, o Kulach. Zatrzymałem się, wsiada,

– odrazu się przedstawię, Dziad podkościelny jestem, a do Lasek przyjeżdżam tu, bo w mojej parafii proboszcz nie pozwala, żebym po prośbie...

– z daleka pan jest?

– a ze wsi pod Płońskiem, panie!

– to bliżej nie było miejsca...

– może pan nie wie, ale teraz różne są kategorie dziadów; a moja dla naszych jest za niska!

– ależ *res sacra miser!*

– mnhm,

– ubóstwo rzecz święta! w Piśmie stoi napisane; nie czytają?

– ja proszę pana, wsiowy Dziad jestem, łaciny w szkole nie uczyłem się... ale i uśmieje się pan: przeżyłem 74 lata, a cały czas w cnocie! znaczy się bez baby!

– no, hm, to czystość! pielęgnował pan czystość. Ja zaś działalność sprawdzającą prowadziłem dla odmiany!

– a to znaczy?

– to jest podrywactwo, proszę pana. Jak zobaczyłem dziewczynę, to zaraz krzyczałem, "ach, jakaś ty piękna! sprawdzam!" i tak przez czterdzieści lat, a może więcej! w życiu to jak w pokerze proszę pana, trzeba sprawdzać. A teraz to i nie za bardzo już muszę!

– i do jakiej wiedzy doszedł pan? co panu odkryły?

– wiedzy niewiele; ale – w różnym czasie wszystko, bo zależy, na jaką się trafi! a wiedzy? no, choćbyś pan ćwiczył przez całe życie, wiedzy z tego nie ma!

– co prawda to prawda! a mojej czystości to też i ksiądz nie chce, choć w przykazaniach gada... oni tam po cywilu panie to i na wczasy jeżdżą, życia używać lubią!

– czystość to ważna rzecz, może i najważniejsza! bardzo cenię czystość! sam zwykle miałem ją jako cel... no, daleki!

– takie było i moje zadanie takie!

– kiedyś i księdzem myślałem zostać... ale jak ta wojna przyszła, wszystko inaczej się ułożyło! najpierw to oraczem zostałem, jak w Biblii! za pługiem chodziłem, ogromną przestrzeń miałem do zaorania; chodziłem i śpiewałem! a potem, jak mi ziemię zabrali, to do lasu poszedłem, drzewo kraść! kradłem i sprzedawałem, ale źle mi szło; to i pasterzem chciałem być, znów jak w Biblii; ale że bez owiec byłem, i pastorału nie miałem! zacząłem kwiatki zbierać na łące, wtedy to jak motyl myślałem pofruwać sobie, bo gdy się leży w trawie... ba, i nauczycielem zostałem kiedyś, aż potem

– to ja do Marymonckiej tylko prosiłbym, jeśli łaska?

– łaska jest, czemu nie!

– a zmówię pacierz za pana!

– a ja dziękuję!

wysiadł, by zdążyć do wieczności swojej.

8

Ktoś bliżej, ktoś dalej. Jak wspomniałem wcześniej, zdążałem jednak dalej niż inny mój były przyjaciel, też Poeta. Ja jeszcze nie wiedziałem, dokąd zdążam, a on już miał dużo zamówień. Całość zaś jego przygody życiowej jest taka, że po zdechnięciu Satrapy, gdy kułaków przestano nazywać kułakami, a to na nich nasz Wyb Poeta satyry pisał, wtedy i zamówień już nie dostał, a uczyć się oduczył – to i niezadługo do czubków na dziesięć lat trafił, bo jak sam mówił, charakteru poprawiać nie zamierzał, więc i synapsów skutecznie nie rozruszał, do głosu ich nie dopuścił. Oj, nie tak się robi karierę, oj nie tak!

Kiedy zwolnili go ze szpitala, leżał tylko w swojej kawalerce, papierosa za papierosem smużył, ExtraMocne to były, dymu tam miał pełno, niczego więcej. Próbowałem mu pomóc, materac zawiozłem, bo spał na podłodze, ale z próby rozmów nic nie wyszło, ducha buntu w sobie nie miał i takim umarł. Dziś, gdy go wspominam, zważywszy na różnicę naszych doświadczeń, nie wiem komu tu i czego pozazdrościć warto, jemu czy mnie?

Ja, choć przyjąłem podpowiedź dla wyobraźni, wiedziałem więcej o przekraczaniu granic, i tak dalej, lecz jak zobaczyłem, co się dzieje Tam, po drugiej stronie świata...

przestudiowałem ostatnio mądrą księgę dra Pima van Lommela *Wieczna świadomość*, o doświadczaniu śmierci klinicznej (DŚK); i zaraz przypomniałem sobie, że prekursorem takiego myślenia w Polsce był profesor z KUL, ks. Włodzimierz Sedlak, autor wydanej w PIW pracy *Na początku było jednak światło* (1986). Przeczytałem ją, a jakże! I posłałem mu coś swojego. Odpisał człowiek wiary: „Zawsze wierzyłem, że przyjdzie kiedyś odpowiedź z tamtej strony!", od humanistyki. Zaś mój były kolega z klasy, chemik dość przyrdzewiały, nienawidził go za te odkrycia.

A ja przypomniałem swoje przeżycie nad morzem, gdzie przespacerowałem sobie Tam i Nazad, doświadczając poszerzonej świadomości! Przy okazji lektury dra Pima, nauczyłem się nieco i fizyki kwantowej, z którą byłem na bakier; ci cisi i nieemblematyczni kapłani nauki, nieprzypadkiem najgłośniejsi uczeni na świecie! jeden z jej koryfeuszy, nagrodzony noblem Niels Bohr wyraził się w te słowa;

„Jeśli ktoś nie jest przerażony teorią kwantową, znaczy, że jej nie zrozumiał".

Może i nie zrozumiałem wszystkiego, ale do przerażenia przyznaję się bez bicia – jako do wartości swej osobistej, i by tak rzec, już od dziecka dla mnie fundalmentalnej; choć nikt na szczęście nie nagradzał mnie za to, ani za nic innego; poniżej o przerażeniu będzie jeszcze mowa. A wracając do dra Pima – przyznaję, przeczytałem jak Biblię i nauczyłem się od niego wiele;

z jednym, bardzo ważnym dla mnie zastrzeżeniem:

ja przeżywając swoje DŚK, jak to już opisałem, nie byłem w żadnej klinice, jak chyba wszyscy opisywani przez niego pacjenci, sam opuściłem swój stan i powróciłem na Tę stronę! chyba że...

chyba że ktoś mi pomógł –

no to i kto mi pomógł wtedy, kto?

powiem do tego jeszcze, że i dobrze się stało; bo bym tego doświadczenia u nas w żadnej klinice nie przeszedł, w żadnej bym nie przeżył!

Bo u nas to życie leci własnym torem –

poza udziałem pomocy ludzkiej i w ogóle ludzkim pojęciem, poza świadomością, nawet i nieposzerzoną.

Ja zaś dzięki doświadczeniu poszerzonej świadomości skończyłem wtedy z pewnym rodzajem pamięci, z pamięcią kujona, potem już mi te wszystkie koniugacje, deklinacje i tryby gramatyczne, nie tylko w łacinie, w której się tak specjalizowałem, nie były potrzebne,

gdyż stanąłem przed nową ścianą; mówiąc banalnie, była to konieczność zbudowania nowej pamięci, uświadomiłem to sobie, że mam zacząć żyć los podług nieistniejącego dotąd porządku. Więc nie było to proste!

dopiero dziesiątki lat potem mogłem to zapisać:

„Jeżeli miałbym zostać człowiekiem, jakiego mam na myśli – to musiałbym się stać kimś zupełnie innym, nowym! i to, oczywiście, drogą tak dalekiej przemiany!

ileż sił, ile pracy trzeba, by przy konstytucji tak marnej, ułomnej niemal – wiem, wszystko jest do zmiany!”

(1973)

Ciała nie udało mi się zmienić! Ale gdybym mógł, chyba też je bym zmienił.

To znacznie wcześniej, już podczas wybuchu wojny zaczynałem żyć życie, proszę sobie wyobrazić, od Przerażenia:

„fundament? z Przerażenia utkany? grząski i bez dna! lecz jeśli teraz... się opanuję... to może i następnym razem poradzę sobie!”

miałem dla siebie tę niby pewność, choć i zranione wciąż poczucie sprawiedliwości!

„... to może od Kamieni, na które spadłem, dostałem coś w zamian?! może jeszcze nie wojując – zdobyłem coś dla siebie!”

Powiedziałem, nikt na świecie nie nagradzał mnie za nic nigdy, więc tym śmielej mogę się tu przyznać do tego co było, do przerażenia, jako wartości fundamentalnej;

„... bo jeśli jest coś do zrobienia – trzeba to wykrzesać z siebie, dać temu jakąś siłę!”

To była potem już nieusuwalna i w żaden sposób inaczej niedysponowalna część mego DŚK. Dzięki niej wróciłem na Tę stronę bez pomocy klinik.

Przyjąłem to jako dar. A otrzymałem go na 5 lat wcześniej, nim się narodził ów hałaśliwiec, mierny lekarz. Co innego zupełnie – dr Pim, sercolog i empatyk, uczony z intuicją o zasięgu globalnym.

9

I tu już będzie, jakby bez przekraczania granic.

Byłem na spacerze, rzucił się na mnie pies,

– mój ty kochany, rasowy labradorze, nie rusz! jeszcze ząbki sobie połamiesz, ty taki piękny rasowy!

Rano, gdy wsiadam do windy, wydaje mi się, że jest tu tak bezpiecznie!

– a dokąd pan chce jechać? zaczepiła mnie wczoraj niebrzydka pani;

– jadę tam, gdzie się okaże, jak dojadę!

– dowcipniś jaki! odprychnęła.

Już cała głowa albo i Kosmos tym zajęte. Poczytajcie u dra Pima o tym, czytacze. On was do pojęcia o synapsach waszych doprowadzi. Które nie tylko czujnie słuchają wszystkiego, lecz i nie męczą się przy tym.

Ta świadomość może być w tobie – ona cię i w Kosmosie złączy ze wszystkim.

10

O ostatnim doświadczeniu moim nie chce mi się tu opowiadać w szczegółach, trochę i zmęczony bom. Ale

gdy go zobaczyłem za pierwszym razem,

stał dość daleko ode mnie;

ale zrozumiałem, że mamy wspólny zamiar, chęć

...chyba się mnie nie zaprze?!

i z niedowierzaniem pomyślało mi się, żeby go mogło było stać na postawę pionową, na tylnych nogach tylko – – a już w następnym błysku, poszerzonej świadomości rzecz jasna, w spojrzeniu nadzwyczaj wyraźnym,

zobaczyłem go tak blisko siebie, że nie dowierzałem, jak może z taką wagą „Zetempowiec", z półtorej tony przecież, utrzymać się na tylnych łapkach!

i jak by to on w tańcu objąć mnie potrafił tymi sztywnymi przednimi! my ludzie mamy do tego elastyczne ręce?...

a potem tańczyliśmy razem tak, jak to zawsze w tangu, wolno i swobodnie, objęci! trwało tak długo jak trzeba, i było przyjemnie!

nawet jak się obudziłem – choć i nie wiem, czy musiałem się budzić, by to wiedzieć! – wiedziałem, był to ten jeden Los! na pewno nie przypadek! i swobodne wierne przebywanie!

... i co teraz? co jeszcze dziś się stanie?!

11

Może i hałas wielki był od tego balowania, nieważne. Ale dla jakiegoś powodu sąsiedzi moi zbuntowali się i wyłamali drzwi. I patrzą – co jest? naszego Narratora nie ma?! mnie zabrakło.

W każdym razie stwierdzono, żem znikł całkiem. A także i Koń... odfrunął Pegaz.

Jedynie ci, którzy wybiegli na dwór z oszołomienia, dziwili się, aż usłyszeli, jak wysoko w powietrzu się niósł tętent i rżenie koni.

Bielany, 24 sierpnia 2011

Wizyta u młodego dentysty

Ja mówię, jako Antreprener:

Dzisiaj, szanowni gryzonie, szanowne gryzonki, będziemy tu dywagować na temat rodzimego słowa *gryźć.*

Otóż do dentysty ja poszedłem, i nie powiem, młody i żwawy był; zaś mnie na jedynce kołpak wypadł, po raz już trzeci zresztą.

– Ma pan zgryzione zęby, powiedział; co pan z nimi zrobił?

– a bo mnie długo gryzła zgryzota!

Zaczął borować.

‚Zgryzota? właściwie to i mnie już tu nie ma... cała literatura moja oj, tylko ta proza, powstała z zaprzeczenia talentu do pisania prozy, z braku pamięci. A proza operuje pamięcią! To, co napisałem wczoraj, potem czytałem jako obcy tekst! Jak coś tam rozpoznałem nocą – na następny dzień kłuło mi w oczy tak, że natychmiast coś przeciwnego musiałem napisać! mnie z dnia wczorajszego nie było już zupełnie! tak więc i moje czasy są dawno już niemoje, umknęły, bo wszystko się zmienia; a ileś tam milionów synapsów nażyłem nowych! w każdą godzinę ich tyle przybywa; dla starych miejsca nie ma! nowy kręgosłup jest i nowa konstrukcja... obecna tylko ta chwila.

A były czasy kiedyś, gdy to niepamięć ocalała!

lecz ja jako przewodnik, jako łącznik od wszystkiego ocalałem! Bywało czasem tak, że niepamięć ocala! ale to do czasu;

tylko muzyka umie świetnie łączyć kontrasty w całość.

Więc – jest jeszcze ta muzyka! ona czasem i człowieka ocala.

Kiedy brakło mi muzyki, w najgorszych latach stalinowskich, wybiegałem z akademika na ulicę, i długimi wieczorami, choćby w deszcz i zawieje śnieżne, stałem tam i słuchałem wycia z głośników; bo towarzysze radzieccy mi grali! mieli głośniki zawieszone wysoko na słupach, obok swojego baraku, bo oni tu przyjechali nas odmienić i w dowód wyższości budowali swój dla nas PKiN, więc mi zawczasu dawali tę muzykę, ona ryczała na całą okolicę, na cmentarz Wolski z jednej strony i akademik na Karolkowej z drugiej; aż do ścian naszych ona dochodziła, ale na dworze było słychać lepiej, no i tak się pleniła ich kultura! szły rozwodnione kawałki symfonii Czajkowskiego, arie różne z moją ulubioną *Serenadą melancholijną* na bis;

– a ty tego nie słuchaj, popsujesz sobie słuch! radził mi kolega z pryczy, i miał rację, on potem sam kompozytorem został, nazywał się Sławiński czy jakoś tak; nie słuchałem go, tylko towarzyszy radzieckich, bo to już było i grało!

jeszcze jako dziecko lubiłem zawsze śpiewać coś sobie, to zamiast piastunki, która by mnie ukołysała, wszystko co do zaśpiewania było, sam wyśpiewywałem! i kawałki przedwojenne, które z płyty od sąsiadki znałem, ona, jak tylko poczuła się muzykalna, to lubiła otworzyć okna i drzwi, i *Przybądź do mnie!* nastawiała!

a kiedy zamknąłem się w sobie, jak na przykład często bywało potem w akademiku, kiedy to doniesiono coś na mnie, był już zły znak!

„Józio na zajęciach nic tylko śpi i wiersze pisze!"

„...a powinien się uczyć gramatyki starocerkiewnosłowiańskiej!"

wtedy wytrwale milczałem, leżąc na pryczy w akademiku, w dwunastoosobowym pokoju; aż kiedyś przyszedł ktoś obcy i mówi:

– ten człowiek nas zawiedzie! on nie wierzy w to, co powinien! on czeka na inne czasy, my już wiemy jakie!!

i wyrzucili mnie z ZMP, a z tym i ze studiów; wtedy zarządziłem strajk głodowy w tym pokoju; a że nie zdobyłem większości, musiałem głodować sam; aż nie wytrzymałem i po pięciu dniach wsiadłem w tramwaj 25, nim do dworca Wileńskiego, a stamtąd prosto do szpitala w moim rodzinnym Białymstoku, gdzie przed studiami już byłem gwiazdą; tam poszedłem prosto do szpitala i przez trzy tygodnie obracali mnie na rożne strony, aż przywrócili życie, dali siły! –

więc i wróciłem znów na uczelnię, bo była okazja, akurat zmarł towarzysz Stalin! zdążył na czas; a tu w zamieszaniu nie zauważyli mnie; wplątałem się w sam środek uroczystości pogrzebowych; i mogłem widzieć, jak mój drugi kolega z pryczy na uczelnianej nasiadówce uroczyście zaciągnął się do Partii – „przecież tak osłabionej!" –

i zaraz następnego dnia dostał tetetkę, pistolet na uposażeniu armii zaprzyjaźnionej, zapisał się też już swobodnie do Związku Pisarzy, tam na zebraniach, rozbierając publicznie swój nabytek i składając, chwaląc się, już zaczął się szykować do objęcia funkcji czwartego wieszcza, bo jak wiadomo pierwsze, drugie i trzecie miejsce było już *constans*, zajęte; zresztą wtedy nie tylko tak przyszłościowo myślał, było paru takich jeszcze, co zrozumieli, że jedynym skutecznym mecenasem sztuki w PRL może być tylko UB – uwierzyli w magię sowieckiej tetetki, i bardzo się cieszyli, gdy ją dostali; zastartowali na wieszcza! co i z dzisiejszej perspektywy tym bardziej da się potwierdzić; mieć protektora nad sobą? a choćby i z pepeszą!

Nie wiem, czy wspominałem, że ja – nie lubiłem pisać wierszy! za to lubiłem przecież muzykę... pamiętam, jak desygnowany na profesora Głowiński w Filharmonii zarzucił mi kiedyś

– ty tu swoich opinii nie mów tak głośno! za nami siedzą kompozytorzy i jak oni usłyszą...!

– to i pisać będą mieli o czym! skorzystają! też mi mecyje!

ja wciąż wierzyłem jak najgoręcej we wszystko!

a już najbardziej w to, co się samo do wierzenia podaje, choćby naiwnie i nieśmiało, sam byłem nieśmiały, to i z dziewczynami musiałem się ćwiczyć w nabywaniu pewności siebie. I przez cała dekadę ćwiczyłem się w tym bardzo skutecznie – lecz jakoś żadna nie chciała zrozumieć, gdy jej tłumaczyłem, dlaczego to do nas aż z Tuoneli przyleciał kiedyś Łabędź, i został. Więc nie znajdując dla siebie wzajem rezonansu – – a ja z kolei wolałem obserwować, jak to w muzyce na przykład z małego robi się wielkie; a czemu akurat tu – nic się nie łączy z niczym?!

– więc złych wypadków nie pamiętać, do nowej miary się rozwijać – oto niech będzie zasada mojej zmienności!

I zawsze być ponad wyobrażenie dzisiejszych uzurpatorów!

Pamiętam, jak w starym teatrze kiedyś, w Łazienkach, w budynku... (ach ta niepamięć!) mieliśmy próbę chóru przed występem i ktoś niespodziewanie siadł do starego fortepianu, co stał w kącie, pobrzdąkał na nim i zaczął z impetem grać *Poloneza As Dur* Chopina; wszyscy wstaliśmy, bo aż ciarki nam poszły po plecach, ja sam się przestraszyłem:

‚to taka może być moc, ona jest tylko uśpiona, taka wielkość! i tutaj, w Łazienkach? ledwo nie popękały ściany! Bo jednak Chopin to jest! okazał się o ileż potężniejszy niż otaczające nas dowody mitręgi króla Stasia! jego zatraceńczej mitręgi!!

Nieraz długo szukasz górnego przykładu i nic. Jesteś tylko sam. A po to jesteś przecież, żeby go stworzyć!

Pamiętam, jak długo nosiłem w sobie zdanie o powołaniu ludzkości. – I oto jest przestrzeń! powiedział, dlaczegóżby w nią nie wstąpić?!

trzeba tylko jeszcze stworzyć towarzyszące okoliczności!

jeszcze długo i bez końca z powodu zmienności wyrzucano mnie z pracy nieraz, w swoich spacerkach na wysokie stanowiska nie zaszedłem! lecz wyobraźnia, żeby przeżyć – kazała mi każdego dnia zapominać com przeżył!

i człowiek idzie z latarką podręczną, zauważa moment, który rozświetlił, w błysku wrażeń, a nawet i wstrząsu, czasem olśnień, zmian doznaje...

o, niemi świadkowie tamtych lat,
już nie pamiętacie mnie?
może i pamiętacie, lecz teraz – sami jesteście niemi!'

Tamten przestał borować; lecz jakby śledził moje myśli, powiedział

– My tu nie gładzimy czyjejś duszy, my, proszę pana, tylko leczymy marne ciało! pan musi zmienić zgryz! poradził – a za dziś należy się dwieście;

– mam tylko sto...

– to i kołpak założymy następnym razem!

6 stycznia 2013

CZAS CHMURY

Chciałem być Chmurą.

Chmura zwiera się i rozwiera swobodnie, podług życzeń chwili, miejsca i działających sił. Nikt do niej pretensji nie ma, nikt haka na nią nikt nie znajdzie – bo i zaczepiłby go – o co?

– och, patrz jaka ona tam!

będąc jak ona – możesz być wszystkim!

A dobrze jest być wszystkim! pisał Beaudelaire:

‚wszystko myśli płyną przeze mnie, muzyka, obrazy – bez sylogizmów, sofizmatów, wywodów (...) także myśli płynące ze mnie albo z tego co mnie otacza'.

Więc wszystko się dzieje i staje mimo, czyli obok, artysta ma pod ręką kajet, ołówek dobrze zatemperowany, i notuje!

Od dawna wydawało mi się, że człowiek jest częścią większej, bezwładnej całości;

ona zaś sama nie ma jeszcze znaczenia.

I stawiałem sobie pytanie, czy przy zmianach, które wprowadzę, także inna opowieść, niż ta, która mi się układa dotąd, jest możliwa? w życiu nieprzypadkowym!

a jeśli się ta powiastka innemu powieść może – to czemu nie mnie?

mówi się zwykle, we wszystkim, nie tylko w fizyce, że waży i decyduje przede wszystkim masa, ciężar, siła.

A masa ludzi i ich siła (władza) nieraz wydadzą ci się nieludzkie; lecz to jedyne uprawnione do istnienia figury, mające prawo pojawiać się wszędzie!

i tak się uważa powszechnie.

Lecz czy to zestawienie nie jest uzurpacją?

Sama siebie mianująca władza, mianuje też prawo, a ono służy do używania siły wobec reszty, w pożytkach z użycia prawa pomijanej –

– czyż za równie ważną nie można uznać również władzy, która istnieje jako argument jedynie?

niejeden już o to pytał;

– argument przecież świadczy też i na rzecz istnienia władzy;

argument wypowiedziany albo pomyślany, czasem przeważa, liczy się wówczas jako siła, siła argumentu;

ta siła potrafi działać – również przeciw innej sile!

Lecz oderwijmy się od abstrakcji teraz. Przejdźmy do geografii twarzy. Niejedna ludzka twarz, wiem to choćby ze znanych mi paru, ma własny wyraz, tym się różniąc od gęby pospolitej;

lew na przykład też ma twarz, przecież nie gębę, wyrazistą całkiem, coś jak zobrazowanie potęgi, siły, które wprost fizycznie z niej emanują.

W zgodzie z twarzą przez tysiące lat ustalała się też ludzka gestykulacja; część z niej przyswoiły stworzenia nam towarzyszące, weszło to i do ich rytuału.

I tu się jawi pytanie inne – czy podobnie jak z zapisanego rytuału, z przyszłości również może do nas coś dotrzeć, na próbę choćby, tak byśmy mogli niejako zrównoważyć tym wpływ, jaki wywierają na nas zdarzenia przeszłe?

coś, co chętnie przyjęlibyśmy za swoje, kiedy nam to odpowiada.

Przyznaję, chętnie wierzyłem nieraz w możliwość szybkiego nadejścia czasów bardziej mi pasujących, niż te w których żyję – coś z epoki spełnienia, lecz obecne już teraz, w moim czasie!

taka myśl, nawet możliwość pozwalały mi nieraz łatwiej znieść to, co inaczej trudne byłoby do zniesienia, do wytrzymania.

Tak i cała epoka nawet, wyobrażona tylko, trwała już w moim myśleniu, życiu; bo epokę wielkie wydarzenie czyni, zatem przywołajmy je!

a czyjś przywołany obraz – to olśniewający argument, siła argumentu, która chroni mnie przeciw innej, nawet większej sile –

dzięki nim ja, cherlawe indywiduum, wędrować będę mógł – już mogłem, frunąłem! – przez czas epoki znanej mi indywidualnie –

wówczas to, co zostało wyobrażone, spotyka się z potwierdzeniem, na zasadzie wzajemności.

Miało to dla mnie wielkie znacznie! czułem się, jakbym od nowa powstał, coś zaczynał!

tak szukałem i czasem znajdywałem brakujące ogniwo, przyjmowałem je jako zdobycz,

coś rzeczywiście nowego stawało się we mnie,

i przeze mnie.

A gdybym nie ja jeden – gdyby też w pamięci dwóch albo trzech pokoleń zapisać się mógł taki spełniony okres –

zostałby wtedy zauważony i przez resztę pokoleń! starczyłby może za cel dążeń dla tylu innych, pokoleń dotąd niespełnionych?

lecz to się przydarza rzeczywiście rzadko;

zbyt późno rodzi się społeczność, która zauważony cel potrafi spełnić, choćby bardzo ważny dla niej!

i na spełnienie trzeba kilku pokoleń –

a które z nich zawczasu zamianuje strażnika dla nowych praw? by trwał i wartość praw przechowywał?

społeczności w ich miejsce używają pomagierów jedynie, służki władcy, którzy z podniesionym palcem chodzą po ulicy, przypominają (jeśli im się chce), wskazują na aktualny wzór. Taki palcownik niczego sam nie stwarza, takoż i jego epoka; bo to jest jedynie rola funkcjonariusza, matrycy, kurka na dachu, który na wszystkie strony się obraca, udaje, niby coś zgubił, że czegoś szuka, ale sam niczego nigdy nie wymyślił;

i przymusza ludzi, by cenili władzę, stanowi jej znak, nawet i twarz.

Może stąd bierze się niezmiernie silne wśród ludzi pragnienie posiadania twarzy – przez pomyślenie, że ktoś ważny ją ma!

Ja zaś jako oczywistą potrzebę uznaję zbudowanie takiej oto sytuacji, by każdy mógł się porwać na spełnienie własnego pomysłu, zbudowanie twarzy własnej, nowej, odmiennej od innych –

jeśli pomysły takie również innym do głowy przyjść mogą – niech śmiało je sobie wypróbują!

I upodobniałem się, wytrwale nieraz, do swoich zamiarów; miałem to szczęście, mogę powiedzieć, że dzięki nim, najpierw wyobrażeniom, a potem pamięci, mogłem się stać przechowalnią wzoru – oj, nie potrzebowałem ja kurka na dachu! pamiętając swój zamiar, wiedziałem dobrze, w jakich warunkach może on trwać.

A co najważniejsze – wiedziałem, że on jest, że w przyszłości jest wolne miejsce dla mnie, i tylko mnie tam jeszcze nie ma; bo nie każdy mieści się w miejscu, które zajmuje, choćby o tym nawet nie wiedział.

Większość woli żyć w miejscu zastanym – przyzwyczajają się, jakby je wymyślili, a nawet wymarzyli sobie.

Wielu też chętnie nosi coś ponad głowami innych, wykrzykuje hasła na ulicy, by potem w knajpie siąść, pojeść, popić, zdrzemnąć się z łokciami na stole, zapomnieć o tym;

i bywa, że następnego dnia zadowoleni są z siebie.

Ja zaś żyłem w czasach, gdy czułem się naznaczony inną epoką; ogłuszany cudzymi hasłami, nudziłem się przy nich; gdy innym dni umykały na chętnym międleniu słów, ,chodźmy, ach chodźmy!!' wykrzykiwali, lub też dawali się użyć za tło dla cudzego iścia –

kto im się przypatrzył, stwierdzić mógł, że umykają nadarzającym się możliwościom, obecnym czasom.

Wolałem z głową w chmurach chodzić, o przyziemnym świecie starając się nie zapominać, bo też może on ci coś zaoferować. Nie podejrzewałem jednak, że coś z siebie samo może się stać ważne!

kiedy w tłumie osobnych stałem, wysłuchując nierealnych śnień, obserwowałem, jak ich wola i cel z każdą chwilą oddalają się od siebie;

tam, za zakrętem ulicy, być może działo się coś! choćby na próbę mogło ono przydać światu nową postać;

zachodziłem tam, sprawdzałem; i nabyłem umiejętności, by rozpoznawać zdolności cudze, a jak się taką zdobycz zauważy – należy jej bronić natychmiast jak własną!

ktoś obcy mógł się przecież nie mylić!

więc i oswajaliśmy się z nową myślą zarazem – i to był nasz pierwszy ważny krok wspólny; tak od własnego do czyjegoś punktu przechodząc, biorąc za swój również cudzy – stawaliśmy się swego rodzaju większością, byliśmy w drodze;

a kiedy coś takiego się osiągnie, ruszać możesz człowieku dalej, iść z kimś wspólnie – aż razem zobaczycie, jak i ci którzy dotąd tylko przeszkadzać umieli – przyjmują waszą myśl za własną, i przyjaciółmi stajecie się – do wybranego celu ruszacie!

i tak to, Przechodniu, tak rzeczywiście być może!

a ci tam zadziwieni, z którejkolwiek strony drogi by stali, widząc jak ogień życzliwości krzeszesz, choć i na obcym podwórku, jak znienawidzonym zastałościom bitwę wypowiadasz –

tedy się dziwią, a ty poznajesz, co to radość i ból trafienia!

... z bólem jednak, jak i inni, na starość zostajesz bezradny, sam, bezsilnością trafiony,

lecz świadom, jak wiele trzeba było lat, by i tę nieważność swoją, z lat obecnych, z dawnych, na ważność przerobić.

Napisał Nietzsche: ‚Niechaj Przyszłość i najodleglejsze rzeczy będą regułą wszystkich dni obecnych.' Namawiał, by mieć z nimi kontakt.

Ja, który teraźniejszości nie za wiele zaznałem, czuję, jakbym nie mógł żyć dłużej niż chwilę,

bo od początku próbowałem oswajać nastrój innych ludzi

i nie na wiele to się zdało;

i wielość kształtów, postaci, odczytanych znaczeń pozbawiała mnie wręcz jedności własnej –

tak było od początku.

‚Wielości znaczeń towarzyszy czysta obojętność; brakuje sensu sensów.' To cytat, który znalazłem o wiele później, ale znalazłem.

‚Czyż ślepa orientacja nie jest raczej sprawą instynktu niż rzeczą ludzką? osoba zdradzałaby swe powołanie podporządkowując się bez reszty prawu, które wyznacza jej miejsce oraz kierunek.'

Te oraz poprzednie słowa napisał Levinas, Emmanuel; o szczególnym powołaniu człowieka on pisze, o powołaniu do filozofii: ‚Nieufność wobec każdego nierozważnego gestu, starcza przenikliwość biorąca górę nad młodzieńczą nieostrożnością, czyn z góry obrobiony w wiedzy, która mu przewodzi – oto bodaj sama definicja filozofii.'

Więc być filozofem, potwierdza Levinas, to jest dopiero być!

‚Czyż sens, jako orientacja – nie jest wskazówką porywu, wyrwania się poza siebie ku czemuś innemu, odmiennemu od siebie?'

tak było i ze mną, owszem, tak bywa z nami!

‚Orientacją, która swobodnie od Tego Samego prowadzi do Innego, jest Uczynek. Ruch Tego Samego ku Temu Innemu, co nie powraca nigdy do Tego Samego. Wymaga więc niewdzięczności od Innego, żeby nie było powrotu do punktu wyjścia. (...) Musimy zatem nie brać zapłaty w natychmiastowym powodzeniu, przy zachowaniu cierpliwości. (...) Co znaczy dla Działającego: odrzuć chęć obejrzenia wyników!'

Wydaje mi się, nadszedł czas, brakuje przeciwwskazań na to – by postawić tu parę pytań o siebie, a także wymagań:

niech każdy w kolejnej spełnianej roli będzie inny (ale i ten sam);
zaryzykuję też twierdzenie, że niezależnie od celu, który chcę osiągnąć, nawet w chwili jak teraz, gdy jestem bez celu – równie ważne jest, by cel mieć;
więc go wymyślić mam, ruszyć nań z obławą wszelkich starań!
zatem i ja dzisiejszy, i tamten sprzed kilkudziesięciu lat – uważam, uważamy, że nie różnimy się między sobą za wiele; stanowię tu, stanowimy jedno;
powiedzieć to musiałem teraz, gdy tak samo jak na początku uważam, że bez ważnego pierwszego punktu, bez mojego praPoczątku
nie ma żadnych innych, także i mojego Potem,
wszystko zaś, co się stało lub stanie ze mną, stanie się jedynie tu, nigdzie indziej!
jestem Tu, i nie historyjkę opowiadam, lecz stan Osiągnięty; siebie i was podprowadzam do Następnych zmian;
a również osiągnięciem będzie choćby przyhamowanie czegoś, co może z posad wysadzić świat.
Rozpuszczałem się w tłumie dobrowolnie, w glebie, która na świat mnie nie wydała, choć nie miałem tam swojej przeszłości ni przyszłości. Wspomagałem jednak potencjalność czasu, chroniłem, bo z niego Coś mogło się zrodzić.
Urodziłem się, gdy postęp w zwyczajach był ogólnie mówiąc żaden; rześki i zadowolony z siebie nie mogłem Stać się nie wskutek cudzych zabiegów, lecz z braku innych, swoich;
a dzisiaj, gdy nic nie zaprzecza faktu, że tu jestem,
pytam się, czemu nie miałbym wreszcie rozepchnąć się w sobie?!
dzięki temu mógłbym zacząć robić to, co mi imponowało u innych;
wypełniać inne zadania, już własne.
Teraz jednak, pisząc narrację myśli, starać się muszę, by spełniała ona wszelkie powinności,
ale czy także wobec stałości rzeczy, które zastałem?
czy i wobec poglądów, które niezmiennie wyznają inni?
mając pewnie pretensję do tego, by w wieczności sobie pobyć, czemu nie? wszak wieczność również ich stworzyła!
i mają jeszcze niejaką pretensję – o nikły zasób talentów, którymi zostali obdarzeni –
– lecz oni też mogą się zbuntować!

Człowiek w zachowaniu swoim przejawia, owszem, intencję podobną Temu, co go do życia powołało. Jednak nie przejawia wystarczająco wiele wysiłku sprawczego!

gdy wchodzi w dialog z innym – nie troszczy się ni o zastane Tutaj, ni o inną ciągłość.

Dialog odbywa się – zaledwie z Czasem i Możliwościami.

Aż ci się wyda, że jesteś jedynym prawdziwie istniejącym fantem do zagrania.

Widzisz, jak silne jest upodobanie do stałości u Tamtych; a przecież ty również pragniesz być we wspólnocie z jak najbardziej liczną większością!

Jednak to przede wszystkim od twojej stałości, niewzruszalności postawy może zacząć się Ruch. Taki który użyje wszystkiego, z czym się zetknie, całego Zastanego, by się odeń odbić, oderwać;

tak przecież używa się i gruntu pod nogami, mamy doświadczenie!

i tylko niektórym, przy ucieczce, najwięcej ważą nogi.

Zatem w każdym z nas może się zrodzić Zaprzeczenie dla zastanej stałości.

A jak ty to zrobisz, chłopciu? Spróbuj!

i niechaj to będzie indywidualny twój wynalazek!

Dziś, gdy siła talentu już nie starcza, by do słuchacza, oglądacza dotrzeć; gdy i do religii przyznaje się wielu, a wierzących coraz mniej;

kiedy wszelki dostęp do odbiorcy upośredniczono,

droga zaś, niegdyś wszystkim dostępna, targowiskiem do kupienia się staje, nie do iścia; a wynalazki służą raczej, by innych z drogi wyprzeć –

czy dziś można jeszcze powiedzieć coś głośno i być słyszanym – bez pośrednictwa tej łaknącej zysku sfory?

kiedy pieniądz to ledwie jedyny biegun wartości;

cel zniknął,

prawdziwa wartość jest bez zawartości –

możliwe jest tylko kluczenie podstępne, czym w pole da się wywieść nudę właściciela konta?

– skusić go!!

wynikałoby, że niezbyt wiele mam do żałowania, odchodząc. A co do przyszłości – nie pragnę już do żadnej masy się dopisać.

W przypadku, jaki mi się zdarzył, byłe rozpoznałem jako byłe; a jako dzisiejsze – wszystko co niemoje;

zaś przyszłe?

Poza horyzontem można jeszcze wyznaczać ‚czas mojego czasu' – ‚brać się do czynu nie wchodząc nigdy do Ziemi Obiecanej';

tako właśnie rzecze Mistrz Levinas.

Chciałem być Chmurą? Zostałem. A z niej stałem się Sprężyną!

A jeśli nie Chmurą?

jeśli nie Sprężyną nawet?

to jako człowiek wobec Chmury!

człowiek wobec innej tam Mrówki!

człowiek wobec i Sprężyny nawet!

a na koniec – i czemuż by nie! – człowiek wobec innego człowieka?

Taka scenka wreszcie.

Leże ja sobie, już nie idę, tylko leżę, na Ławce w parku, która jest jak wiadomo również Ojczyzną moją,

leżę i długo długo nic, aż leżę i pochrapuję sobie, lecz znowu nie na tyle, żeby przy wszystkich!

a tu człapie sobie Pofessoryna z trzódką, człapie i hyc! wychyla swój dzióbek zza krzaka, i choć potem mogłaby już i nie wychylać się dalej, ale brnie! przeczołguje tu do mnie siebie i swoją trzódkę – i stają, zaczynają gaworzyć sobie, i to tak oczywiście, żebym ja mniej słyszał, a więcej oni!

– pani Proffessor! zmuszonym poczuł się przebić się ze snu i spoczywania, z jawy mojej ciszy na hałas ich jawy, kłujących spojrzeń – pani PPProffiesor, powiadam, a nie ma tu gdzie jakiego prawdziwego belfra? który by i ocenić umiał, ile to może być profesorostwa w proffiesurstwie?!

Do tego ileż to lat musi upłynąć żeby, i epok kamiennych, przelodowaceń żeby?

więc człowiek-Kryterium!

O, wy tam, którzy dziś wszystkie ambony kraju obsiedliście, czy wiecie, ileż to jeszcze tuskulanum minąć trzeba, żeby pocztą zwrotną, w podaniach jak przewidział Wieszcz, doszło do was, że okupujecie wciąż miejsca nieswoje?

17. 9. 97, 2013

Spis treści

TEGOŻ AUTORA:

- Nos pod cios (opowiadania, 1988);
- Franciszek Schubert idzie do czubków (mikropowieści, 1990);
- Wreszcie przystanek, ta chwila (opowiadania, 2000);
- Maestro i wrony, kruki (powieść, 2002).

Jest w tej prozie własne widzenie świata – uważne, nieufne, stroskane, budzące respekt dla wierności sobie

napisał prof. Henryk Markiewicz.